Comment lire l'œuvre

Structure, action et personnages.............................. *332*
    Structure narrative et composition.................... *332*
    Les personnages.. *334*

Études d'ensemble.. *340*
    L'aventure de la modernité *340*
    Les moyens de transport et le rêve *344*
    Le document dans le roman d'aventures
    au XIXe siècle.. *349*
    Le pari : thème ou ressort romanesque *352*

Destin de l'œuvre *356*
    Réception de l'œuvre au XIXe siècle.................... *356*
    La postérité : une littérature pour enfants ?....... *358*

Outils de lecture.. *360*
    L'itinéraire de Philéas Fogg............................... *360*
    Petit lexique de la navigation............................ *362*
    Compléments notionnels *364*

Bibliographie et filmographie............................... *366*

PETITS CLASSIQUES

LAROUSSE

Collection fondée par Félix Guirand, Agrégé des Lettres

Le Tour du monde en quatre-vingts jours

VERNE

roman

Édition présentée,
annotée et commentée
par
Emmanuelle SEMPÈRE
Agrégée de Lettres modernes

www.petitsclassiques.com

SOMMAIRE

Avant d'aborder le texte

Fiche d'identité de l'œuvre 6

Biographie 8

Contextes 14
   L'ancien monde et le nouveau monde en 1872 14
   Le siècle de la technique 16
   La littérature en 1872 : public et diffusion 17
   Le roman d'aventures et le projet vernien............ 20
   Le Tour du monde en quatre-vingts jours
   dans l'œuvre de Jules Verne................................ 21

Tableau chronologique... 22

Genèse de l'œuvre 30
   Sources thématiques 30
   Histoire du texte 32

Le Tour du monde en quatre-vingts jours
VERNE

VERNE 32

© Larousse Paris, 2009 – ISBN 978-2-03-584649-5

Avant d'aborder le texte

Le Tour du monde en quatre-vingts jours

Genre : roman d'aventures.

Auteur : Jules Verne.

Structure : le roman comprend trente-sept chapitres ; l'histoire se déroule du 2 octobre au 24 décembre 1872.

Principaux personnages : Phileas Fogg, gentleman anglais, et Passepartout, son valet français, croisent sur leur route le policier Fix, la charmante Aouda et quelques autres figures exotiques, pas toujours bien intentionnées.

Sujet : lors d'une discussion avec des collègues du Reform-Club à Londres, le calme et excentrique Phileas Fogg parie la moitié de sa fortune qu'il fera le tour du monde en quatre-vingts jours. On est en 1872, et les fabuleux progrès techniques réalisés dans le rail et la marine permettent cette gageure, théoriquement tout au moins : n'est-ce pas sans compter toutes les sortes d'imprévus qui peuvent surgir ?

Thèmes principaux : le jeu et la géographie, l'argent et l'amour, le temps et des horloges...

Première parution : le feuilleton paru dans *Le Temps* du 5 novembre au 22 décembre 1872 précède une édition en volume en janvier 1873, suivie d'une édition de luxe en 1874. Si en 1872 Jules Verne est déjà un auteur célèbre (*Vingt Mille Lieues sous les mers* a été tiré à 50 000 exemplaires), *Le Tour du monde en quatre-vingts jours* est un véritable phénomène éditorial : plus de 108 000 exemplaires seront vendus du vivant de l'auteur.

Frontispice de l'édition du Tour du monde en quatre-vingts jours, *illustrée par Neuville et Benett.*

JULES VERNE
(1828-1905)

Regarder les bateaux : Nantes

1828

Né le 8 février, Jules est le premier né de Pierre Verne, avoué lyonnais, et de Sophie Allotte de la Fuyë, Angevine issue d'une famille d'armateurs et de navigateurs. Son frère Paul, qui deviendra marin et un fidèle compagnon de voyages pour Jules, naît l'année suivante. La famille vit sur l'île Feydeau, ancien quartier des armateurs.

1833-1846

Jules entre avec son frère à l'institution de Mme Sambin, qui leur apprend à lire, puis à l'école Saint-Stanislas ; promis par son titre d'aîné à la carrière d'avoué, il entre au séminaire de Saint-Donatien, puis au Collège royal, jusqu'au baccalauréat, qu'il passera en juillet 1846. Durant cette période, trois filles naissent dans la famille Verne : Anne en 1837, Mathilde en 1839 et Marie en 1844.

Prendre le large : Paris

1847-1850

Installé au 24, rue de l'Ancienne-Comédie, avec un camarade, Édouard Bonamy, Jules commence des études de droit par complaisance pour son père. Ses premières expériences littéraires le satisfont davantage : recueil de poésie, essais romanesques inachevés et théâtre. Avec le musicien Aristide Hignard, lui-même Nantais, il écrit des opéras-comiques.

Dans les salons de Mmes Jomoni, Mariani et Barrère, il rencontre les romantiques, et surtout Dumas fils et père : le premier devient un ami cher, le second rend possible la représentation des *Pailles rompues* le 12 juin 1850. La même année, Jules Verne obtient son doctorat et devient avocat. Son frère Paul s'engage dans la marine.

1851

Année du choix : Jules persuade son père de renoncer à lui céder sa charge et de continuer à l'entretenir à Paris ; il est convenu, pour lui assurer un revenu minimum, qu'il rentre comme avocat dans le cabinet de maître Paul Championnière, mais celui-ci meurt... Toute idée de carrière juridique disparaît avec lui.

Jules Verne publie ses premières nouvelles dans *Le Musée des familles,* dont il a rencontré le rédacteur en chef, Pitre-Chevalier. Il travaillera pour cette revue jusqu'en 1872. Décisive pour la gestation de l'œuvre à venir est la rencontre avec l'explorateur aveugle Jacques Arago, auteur en 1840 d'un *Voyage autour du monde...*

1853-1856

Grâce à Dumas (qui créa le Théâtre historique, repris par Edmond Seveste en 1852), il entre au service du fils de celui-ci, Édouard, directeur de ce qui devient le Théâtre lyrique, en 1853 ; il emménage boulevard Bonne-Nouvelle, dans le quartier des théâtres, en face de son ami Hignard, et parvient à faire monter deux opéras-comiques.

En juillet 1854, la mort de Seveste le délie de ses obligations envers le Théâtre lyrique, qui lui pesaient. Mais il peine, malgré la pension paternelle, à subvenir à ses besoins. De plus, en 1856, un désaccord avec Pitre-Chevalier lui ferme les colonnes du *Musée des familles*, et ce jusqu'en 1863.

1857-1859

Après plusieurs amours déçues, Jules Verne rencontre Honorine de Vianne, jeune veuve de vingt-six ans et mère de deux enfants, qu'il épouse en 1857. Pour subvenir aux besoins de sa famille, il achète une participation dans la maison Eggly, agents de change, tout en continuant d'écrire pour le théâtre. *Maître Zacharius* paraît dans *Le Musée des familles*. Paul abandonne le métier de marin.

Avec Aristide Hignard et grâce au père de celui-ci, agent d'une compagnie de navigation, il commence à voyager : en 1859 en Écosse, en 1861 en Norvège...

La rencontre d'un éditeur et d'un écrivain

1860-1865

Le romancier Brichet, à l'instigation d'Alexandre Dumas qui vient de lire un certain *Voyage en l'air*, présente Jules Verne à l'éditeur Pierre-Jules Hetzel, qui décide de publier le roman, sous le titre *Cinq Semaines en ballon* ; c'est le premier contrat de l'écrivain, signé le 23 octobre 1862.

En 1864, un second contrat fait de lui un salarié astreint à la production de trois volumes par an. Il consacre un article à Edgar Poe dans *Le Musée des familles* et y expose sa volonté d'être son continuateur dans le domaine du crédible et du vraisemblable.

En 1865, il devient membre de la Société de Géographie et signe un troisième contrat avec Hetzel ; la formule par versement mensuel fixe lui fait perdre une part importante des bénéfices (en particulier ceux des éditions illustrées).

1866-1868

Le titre des *Voyages extraordinaires* est trouvé. L'écrivain s'installe avec sa femme et ses enfants au Crotoy, dans la baie de Somme. Avec l'aide d'Honorine, il se lance dans le lourd travail de rédaction d'une *Géographie illustrée de France et ses colonies,* qui sera achevée en 1868. Avec Paul, il s'embarque pour New York sur le *Great Eastern*, vapeur géant de l'époque. Les deux frères iront ensuite jusqu'aux chutes du Niagara. En 1868, Jules Verne peut enfin donner corps à son rêve et fait construire son premier bateau, le *Saint-Michel*, sur lequel il entreprend avec son frère des croisières. Un quatrième contrat est signé avec Hetzel, qui améliore son revenu.

1870

Pendant la guerre, Jules Verne est mobilisé comme garde-côte au Crotoy. Il installe sa famille à Amiens, ville occupée en décembre. Il continue à écrire, mais la paralysie de la maison Hetzel le plonge dans une gêne financière qui le décourage ; son père meurt en 1871.

Revenu à Amiens, où l'écrivain habite le long de la voie ferrée, il reprend ses activités auprès d'Hetzel ; un nouveau contrat, plus avantageux, ne l'astreint plus qu'à deux volumes annuels (mais il sera toujours en avance sur ces échéances).

Chevalier de la Légion d'honneur sur la proposition de Ferdinand de Lesseps depuis 1870, il est élu à l'académie d'Amiens en 1872 ; le 8 août, l'Académie française couronne l'ensemble des *Voyages extraordinaires.* C'est aussi l'année du *Tour du monde en quatre-vingts jours,* publié en feuilleton dans *Le Temps* du 5 novembre au 22 décembre.

1873-1875

Le 28 septembre 1873, Jules Verne monte en ballon dans *Le Météore*, qui avait assuré le service postal de Paris assiégé et que son constructeur, Eugène Godard, présentait ce jour-là à Amiens. À partir de 1874, l'adaptation théâtrale du *Tour du monde en quatre-vingts jours* conquiert les salles et l'audience de Jules Verne augmente. En 1875, suit un sixième et ultime contrat signé avec Hetzel, qui intéresse l'auteur au tirage de ses livres futurs, ce qui se révélera en fait peu avantageux, vu la baisse des tirages.

1876-1878

Jules Verne achète en 1876 un second bateau, le *Saint-Michel II,* bientôt suivi en 1877 du luxueux navire métallique à vapeur de trente mètres, le *Saint-Michel III,* sur lequel il fera cinq grands voyages. Malgré le soutien d'Alexandre Dumas fils et les encouragements d'Hetzel, il renonce à se présenter à l'Académie française ; il déplore qu'en général, « *dans l'échelle littéraire, le roman d'aventures [soit] moins haut placé que le roman de mœurs* » (lettre à Hetzel, avril 1877). Un grand bal, donné à Amiens en 1877, permet à Honorine et à ses filles d'avoir dans la ville « *la position qu'elles devaient avoir et qu'elles n'avaient pas* », comme le confie Jules Verne à Hetzel. Il commence en 1878 une grande *Histoire des explorations et des explorateurs* dont le troisième volume est achevé en 1880.

1879-1880

La reprise, au Châtelet, de la pièce *Le Tour du monde en quatre-vingts jours*, est un véritable triomphe. Mais Jules Verne est très affligé par son fils Michel, qu'il ne comprend pas. Le mariage de celui-ci, en 1880, avec une actrice, puis l'abandon de celle-ci en 1884 pour enlever une mineure, Jeanne, ne sont pas pour arranger leurs relations.

1882-1885

En 1882, Jules Verne se présente enfin à l'Académie française, mais il échoue. Avec Paul et ses deux fils, Gaston et Maurice, il entreprend en 1884 une grande croisière en Méditerranée ; ils sont rejoints à Alger par Honorine et Michel. L'accueil réservé à Jules Verne au Portugal, en Algérie, en Tunisie et en Italie (où il est reçu par le pape Léon XIII), est triomphal. À partir de 1885, Honorine tient salon tous les mercredis soirs, et reçoit les notables d'Amiens.

Les vingt dernières années : solitude, et toujours l'écriture

1886

Pour venir en aide à son fils, avec lequel les relations sont devenues bien meilleures, Jules Verne vend le *Saint-Michel III*. Remarié avec Jeanne et père de deux enfants, Michel parvient à se faire mieux comprendre et une collaboration littéraire s'instaure entre les deux hommes.

Cependant des chagrins successifs vont enfermer Jules Verne dans la solitude : le fils de Paul, atteint d'une bouffée délirante, le blesse le 9 mars d'une balle dans la jambe qui le laisse boiteux, et quelques jours après, le 17, meurt Hetzel. L'œuvre s'assombrit.

1887-1888

La perte de sa mère accentue son isolement. Comme dérivatif, après des tournées de « lectures » en Belgique et en Hollande, il choisit de se consacrer à la ville d'Amiens : sur la liste de Frédéric Petit qu'il a choisie par calcul (il est on ne peut moins radical-socialiste !), il y est élu en 1888 : seize années de mandat suivront, au cours desquelles il mène à bien de nombreux projets urbains (dont un théâtre) et concourt au respect des sites naturels. Il continue à écrire régulièrement, malgré une santé de plus en plus fragile.

1895-1905

La mort de Dumas père en 1895, celle de Paul Verne en 1897, le privent de ses amis les plus chers. De plus en plus affaibli physiquement, il continue à écrire, aidé de sa femme et de secrétaires auxquels il dicte ses derniers textes.

Il meurt le 25 mars 1905 d'une crise de diabète, à 77 ans. Aux obsèques solennelles que lui consacre la ville d'Amiens n'assiste aucun représentant de l'Académie française ni du gouvernement ; en revanche, l'empereur d'Allemagne se fait représenter. Léon Blum rend hommage à l'écrivain dans les colonnes de *L'Humanité*. Michel se charge de la publication des inédits, et mêle son écriture à celle de son père pour les romans laissés inachevés : l'œuvre prend une direction beaucoup plus futuriste. Des textes parus après 1905 sous le nom de Jules Verne, seuls *Le Phare du bout du monde* et *L'Invasion de la mer* sont vraiment de lui. Michel a commencé également à adapter les romans de son père au cinéma, jusqu'à sa mort en 1925. En 1914, Hachette rachète la maison Hetzel et publie l'œuvre de Jules Verne dans des versions souvent abrégées.

L'ancien monde et le nouveau monde en 1872

Dans la seconde moitié du XIXe siècle, l'Europe « des nations » voit s'unifier des États autour du principe de nationalité, tandis que se disloquent les empires multinationaux. Dans ce processus d'affirmation, la colonisation joue un rôle essentiel : elle n'est plus une simple annexion commerciale, mais une véritable expansion politique et territoriale, assurant à la métropole un fort prestige national. Le système des compagnies privées assure des débouchés économiques aux États ; elles font progressivement place à des systèmes d'administration politique divers, du protectorat au dominion.

Après la perte des États-Unis en 1783, la Grande-Bretagne privilégie son expansion en Afrique et en Inde. Avec la conquête du Bengale, de l'Inde du Sud, puis de la vallée du Gange, elle contrôle directement ou indirectement la quasi-totalité du territoire indien. En 1857-1858, la révolte des Cipayes ébranle la Compagnie anglaise des Indes Orientales, qui est alors supprimée au profit d'une domination directe par la couronne britannique : la reine Victoria devient impératrice des Indes en 1876. C'est donc l'apogée de l'Empire britannique que le périple de Phileas Fogg dépeint. L'extension de la mainmise anglaise est soulignée par le mandat du policier Fix.

Face à cet « ancien » monde se dressent les jeunes États-Unis, auxquels Jules Verne voue, comme beaucoup de ses contemporains, une grande admiration. Indépendantes depuis le 4 juillet 1776, les treize anciennes colonies se dotent d'une constitution, en 1787, qui fonde un gouvernement fédéral à la présidence duquel est élu George Washington, le 4 mars 1789. Outre l'affermissement politique des institutions, le nouveau pays est surtout préoccupé de l'expansion vers l'Ouest et de la conquête de nouveaux territoires. L'époque coloniale n'a légué en effet que de mauvaises routes limitées, à part celle reliant Boston à Baltimore par New York et Philadelphie, à chaque État. Lancée dans une politique de grands travaux, l'Union prolonge la route du Cumberland entre le Mississippi et l'Ohio, creuse le canal de l'Érié entre New York et les Grands Lacs, enfin relie New York et La Nouvelle-Orléans par une voie d'eau continue.

Mais c'est par le rail que l'Ouest sera conquis : en 1869 est construit le premier chemin de fer transcontinental entre Omaha et San Francisco, à travers l'Utah. Au *Central Pacific* et à *l'Union Pacific railroad* se joindront avant la fin du siècle quatre autres transcontinentaux, en 1881 l'*Atchinson, Topeka* et *Santa Fe Railroad* et le *Northern Pacific*, reliant Chicago au Nord-Ouest, en 1883 le *Southern Pacific* entre La Nouvelle-Orléans et San Francisco, puis en 1893 le *Great Northern Pacific* entre Saint-Paul et Seattle.

Les colons prennent ainsi possession du « Far West », vaste zone géographique aux limites floues, des Rocheuses aux deux Dakota et à la partie occidentale du Nebraska, de la frontière canadienne aux confins du Mexique, soit un tiers des États-Unis ; avec la découverte d'or et d'argent, le développement de l'élevage extensif des « cow-boys », ces immenses territoires attirent de plus en plus de colons, qui détruisent la principale ressource des Indiens, le bison. Un génocide effroyable décime les tribus indiennes entre 1848 et 1890.

Sur tous ces aspects, le regard de Jules Verne est instructif de l'opinion des Européens sur les Américains : intrépidité, brutalité certaine, voire grossièreté, mais aussi audace et courage sont les traits qui frappent les voyageurs européens. Quant au sort réservé aux Indiens, l'indifférence de Jules Verne est révélatrice du sentiment de supériorité qu'éprouvaient les nations « civilisées » envers les « sauvages » et les colonisés.

Le siècle de la technique

Le monde en 1872 est un monde de technique et de développement industriel, dont Jules Verne se fait l'observateur fidèle et fasciné. La mécanique, indissociable depuis le XVIIIe siècle de la figure de Newton, est devenue le modèle de toute science ; ses applications modifient le paysage urbain et les habitudes des hommes.

Le voyage de Phileas Fogg passe en revue les progrès des moyens de transport et de communication, et intronise la locomotive à vapeur, née en février 1804 du pari de Richard Trevithick d'utiliser la traditionnelle pompe à eau pour le transport. Après de multiples tentatives, c'est à l'ingénieur anglais George Stephenson qu'on doit la création de la première ligne publique de voie ferrée, en 1825. À peine deux ans plus tard, l'invention est importée par les États-Unis et la France. Si, en 1841, Londres est relié à la plupart des grandes villes anglaises, ailleurs les progrès seront un peu plus lents, au profit d'une construction qui se veut plus cohérente et sous contrôle de l'État en France et, pour les États-Unis, en raison de tous les obstacles qui vont faire du rail américain une véritable épopée. Entre 1850 et 1860, plus de 33 800 km de voies y sont construits, permettant de traverser le continent « *ocean to ocean* » (voir chap. XXVI) : le *Grand Trunk Railway* en 1852, le *Pacific Railroad* en 1862... Les obstacles naturels, le dénivelé des Rocheuses, la résistance des Indiens, la présence des bisons et des troupeaux de bétail sur les territoires traversés compliqueront la tâche des colons.

La déconvenue de Phileas Fogg en Inde témoigne des retards pris dans les colonies par l'administration anglaise, puisque ce n'est qu'en 1848 que le projet de relier Calcutta et Bombay voit le jour ; Robert Stephenson, fils du célèbre ingénieur, travaille à la jonction des lignes du *Great Indian Peninsular Railway* (GIP) et de l'*East Indian Railway*, réalisée officiellement le 8 mars 1870 (faut-il douter de cette date à la lecture des chapitres X et XI ?).

L'essor du rail favorise l'investissement industriel des établissements privés, lesquels préféreront d'abord monter des compagnies maritimes, plus sûres : c'est la *Royal Mail* en 1840, la *Peninsular and Oriental Mail* en 1842... Sur mer, la position dominante de l'Angleterre, pays le plus riche du monde jusqu'en 1914, est impressionnante. C'est pourtant là qu'elle perd progressivement sa suprématie, en partie à cause de la navigation à vapeur, invention américaine : le premier bateau à vapeur navigue sur l'Hudson en 1807 et le *Savannah* traverse l'Atlantique en 1819. L'adoption de la vapeur constitue une double révolution : la vitesse, jusqu'alors dépendante de la taille des voiles, ne semble plus devoir être limitée ; la capacité de charge des navires augmente de 45 % : la marine marchande devient une industrie, et si le transport des marchandises baisse progressivement, celui des voyageurs ne cesse de croître. À partir de 1840, l'hélice et la construction métallique améliorent encore la capacité et la vitesse des paquebots qui traversent l'Atlantique, comme le *Great Eastern* qu'emprunte Jules Verne en 1867 : en 1875, ces navires dépassent les cent mètres de long et filent seize nœuds (c'est-à-dire seize milles marins à l'heure).

La littérature en 1872 : public et diffusion

Certes, l'industrialisation et l'exode rural qu'elle entraîne ont contribué à un déracinement culturel des masses, mais il ne faut pas oublier qu'une autre culture, urbaine et technique, naît au même moment. Les diffuseurs de presse portent ce mouvement ; diversifiés, ils touchent une audience plus large, y compris les enfants, auxquels s'est en partie consacré Hetzel. C'est par cet éditeur que le romancier passionné de géographie et de science est venu à ce public auquel il n'a jamais voulu se limiter.

Né en 1814, Pierre-Jules Hetzel fonde sa propre maison dès 1837, après avoir été l'employé puis le collaborateur du libraire-éditeur Paulin, et s'efforce de rendre accessibles aux masses populaires les grands auteurs (tels Victor Hugo, George Sand, Alfred de Musset, etc. mais non les naturalistes), tout en se lançant à la conquête de la littérature enfantine, jusqu'alors chasse réservée de l'Église. Son *Magasin d'éducation et de récréation*, créé en 1864 en collaboration avec l'écrivain franc-maçon Jean Macé, le fondateur de la Ligue française de l'enseignement, entend être, dans la tradition didactique du siècle des Lumières, « *cette encyclopédie de la famille* » qui a manqué selon lui à son enfance et sa jeunesse. Il s'attache Jules Verne dès la publication de *Cinq Semaines en ballon*, en 1863, et dans le premier numéro de sa revue, le 20 mars 1864. Le projet d'Hetzel se veut didactique : le caractère dangereux, gratuit ou, évidemment, répréhensible, des aventures de certains romans, est soigneusement contenu ou même réécrit par l'éditeur.

Exemple majeur de l'affirmation, au XIXe siècle, du rôle de l'éditeur, Hetzel fait précéder d'un feuilleton la publication en volume : le développement de ce processus éditorial assure aux écrivains une audience très large et au public un espace de lecture moins coûteux. Dans certains cas, avec Alexandre Dumas ou Ponson du Terrail tout particulièrement, le feuilleton devient une technique d'écriture spécifique, qui influence profondément l'invention romanesque ; Jules Verne au contraire se plaint souvent que le découpage forcé de ses romans brise le rythme de ses récits. La formule inventée par Hetzel, celle du livre d'étrennes, cartonné et illustré, s'avère idéale pour des romans dont l'image reste attachée dans nos souvenirs à celle de ces couvertures en grand in-octavo ornées d'à-plats (six cartonnages successifs – « à l'obus », « à la bannière », « aux deux éléphants », « polychromes au portrait », « au globe doré » et « à l'éventail » – font aujourd'hui les délices des collectionneurs).

Caricature de Jules Verne par Gill.

Le roman d'aventures et le projet vernien

C'est au XIXe siècle que le roman d'aventures, issu d'une tradition qui remonte aux *Éthiopiques* de l'Antiquité grecque, entame une route distincte de l'évolution du roman en général. La diversité des thèmes abordés fait la richesse d'un genre en plein renouveau. Jean-Yves Tadié distingue ainsi quatre directions, celle de l'Histoire avec Alexandre Dumas pour une aventure « classique », celle de la poésie avec Stevenson, celle de la métaphysique avec Conrad, enfin, avec Jules Verne, celle de la modernité. Pour lui, l'industrialisation est une aventure, de même que la conquête progressive des « *espaces connus et inconnus* » : la science n'est donc pas un sujet en soi, elle est traduite en termes d'action, car seule compte l'aventure humaine ; ce projet romanesque est explicité une première fois dans « l'Avertissement de l'éditeur » écrit par Hetzel et Jules Verne en tête du volume réunissant en 1867 *Cinq Semaines en ballon, Voyage au centre de la Terre* et les *Aventures du capitaine Hatteras* : il s'agit « *de résumer toutes les connaissances géographiques, géologiques, physiques, astronomiques, amassées par la science moderne et de refaire sous la forme attrayante et pittoresque qui lui [Jules Verne] est propre, l'histoire de l'univers* ».

Jules Verne veut expliquer ce que l'univers a de mystérieux : c'est ainsi qu'une voix savante répond aux questions posées par la fiction, afin que le possible devienne vraisemblable et le probable crédible. Jules Verne entreprend l'exploration exhaustive de l'univers en mettant l'accent sur l'étendue des possibilités humaines ; le caractère prodigieux ou invraisemblable ne l'intéresse pas, de même que les machines ne sont jamais le but de l'entreprise : la part d'anticipation ou de science-fiction dans son œuvre est en fait très faible. Comme dans les romans grecs (la première catégorie relevée par Bakhtine, dont *Les Éthiopique*s constituent l'exemple majeur), ce qui importe ce sont les épreuves du voyage, et leur corollaire, la conquête du monde.

Le Tour du monde en quatre-vingts jours
dans l'œuvre de Jules Verne

Des orientations du premier roman, *Cinq Semaines en ballon*, la critique sociale et l'exploration des possibilités scientifiques, Hetzel privilégia la seconde, au cœur de la production de Jules Verne entre 1863 et 1873. Parallèlement, l'auteur approfondit un goût du voyage dont *Le Tour du monde en quatre-vingts jours* offre une illustration sur le mode ludique.

En même temps qu'il compose le roman et comme en contrepoint, il corrige les épreuves des *Aventures de trois Russes et de trois Anglais*, qui campent des savants envoyés en Afrique pour mesurer le méridien dans un tour du monde autrement plus sérieux. Jules Verne est coutumier de tels doublets, reflets de l'ambivalence du progrès ou, plus simplement, de son goût pour la plaisanterie. *Le Tour du monde en quatre-vingts jours* est, lui, une « *fantaisie* » selon le terme de Jules Verne, où le voyage est gratuit, simple pari lancé un peu par hasard, sans signification a priori, comme le souligne Sir Francis Cromarty au chapitre XI : aucune quête, aucune exploration, aucune découverte ne motive Phileas Fogg.

Le monde est un tapis de jeu : rien n'y est vraiment inquiétant, tous les dangers sont écartés, chaque « épreuve » formant une courte scène au dénouement toujours comique ; le genre western naît ainsi dans le roman français au chapitre XIX, sur le mode de la dérision. L'aventure devient un pur divertissement qui ne recule pas plus devant l'auto-ironie que devant les jeux de mots. *Kéraban le Têtu* en 1883 et *Le Testament d'un excentrique* en 1889 prolongeront cette perspective critique où l'écrivain parle de son art. De fait, Phileas Fogg, l'homme-horloge, notant avec précision toutes les étapes de son voyage, ressemble de bien près à celui qui, selon Charles-Noël Martin, « *écrivait avec une ponctualité mathématique et [qui] composa comme un métronome, régulièrement, 102 volumes in-18, à raison de deux par an de 1862 à 1887* ».

Vie	Œuvres
1828 Naissance à Nantes le 8 février. **1829** Naissance de son frère Paul. **1833** Entré chez Mme Sambin, Jules Verne poursuit sa scolarité au petit séminaire de Saint-Donatien, puis au Collège royal. **1846** Baccalauréat et arrivée à Paris. Études de droit. **1849** Licencié en droit. Il rencontre Alexandre Dumas fils ; il fréquente la joyeuse troupe des Onze-sans-femme. **1850** Jules Verne obtient son doctorat de droit.	 **1850** *Les Pailles rompues* sont montées au Théâtre lyrique. **1851** Publication d'*Un voyage en ballon* dans *Le Musée des familles* dirigé par Pitre-Chevalier.

ÉVÉNEMENTS CULTURELS ET ARTISTIQUES	ÉVÉNEMENTS HISTORIQUES ET POLITIQUES
1828 Dumont d'Urville, en voyage dans le Pacifique, retrouve les traces du naufrage de La Pérouse.	
1830 Stendhal, *Le Rouge et le Noir*.	**1830** Début de la Monarchie de Juillet.
1833 Création de la revue *Le Musée des familles*.	**1833** Loi Guizot sur l'enseignement primaire.
1838 Edgar Poe, *Histoires extraordinaires*.	
1837-1840 Voyage de Dumont d'Urville dans l'Antarctique.	
1842 Mort de Dumont d'Urville dans un accident ferroviaire.	**1842** Traité de Nankin, qui cède Hong Kong à l'Angleterre et ouvre les ports chinois au libre commerce étranger.
1843 Hetzel fonde *Le Nouveau Magasin des enfants*.	
1844 Alexandre Dumas, *Les Trois Mousquetaires*.	
	1847 Découverte d'or en Californie.
1848 L'éditeur Havard lance des éditions populaires illustrées.	**1848** Révolution de février et début de la IIe République.
1851 Herman Melville, *Moby Dick*. Invention de la presse rotative d'imprimerie.	**1851** Coup d'État du 2 décembre.

VIE	ŒUVRES
1852 Il devient secrétaire du Théâtre lyrique ; il écrit pour le théâtre avec Aristide Hignard.	
1854 Mort d'Édouard Seveste ; Jules Verne quitte le Théâtre lyrique.	**1854** *Maître Zacharius.*
1857 Mariage de Jules Verne avec Honorine de Vianne. Paul Verne quitte son métier de marin.	
1859 Voyage en Écosse. Mariage de Paul Verne.	
1861 Naissance de Michel Verne, pendant le voyage de Jules Verne en Norvège et en Scandinavie. **1862** Rencontre avec l'éditeur Hetzel ; premier contrat.	
	1863 *Cinq Semaines en ballon.*
1864 Installation à Auteuil. Second contrat avec Hetzel ; mensualisation de l'artiste.	**1864** *Aventures du capitaine Hatteras, Voyage au centre de la Terre.* Article sur Edgar Poe dans *Le Musée des familles.*
1865 Troisième contrat. **1866** Installation au Crotoy ; début du travail sur la *Géographie illustrée de la France.* Achat du *Saint-Michel I.*	**1865** *De la Terre à la Lune.*

TABLEAU CHRONOLOGIQUE

ÉVÉNEMENTS CULTURELS SCIENTIFIQUES ET ARTISTIQUES	ÉVÉNEMENTS HISTORIQUES ET POLITIQUES
	1852-1870 Second Empire (Napoléon III). **1853-1856** Guerre de Crimée, qui permet à Napoléon III de s'allier l'Angleterre et d'affaiblir la Prusse.
1855 Mort de l'explorateur Jacques Arago. **1857** Charles Baudelaire, *Les Fleurs du mal*.	
	1858 Traité de Tianjin qui augmente les prérogatives des nations occidentales en Asie.
1859 Darwin, *L'Origine des espèces*. **1860** Invention du moteur à explosion (Lenoir).	
	1861-1865 Guerre de Sécession aux États-Unis.
1862 Victor Hugo, *Les Misérables* ; Gustave Flaubert, *Salammbô*.	
1864 L'éditeur Hetzel crée *Le Magasin d'éducation et de récréation* avec Jean Macé.	
1866 Premier câble sous-marin transatlantique.	

VIE	ŒUVRES
1867 Traversée de l'Atlantique sur le *Great Eastern* avec Paul Verne.	**1867** *Les Enfants du capitaine Grant.* **1869** *Vingt Mille Lieues sous les mers.* *Autour de la lune.*
1870 Jules Verne est décoré de la Légion d'honneur.	
1871 Mort de Pierre Verne. Quatrième contrat avec Hetzel après la guerre. **1872** Installation à Amiens ; réception à l'académie d'Amiens. Son œuvre reçoit un prix de première catégorie de l'Académie française.	**1871** *Aventures de trois Russes et de trois Anglais.* **1872** *Le Tour du monde en quatre-vingts jours* paraît en feuilleton. Début de la publication des *Voyages imaginaires* avec des cartonnages spécifiques et luxueux.
1873 Poussé par Nadar, Jules Verne monte en ballon à Amiens.	
	1874 *Le Tour du monde en quatre-vingts jours* devient une pièce de théâtre. *L'Île mystérieuse.*
1876 Le *Saint-Michel II* ; sixième contrat avec Hetzel.	**1876** *Michel Strogoff.*
1877 Le *Saint-Michel III*. **1878** Croisière en Méditerranée avec Paul Verne et Hetzel fils. **1879** Deuxième croisière sur le *Saint-Michel III* en Écosse et en Angleterre. **1880** Croisière en Norvège, Irlande, Écosse. **1881** Croisière dans le Nord (Pas-de-Calais, mer du Nord, Baltique).	**1878** *Un capitaine de quinze ans.* **1879** *Les Cinq Cents Millions de la Bégum ; Les Tribulations d'un Chinois en Chine.*

ÉVÉNEMENTS CULTURELS SCIENTIFIQUES ET ARTISTIQUES	ÉVÉNEMENTS HISTORIQUES ET POLITIQUES
	1869 Inauguration du canal de Suez.
	1870-1871 Guerre franco-prussienne. **1870-1940** IIIe République.
1872 Invention de la dynamo.	
1873 Arthur Rimbaud, *Une saison en Enfer*.	
1876 Mark Twain, *Les Aventures de Tom Sawyer*. Invention du téléphone.	
	1877 Proclamation de l'empire des Indes.
	1880-1882 Lois scolaires de Jules Ferry.
1881 Invention de l'ampoule.	**1881** Protectorat en Tunisie.

VIE	ŒUVRES
1882 Il déménage rue Charles-Dubois.	**1882** *L'École des Robinsons.* *Le Rayon vert.* **1883** *Kéraban le Têtu.*
1884 Grande croisière en Méditerranée.	**1884** *L'Étoile du Sud.* *L'Archipel en feu.*
1885 Naissance de son premier petit-fils.	**1885** *Mathias Sandorf.*
1886 Vente du *Saint-Michel III* ; blessé à la jambe par son neveu. Mort de Hetzel. Divorce de Michel, qui se remarie avec Jeanne.	**1886** *Robur le Conquérant.*
1887 Mort de Sophie Verne, sa mère.	**1887** *Nord contre Sud.*
1888 Élection de Jules Verne au conseil municipal d'Amiens.	**1888** *Deux Ans de vacances.*
	1889 *Sans dessus dessous ;* *In the Year 2889.*
	1891 *Mistress Branican.* **1892** *Le Château des Carpathes ;* *Claudius Bombarnac.* **1895** *L'Île à hélice.*
1897 Mort de Paul Verne.	**1897** *Le Sphinx des glaces.*
1898 Rencontre avec l'écrivain Raymond Roussel.	
1899 Dernières vacances en Normandie.	**1899** *Le Testament d'un excentrique.*
1905 Jules Verne perd conscience le 24 mars et meurt le lendemain à 8 heures du matin. Des obsèques nationales sont célébrées le 28.	**1905** *L'Invasion de la mer.* *Le Phare du bout du monde.*

TABLEAU CHRONOLOGIQUE

ÉVÉNEMENTS CULTURELS SCIENTIFIQUES ET ARTISTIQUES	ÉVÉNEMENTS HISTORIQUES ET POLITIQUES
	1882 Mort de Gambetta.
1883 Arthur Rimbaud, *Le Bateau ivre*. Robert Louis Stevenson, *L'Île au trésor*. L'automobile.	**1883** Expansion coloniale française (Afrique, Asie du Sud-Est). Ratification des conventions avec les compagnies de chemin de fer. **1885-1889** Le boulangisme.
1889 Inauguration de la tour Eiffel. L'électricité.	**1890** Reprise de l'expansion coloniale française : Indochine, Madagascar, Afrique.
1895 H. G. Wells, *La Machine à explorer le temps*.	**1898** Émile Zola, *J'accuse*.

Sources thématiques

Les voyages autour du monde sont une véritable mode, comme en témoignent les journaux, qui publient des itinéraires possibles (de *L'Année scientifique et industrielle* en 1870 au *Tour du monde* en 1879, que recopie le *Magasin pittoresque*), ou des relations exactes, comme celle de Thomas Cook, parue dans le *Times* et le *Daily Mail* entre septembre 1872 et mai 1873. Jules Verne lit les très nombreux récits de voyageurs, en particulier ceux de Dumont d'Urville, qui effectua en 1822 et 1825 un tour du monde en bateau, et explora l'Antarctique en 1837-1840.

Si la tradition qui fait d'une affiche de l'agence Cook le déclencheur du roman est peu crédible, en revanche la comparaison du chapitre III et de l'itinéraire proposé en avril 1870 par le *Magasin pittoresque* est beaucoup plus convaincante ; la percée du canal de Suez, inauguré en 1869, rend possible un tour du monde en moins de trois mois :

« *De Paris à Port-Saïd, tête du canal de Suez, chemin de fer et service à vapeur : 6 jours*

De Port-Saïd à Bombay, bateau à vapeur : 14 jours

De Bombay à Calcutta, chemin de fer : 3 jours

De Calcutta à Hong Kong, bateau à vapeur : 12 jours

De Hong Kong à Yédo, bateau à vapeur : 6 jours

De Yédo aux îles Sandwich, bateau à vapeur : 14 jours

Des îles Sandwich à San Francisco, bateau à vapeur : 7 jours

De San Francisco à New York, chemin de fer du Pacifique, aujourd'hui achevé : 7 jours

De New York à Paris, service à vapeur : 11 jours

Total : 80 jours. »

Les horaires précis sont mentionnés dans le *Bradshaw's General Guide*, celui-là même qu'emporte Phileas Fogg au chapitre IV.

Quant au « *jour en trop* » de Phileas Fogg, l'auteur en a donné lui-même une clef dans un entretien accordé en 1902 : « *Chaque fait isolé géographique et chaque fait scientifique dans chaque livre que j'ai écrit a été examiné avec soin et il est scrupuleusement exact. Si, par exemple, je n'avais pas désiré établir le fait qu'un voyage autour du monde implique la perte apparente d'un jour entier, mon* Tour du monde en quatre-vingts jours *n'aurait jamais été écrit...* »

Ce fait, il l'avait peut-être découvert dans *La Semaine des trois dimanches* (1845), nouvelle d'Edgar Poe qu'il commente dans son article d'avril 1864 : « *Comment peut-il exister une semaine des trois dimanches ? parfaitement*, pour trois individus, *et Poe le démontre. En effet, la Terre a vingt-cinq milles de circonférence, et tourne sur son axe de l'est à l'ouest en vingt-quatre heures ; c'est une vitesse de mille milles à l'heure environ. Supposons que le premier individu parte de Londres, et fasse mille milles dans l'Ouest ; il verra le soleil une heure avant le second individu resté immobile. Au bout de mille autres milles, il le verra deux heures avant ; à la fin de son tour du monde, revenu à son point de départ, il aura juste l'avance d'une journée entière sur le second individu. Que le troisième individu accomplisse le même voyage dans les mêmes conditions, mais en sens inverse, en allant vers l'est, après son tour du monde il sera en retard d'une journée ; qu'arrive-t-il alors aux trois personnages réunis un dimanche au point de départ ? pour le premier, c'était hier dimanche, pour le second, aujourd'hui même, et pour le troisième, c'est demain. Vous le voyez, ceci est une plaisanterie cosmographique dite en termes curieux.* » En quelque sorte, le roman de Jules Verne est une réécriture de la nouvelle de Poe en termes exacts et non plus curieux, qui montre que l'exactitude peut aussi être porteuse de rêve et d'imaginaire. En 1888, Mrs. Bisland effectue le tour du monde en 79 jours, record battu l'année suivante par Nellie Blye... Le temps sera abaissé jusqu'à 72 jours. Le plus célèbre des héritiers de Phileas Fogg est Jean Cocteau, qui fait le tour du monde en 1936 (voir p. 358).

Histoire du texte

La saveur toute particulière du roman doit sans doute beaucoup à une invention d'abord théâtrale ; Jules Verne, cherchant à rétablir sa situation financière à l'issue de la guerre de 1870 et ne pouvant pas encore compter sur l'éditeur Hetzel, durement touché, voulut monter avec Cadol une pièce, qui ne put trouver un théâtre. Il en tire alors le roman qui devint le plus célèbre de tous, et le plus lu : 108 000 exemplaires en édition courante seront vendus du vivant de Jules Verne. Le texte a d'abord bénéficié du tirage exceptionnel du *Temps*, dont le public, plus large que celui du *Magasin*, put lire les aventures de Phileas Fogg et ses compagnons du 5 novembre au 22 décembre 1872 ; dès le 15 décembre, des droits de traduction sont vendus pour la Russie, l'Italie et l'Espagne. Rien d'étonnant donc à ce que Hetzel lance pour les étrennes 1874 une édition luxueuse enrichie des dessins des célèbres illustrateurs Neuville et Benett, et ornée d'un plat « à l'obus » : c'est le huitième volume des *Voyages extraordinaires* illustrés, qui en compteront quarante-sept.

Illustration de l'affiche du Tour du monde en quatre-vingts jours *au théâtre de la Porte-Saint-Martin.*

Voyant le succès du roman, Jules Verne tente à nouveau l'expérience du théâtre, cette fois avec Dennery (l'auteur des adaptations pour la scène de *Michel Strogoff* et des *Enfants du capitaine Grant*) : le drame en cinq actes, joué au théâtre de la Porte-Saint-Martin le 7 novembre 1874, corsé de deux naufrages, de deux rôles féminins, de décors fastueux, connaît un fabuleux succès ; il reste un an à l'affiche, pour être repris trois ans plus tard au Châtelet. Les aventures de Phileas Fogg et de ses amis envahissent l'univers enfantin de la fin du siècle : jeux de l'oie, livres illustrés, figurines…

Le rôle de l'éditeur-ami est toujours fondamental dans la création des romans verniens, mais il apparaît surtout dans l'arrangement des faits, pour lequel Jules Verne déclarait avoir moins de talent que celui qui fut aussi le célèbre P.-J. Stahl (nom de plume de Hetzel). D'où certaines polémiques : faut-il louer Hetzel d'avoir contribué à la naissance de cette œuvre et à ses qualités de style et de composition, ou bien, comme C.-N. Martin, regretter qu'il ait enfermé l'auteur dans une écriture « lisible » par des enfants et dépouillé des mystères si sensibles dans les premières nouvelles comme *Maître Zacharius* ? Quant au regard sur la modernité, de nombreux passages de son œuvre montrent que Jules Verne était plus proche de Baudelaire que du pédagogue Hetzel… Pourtant, l'écrivain lui-même sollicitait ses corrections et ses conseils, allant jusqu'à lui écrire : « *Votre Verne, celui que vous avez inventé.* » Les deux hommes étaient liés par un sens de l'humour qui innerve l'œuvre de jeux de mots, clins d'œil, etc. Mais Jules Verne dut souvent préciser la dimension poétique de l'exploration : « *Il faut que je sois un peu toqué : je me laisse prendre à ces extravagances de nos héros. Je ne regrette qu'une chose, c'est de ne pas les faire* pedibus cum jambis », écrit-il à Hetzel en 1871 à propos du *Tour du monde en quatre-vingts jours*.

Jules Verne, photographie de Nadar.

Le Tour du monde en quatre-vingts jours

VERNE

roman

*paru pour la première fois
en 1872*

CHAPITRE PREMIER

Dans lequel Phileas Fogg et Passepartout s'acceptent réciproquement, l'un comme maître, l'autre comme domestique

EN L'ANNÉE 1872, la maison portant le numéro 7 de Saville-row, Burlington Gardens – maison dans laquelle Sheridan[1] mourut en 1814 –, était habitée par Phileas Fogg, esq[2]., l'un des membres les plus singuliers et les plus remarqués du
5 Reform-Club de Londres, bien qu'il semblât prendre à tâche de ne rien faire qui pût attirer l'attention.

À l'un des plus grands orateurs qui honorent l'Angleterre, succédait donc ce Phileas Fogg, personnage énigmatique, dont on ne savait rien, sinon que c'était un fort galant homme
10 et l'un des plus beaux gentlemen de la haute société anglaise.

On disait qu'il ressemblait à Byron[3] – par la tête, car il était irréprochable quant aux pieds –, mais un Byron à moustaches et à favoris, un Byron impassible, qui aurait vécu mille ans sans vieillir.
15 Anglais, à coup sûr, Phileas Fogg n'était peut-être pas

---

1. **Sheridan** : auteur dramatique et homme politique britannique (1751-1816).
2. **Esq.** : abréviation du terme honorifique anglais *esquire*, emprunté à l'ancien français *escuier* et dont on faisait suivre tout nom d'homme non accompagné de titre nobiliaire.
3. **Byron** : poète britannique romantique (1788-1824) ; Jules Verne fait allusion au handicap dont souffrait Byron (il était pied-bot).

Londonner[1]. On ne l'avait jamais vu ni à la Bourse, ni à la Banque, ni dans aucun des comptoirs de la Cité. Ni les bassins ni les docks de Londres n'avaient jamais reçu un navire ayant pour armateur Phileas Fogg. Ce gentleman ne figurait
20 dans aucun comité d'administration. Son nom n'avait jamais retenti dans un collège d'avocats, ni au Temple, ni à Lincoln's-inn ni à Gray's-inn. Jamais il ne plaida ni à la Cour du chancelier, ni au Banc de la Reine, ni à l'Échiquier, ni en Cour ecclésiastique. Il n'était ni industriel, ni négociant, ni
25 marchand, ni agriculteur. Il ne faisait partie ni de l'Institution royale de la Grande-Bretagne, ni de l'Institution de Londres, ni de l'Institution des Artisans, ni de l'Institution Russell, ni de l'Institution littéraire de l'Ouest, ni de l'Institution du Droit, ni de l'Institution des Arts et des Sciences réunis, qui
30 est placée sous le patronage direct de Sa Gracieuse Majesté. Il n'appartenait enfin à aucune des nombreuses sociétés qui pullulent dans la capitale de l'Angleterre, depuis la Société de l'Armonica jusqu'à la Société entomologique[2], fondée principalement dans le but de détruire les insectes nuisibles.
35   Phileas Fogg était membre du Reform-Club, et voilà tout. À qui s'étonnerait de ce qu'un gentleman aussi mystérieux comptât parmi les membres de cette honorable association, on répondra qu'il passa sur la recommandation de MM. Baring frères, chez lesquels il avait un crédit ouvert. De
40 là une certaine « surface[3] », due à ce que ses chèques étaient régulièrement payés à vue par le débit de son compte courant invariablement créditeur.
    Ce Phileas Fogg était-il riche ? Incontestablement. Mais comment il avait fait fortune, c'est ce que les mieux informés
45 ne pouvaient dire, et Mr. Fogg était le dernier auquel il

---

1. **Londonner** : Londonien.
2. **Entomologique** : relatif à l'étude scientifique des insectes.
3. **Surface** : dans le vocabulaire de la comptabilité, « avoir de la surface » signifie « offrir toute garantie de solvabilité » ; les chèques de Phileas Fogg sont « *payés à vue* », c'est-à-dire sur simple présentation.

convînt de s'adresser pour l'apprendre. En tout cas, il n'était prodigue de rien, mais non avare, car partout où il manquait un appoint pour une chose noble, utile ou généreuse, il l'apportait silencieusement et même anonymement.

50   En somme, rien de moins communicatif que ce gentleman. Il parlait aussi peu que possible, et semblait d'autant plus mystérieux qu'il était silencieux. Cependant sa vie était à jour, mais ce qu'il faisait était si mathématiquement toujours la même chose, que l'imagination, mécontente, cherchait au-
55   delà.

Avait-il voyagé ? C'était probable, car personne ne possédait mieux que lui la carte du monde. Il n'était endroit si reculé dont il ne parût avoir une connaissance spéciale. Quelquefois, mais en peu de mots, brefs et clairs, il redressait les
60   mille propos qui circulaient dans le club au sujet des voyageurs perdus ou égarés ; il indiquait les vraies probabilités, et ses paroles s'étaient trouvées souvent comme inspirées par une seconde vue, tant l'événement finissait toujours par les justifier. C'était un homme qui avait dû voyager partout – en
65   esprit, tout au moins.

Ce qui était certain toutefois, c'est que, depuis de longues années, Phileas Fogg n'avait pas quitté Londres. Ceux qui avaient l'honneur de le connaître un peu plus que les autres attestaient que – si ce n'est sur ce chemin direct qu'il parcou-
70   rait chaque jour pour venir de sa maison au club – personne ne pouvait prétendre l'avoir jamais vu ailleurs. Son seul passe-temps était de lire les journaux et de jouer au whist[1]. À ce jeu du silence, si bien approprié à sa nature, il gagnait souvent, mais ses gains n'entraient jamais dans sa bourse et
75   figuraient pour une somme importante à son budget de charité. D'ailleurs, il faut le remarquer, Mr. Fogg jouait évidemment pour jouer, non pour gagner. Le jeu était pour lui un combat, une lutte contre une difficulté, mais une lutte sans

---

1. **Whist** : jeu de cartes (ancêtre du bridge) qui se joue à quatre.

Phileas Fogg. Gravure de L. Benett pour l'édition Hetzel.

mouvement, sans déplacement, sans fatigue, et cela allait à
80 son caractère.

On ne connaissait à Phileas Fogg ni femme ni enfants – ce
qui peut arriver aux gens les plus honnêtes –, ni parents ni
amis – ce qui est plus rare en vérité. Phileas Fogg vivait seul
dans sa maison de Saville-row, où personne ne pénétrait. De
85 son intérieur, jamais il n'était question. Un seul domestique
suffisait à le servir. Déjeunant, dînant au club à des heures
chronométriquement déterminées, dans la même salle, à la
même table, ne traitant point ses collègues, n'invitant aucun
étranger, il ne rentrait chez lui que pour se coucher, à minuit
90 précis, sans jamais user de ces chambres confortables que le
Reform-Club tient à la disposition des membres du cercle.
Sur vingt-quatre heures, il en passait dix à son domicile, soit
qu'il dormît, soit qu'il s'occupât de sa toilette. S'il se promenait, c'était invariablement, d'un pas égal, dans la salle
95 d'entrée parquetée en marqueterie, ou sur la galerie circulaire,
au-dessus de laquelle s'arrondit un dôme à vitraux bleus, que
supportent vingt colonnes ioniques[1] en porphyre[2] rouge. S'il
dînait ou déjeunait, c'étaient les cuisines, le garde-manger,
l'office, la poissonnerie, la laiterie du club, qui fournissaient
100 à sa table leurs succulentes réserves ; c'étaient les domestiques
du club, graves personnages en habit noir, chaussés de souliers à semelles de molleton, qui le servaient dans une por-
celaine spéciale et sur un admirable linge en toile de Saxe ;
c'étaient les cristaux[3] à moule perdu du club qui contenaient
105 son sherry, son porto ou son claret mélangé de cannelle, de
capillaire et de cinnamome[4] ; c'était enfin la glace du club

---

1. **Ioniques** : l'ordre ionique est un ordre architectural grec, caractérisé par
des chapiteaux à deux volutes latérales.
2. **Porphyre** : roche magmatique à pâte colorée utilisée dans l'Antiquité.
3. **Cristaux** : verres en cristal.
4. **Claret [...] de capillaire et de cinnamome** : le claret est le nom donné par
les Anglais au vin de Bordeaux rouge ; le cinnamome est un aromate venu
d'Asie, le capillaire une fougère à pétioles très fins.

– glace venue à grands frais des lacs d'Amérique – qui entretenait ses boissons dans un satisfaisant état de fraîcheur.

Si vivre dans ces conditions, c'est être un excentrique, il 110 faut convenir que l'excentricité a du bon !

La maison de Saville-row, sans être somptueuse, se recommandait par un extrême confort. D'ailleurs, avec les habitudes variables du locataire, le service s'y réduisait à peu. Toutefois, Phileas Fogg exigeait de son unique domestique 115 une ponctualité, une régularité extraordinaires. Ce jour-là même, 2 octobre, Phileas Fogg avait donné son congé à James Forster – ce garçon s'étant rendu coupable de lui avoir apporté pour sa barbe de l'eau à quatre-vingt-quatre degrés Fahrenheit au lieu de quatre-vingt-six –, et il attendait son 120 successeur, qui devait se présenter entre onze heures et onze heures et demie.

Phileas Fogg, carrément assis dans son fauteuil, les deux pieds rapprochés comme ceux d'un soldat à la parade, les mains appuyées sur les genoux, le corps droit, la tête haute, 125 regardait marcher l'aiguille de la pendule – appareil compliqué qui indiquait les heures, les minutes, les secondes, les jours, les quantièmes[1] et l'année. À onze heures et demie sonnant, Mr. Fogg devait, suivant sa quotidienne habitude, quitter la maison et se rendre au Reform-Club.

130 En ce moment, on frappa à la porte du petit salon dans lequel se tenait Phileas Fogg.

James Forster, le congédié, apparut.

« Le nouveau domestique », dit-il.

Un garçon âgé d'une trentaine d'années se montra et salua.

135 « Vous êtes Français et vous vous nommez John ? lui demanda Phileas Fogg.

– Jean, n'en déplaise à monsieur, répondit le nouveau venu, Jean Passepartout, un surnom qui m'est resté, et que justifiait mon aptitude naturelle à me tirer d'affaire. Je crois

---

1. **Quantièmes** : numéro d'ordre du jour dans le mois.

140 être un honnête garçon, monsieur, mais, pour être franc, j'ai
fait plusieurs métiers. J'ai été chanteur ambulant, écuyer dans
un cirque, faisant de la voltige comme Léotard, et dansant
sur la corde comme Blondin ; puis je suis devenu professeur
de gymnastique, afin de rendre mes talents plus utiles, et, en
145 dernier lieu, j'étais sergent de pompiers, à Paris. J'ai même
dans mon dossier des incendies remarquables. Mais voilà
cinq ans que j'ai quitté la France et que, voulant goûter de
la vie de famille, je suis valet de chambre en Angleterre. Or,
me trouvant sans place et ayant appris que M. Phileas Fogg
150 était l'homme le plus exact et le plus sédentaire du Royaume-
Uni, je me suis présenté chez monsieur avec l'espérance d'y
vivre tranquille et d'oublier jusqu'à ce nom de Passepartout...

— Passepartout me convient, répondit le gentleman. Vous
m'êtes recommandé. J'ai de bons renseignements sur votre
155 compte. Vous connaissez mes conditions ?

— Oui, monsieur.

— Bien. Quelle heure avez-vous ?

— Onze heures vingt-deux, répondit Passepartout, en tirant
des profondeurs de son gousset une énorme montre d'argent.

160 — Vous retardez, dit Mr. Fogg.

— Que monsieur me pardonne, mais c'est impossible.

— Vous retardez de quatre minutes. N'importe. Il suffit de
constater l'écart. Donc, à partir de ce moment, onze heures
vingt-neuf du matin, ce mercredi 2 octobre 1872, vous êtes
165 à mon service. »

Cela dit, Phileas Fogg se leva, prit son chapeau de la main
gauche, le plaça sur sa tête avec un mouvement d'automate
et disparut sans ajouter une parole.

Passepartout entendit la porte de la rue se fermer une pre-
170 mière fois : c'était son nouveau maître qui sortait ; puis une
seconde fois : c'était son prédécesseur, James Forster, qui s'en
allait à son tour.

Passepartout demeura seul dans la maison de Saville-row.

Repères

1. Quand et où se situe l'histoire ?
2. Quelle est la première information fournie sur le personnage ?
3. Qui sont Sheridan et Byron ?

Observation

4. Dégagez le plan de ce passage et repérez le nombre et la nature des informations données sur Phileas Fogg.
5. La présentation de ce personnage n'est pas dénuée d'humour : relevez-en quelques exemples ; quel jugement le narrateur semble-t-il porter sur son héros ?
6. Pourquoi le personnage est-il essentiellement présenté par la négative (ce qu'il *n*'est *pas*) ? Quelle impression cela donne-t-il de lui ?
7. Le narrateur intervient-il directement dans ce passage ? Appuyez votre réponse sur un exemple que vous analyserez.
8. Quel est le trait, physique ou moral, donné par le texte qui pourrait le mieux se prêter à une caricature ?

Interprétations

9. Expliquez comment le personnage peut être à la fois « excentrique » et aussi régulier dans ses habitudes.
10. Repérez les thèmes qui annoncent la suite du roman parmi les traits de caractère et les habitudes du personnage.
11. La présentation de Phileas Fogg est-elle celle d'un héros de roman d'aventures ?

De la lecture à l'écriture

12. En vous inspirant de ce texte, présentez un personnage énigmatique de votre connaissance (ou de votre invention).

CHAPITRE II

Où Passepartout est convaincu qu'il a enfin trouvé son idéal

« SUR MA FOI, se dit Passepartout, un peu ahuri tout d'abord, j'ai connu chez Mme Tussaud des bonshommes aussi vivants que mon nouveau maître ! »

Il convient de dire ici que les « bonshommes » de
5 Mme Tussaud sont des figures de cire, fort visitées à Londres, et auxquelles il ne manque vraiment que la parole.

Pendant les quelques instants qu'il venait d'entrevoir Phileas Fogg, Passepartout avait rapidement, mais soigneusement examiné son futur maître. C'était un homme qui pou-
10 vait avoir quarante ans, de figure noble et belle, haut de taille, que ne déparait pas un léger embonpoint, blond de cheveux et de favoris, front uni sans apparences de rides aux tempes, figure plutôt pâle que colorée, dents magnifiques. Il paraissait posséder au plus haut degré ce que les physionimistes
15 appellent « le repos dans l'action », faculté commune à tous ceux qui font plus de besogne que de bruit. Calme, flegmatique, l'œil pur, la paupière immobile, c'était le type achevé de ces Anglais à sang-froid qui se rencontrent assez fréquemment dans le Royaume-Uni, et dont Angelica Kauffmann[1] a

---

1. **Angelica Kauffmann** : femme peintre née en Suisse (1741-1807) qui, après avoir vécu à Rome, fut remarquée par le prince de Galles et devint en Angleterre portraitiste de la bonne société.

20 merveilleusement rendu sous son pinceau l'attitude un peu académique. Vu dans les divers actes de son existence, ce gentleman donnait l'idée d'un être bien équilibré dans toutes ses parties, justement pondéré, aussi parfait qu'un chrono-mètre de Leroy ou de Earnshaw[1]. C'est qu'en effet, Phileas
25 Fogg était l'exactitude personnifiée, ce qui se voyait claire-ment à « l'expression de ses pieds et de ses mains », car chez l'homme, aussi bien que chez les animaux, les membres eux-mêmes sont des organes expressifs des passions.

Phileas Fogg était de ces gens mathématiquement exacts,
30 qui, jamais pressés et toujours prêts, sont économes de leurs pas et de leurs mouvements. Il ne faisait pas une enjambée de trop, allant toujours par le plus court. Il ne perdait pas un regard au plafond. Il ne se permettait aucun geste superflu. On ne l'avait jamais vu ému ni troublé. C'était l'homme le
35 moins hâté du monde, mais il arrivait toujours à temps. Tou-tefois, on comprendra qu'il vécût seul et pour ainsi dire en dehors de toute relation sociale. Il savait que dans la vie il faut faire la part des frottements, et comme les frottements retardent, il ne se frottait à personne.

40 Quant à Jean, dit Passepartout, un vrai Parisien de Paris, depuis cinq ans qu'il habitait l'Angleterre et y faisait à Londres le métier de valet de chambre, il avait cherché vai-nement un maître auquel il pût s'attacher.

Passepartout n'était point un de ces Frontins ou Masca-
45 rilles[2] qui, les épaules hautes, le nez au vent, le regard assuré, l'œil sec, ne sont que d'impudents drôles. Non. Passepartout était un brave garçon, de physionomie aimable, aux lèvres un peu saillantes, toujours prêtes à goûter ou à caresser, un être doux et serviable, avec une de ces bonnes têtes rondes

---

1. **Leroy [...] Earnshaw** : Pierre Le Roy (1717-1785), fils d'un horloger célèbre, est le fondateur de la chronométrie marine ; Thomas Earnshaw (1749-1829) fournit le chronomètre de l'observatoire d'Armagh (Irlande du Nord) en 1793.
2. **Frontins ou Mascarilles** : Frontin est le valet gredin de la pièce de Lesage, *Turcaret* (1708) ; Mascarille est le valet qui se fait passer pour le marquis de Mascarille auprès des *Précieuses ridicules* (1659), de Molière.

50 que l'on aime à voir sur les épaules d'un ami. Il avait les yeux bleus, le teint animé, la figure assez grasse pour qu'il pût lui-même voir les pommettes de ses joues, la poitrine large, la taille forte, une musculature vigoureuse, et il possédait une force herculéenne que les exercices de sa jeunesse avaient
55 admirablement développée. Ses cheveux bruns étaient un peu rageurs. Si les sculpteurs de l'Antiquité connaissaient dix-huit façons d'arranger la chevelure de Minerve, Passepartout n'en connaissait qu'une pour disposer la sienne : trois coups de démêloir, et il était coiffé.

60 De dire si le caractère expansif de ce garçon s'accorderait avec celui de Phileas Fogg, c'est ce que la prudence la plus élémentaire ne permet pas. Passepartout serait-il ce domestique foncièrement exact qu'il fallait à son maître ? On ne le verrait qu'à l'user. Après avoir eu, on le sait, une jeunesse
65 assez vagabonde, il aspirait au repos. Ayant entendu vanter le méthodisme anglais et la froideur proverbiale des gentlemen, il vint chercher fortune en Angleterre. Mais, jusqu'alors, le sort l'avait mal servi. Il n'avait pu prendre racine nulle part. Il avait fait dix maisons. Dans toutes, on était fantasque, iné-
70 gal, coureur d'aventures ou coureur de pays – ce qui ne pouvait plus convenir à Passepartout. Son dernier maître, le jeune Lord Longsferry, membre du Parlement, après avoir passé ses nuits dans les « oyster-rooms[1] » d'Hay-Market, rentrait trop souvent au logis sur les épaules des policemen. Passepartout,
75 voulant avant tout pouvoir respecter son maître, risqua quelques respectueuses observations qui furent mal reçues, et il rompit. Il apprit, sur les entrefaites, que Phileas Fogg, esq., cherchait un domestique. Il prit des renseignements sur ce gentleman. Un personnage dont l'exsitence était si régulière,
80 qui ne découchait pas, qui ne voyageait pas, qui ne s'absentait jamais, pas même un jour, ne pouvait que lui convenir. Il se présenta et fut admis dans les circonstances que l'on sait.

---

1. **Oysters-rooms** : tavernes situées autour du marché (on est à proximité du port), où les gentilshommes à l'époque se réunissaient en clubs.

Passepartout – onze heures et demie étant sonnées – se trouvait donc seul dans la maison de Saville-row. Aussitôt il en commença l'inspection. Il la parcourut de la cave au grenier. Cette maison propre, rangée, sévère, puritaine, bien organisée pour le service, lui plut. Elle lui fit l'effet d'une belle coquille de colimaçon, mais d'une coquille éclairée et chauffée au gaz, car l'hydrogène carburé[1] y suffisait à tous les besoins de lumière et de chaleur. Passepartout trouva sans peine, au second étage, la chambre qui lui était destinée. Elle lui convint. Des timbres électriques et des tuyaux acoustiques la mettaient en communication avec les appartements de l'entresol et du premier étage. Sur la cheminée, une pendule électrique correspondait avec la pendule de la chambre à coucher de Phileas Fogg, et les deux appareils battaient au même instant la même seconde.

« Cela me va, cela me va ! » se dit Passepartout.

Il remarqua aussi, dans sa chambre, une notice affichée au-dessus de la pendule. C'était le programme du service quotidien. Il comprenait – depuis huit heures du matin, heure réglementaire à laquelle se levait Phileas Fogg, jusqu'à onze heures et demie, heure à laquelle il quittait sa maison pour aller déjeuner au Reform-Club – tous les détails du service, le thé et les rôties de huit heures vingt-trois, l'eau pour la barbe de neuf heures trente-sept, la coiffure de dix heures moins vingt, etc. Puis, de onze heures et demie du matin à minuit – heure à laquelle se couchait le méthodique gentleman –, tout était noté, prévu, régularisé. Passepartout se fit une joie de méditer ce programme et d'en graver les divers articles dans son esprit.

Quant à la garde-robe de monsieur, elle était fort bien montée et merveilleusement comprise. Chaque pantalon, habit ou gilet portait un numéro d'ordre reproduit sur un

---

1. **Hydrogène carburé** : nom donné en 1859 par le professeur Marcel Morren à une découverte que Berthelot baptisa « œuf électrique » trois ans plus tard après avoir identifié son composant, l'acétylène.

115 registre d'entrée et de sortie, indiquant la date à laquelle, suivant la saison, ces vêtements devaient être tour à tour portés. Même réglementation pour les chaussures.

En somme, dans cette maison de Saville-row – qui devait être le temple du désordre à l'époque de l'illustre mais dissipé 120 Sheridan –, ameublement confortable, annonçant une belle aisance. Pas de bibliothèque, pas de livres, qui eussent été sans utilité pour Mr. Fogg, puisque le Reform-Club mettait à sa disposition deux bibliothèques, l'une consacrée aux lettres, l'autre au droit et à la politique. Dans la chambre à 125 coucher, un coffre-fort de moyenne grandeur, que sa construction défendait aussi bien de l'incendie que du vol. Point d'armes dans la maison, aucun ustensile de chasse ou de guerre. Tout y dénotait les habitudes les plus pacifiques.

Après avoir examiné cette demeure en détail, Passepartout 130 se frotta les mains, sa large figure s'épanouit, et il répéta joyeusement :

« Cela me va ! voilà mon affaire ! Nous nous entendrons parfaitement, Mr. Fogg et moi ! Un homme casanier et régulier ! Une véritable mécanique ! Eh bien, je ne suis pas fâché 135 de servir une mécanique ! »

CHAPITRE III

Où s'engage une conversation qui pourra coûter cher à Phileas Fogg

PHILEAS FOGG avait quitté sa maison de Saville-row à onze heures et demie, et, après avoir placé cinq cent soixante-quinze fois son pied droit devant son pied gauche et cinq cent soixante-seize fois son pied gauche devant son pied droit, il
5 arriva au Reform-Club, vaste édifice, élevé dans Pall-Mall, qui n'a pas coûté moins de trois millions à bâtir.

Phileas Fogg se rendit aussitôt à la salle à manger, dont les neuf fenêtres s'ouvraient sur un beau jardin aux arbres déjà dorés par l'automne. Là, il prit place à la table habituelle où
10 son couvert l'attendait. Son déjeuner se composait d'un hors-d'œuvre, d'un poisson bouilli relevé d'une « reading sauce » de premier choix, d'un roastbeef écarlate agrémenté de condiments « mushroom », d'un gâteau farci de tiges de rhubarbe et de groseilles vertes, d'un morceau de chester – le tout
15 arrosé de quelques tasses de cet excellent thé, spécialement recueilli pour l'office du Reform-Club.

À midi quarante-sept, ce gentleman se leva et se dirigea vers le grand salon, somptueuse pièce, ornée de peintures richement encadrées. Là, un domestique lui remit le *Times*[1]
20 non coupé, dont Phileas Fogg opéra le laborieux dépliage avec une sûreté de main qui dénotait une grande habitude de

---

1. *Times* : journal qui, du 20 septembre 1872 au 23 mai 1873, publia le voyage réel de Thomas Cook autour du monde... La lecture des journaux rapproche Phileas Fogg de Jules Verne et des lecteurs.

cette difficile opération. La lecture de ce journal occupa Phileas Fogg jusqu'à trois heures quarante-cinq, et celle du *Standard* – qui lui succéda – dura jusqu'au dîner. Ce repas s'accomplit dans les mêmes conditions que le déjeuner, avec adjonction de « royal british sauce ».

À six heures moins vingt, le gentleman reparut dans le grand salon et s'absorba dans la lecture du *Morning Chronicle*.

Une demi-heure plus tard, divers membres du Reform-Club faisaient leur entrée et s'approchaient de la cheminée, où brûlait un feu de houille. C'étaient les partenaires habituels de Mr. Phileas Fogg, comme les enragés joueurs du whist : l'ingénieur Andrew Stuart, les banquiers John Sullivan et Samuel Fallentin, le brasseur Thomas Flanagan, Gauthier Ralph, un des administrateurs de la Banque d'Angleterre – personnages riches et considérés, même dans ce club qui compte parmi ses membres les sommités de l'industrie et de la finance.

« Eh bien, Ralph, demanda Thomas Flanagan, où en est cette affaire de vol ?

– Eh bien, répondit Andrew Stuart, la Banque en sera pour son argent.

– J'espère, au contraire, dit Gauthier Ralph, que nous mettrons la main sur l'auteur du vol. Des inspecteurs de police, gens fort habiles, ont été envoyés en Amérique et en Europe, dans tous les principaux ports d'embarquement et de débarquement, et il sera difficile à ce monsieur de leur échapper.

– Mais on a donc le signalement du voleur ? demanda Andrew Stuart.

– D'abord, ce n'est pas un voleur, répondit sérieusement Gauthier Ralph.

– Comment, ce n'est pas un voleur, cet individu qui a soustrait cinquante-cinq mille livres en bank-notes (1 million 375 000 francs) ?

– Non, répondit Gauthier Ralph.

– C'est donc un industriel ? dit John Sullivan.

– Le *Morning Chronicle* assure que c'est un gentleman. »

Celui qui fit cette réponse n'était autre que Phileas Fogg,
60 dont la tête émergeait alors du flot de papier amassé autour
de lui. En même temps, Phileas Fogg salua ses collègues, qui
lui rendirent son salut.

Le fait dont il était question, que les divers journaux du
Royaume-Uni discutaient avec ardeur, s'était accompli trois
65 jours auparavant, le 29 septembre. Une liasse de bank-notes,
formant l'énorme somme de cinquante-cinq mille livres, avait
été prise sur la tablette du caissier principal de la Banque
d'Angleterre.

À qui s'étonnait qu'un tel vol eût pu s'accomplir aussi faci-
70 lement, le sous-gouverneur Gauthier Ralph se bornait à
répondre qu'à ce moment même, le caissier s'occupait d'enregistrer une recette de trois shillings six pence, et qu'on ne
saurait avoir l'œil à tout.

Mais il convient de faire observer ici – ce qui rend le fait
75 plus explicable – que cet admirable établissement de « Bank
of England » paraît se soucier extrêmement de la dignité du
public. Point de gardes, point d'invalides, point de grillages !
L'or, l'argent, les billets sont exposés librement et pour ainsi
dire à la merci du premier venu. On ne saurait mettre en
80 suspicion l'honorabilité d'un passant quelconque. Un des
meilleurs observateurs des usages anglais raconte même ceci :
dans une des salles de la Banque où il se trouvait un jour, il
eut la curiosité de voir de plus près un lingot d'or pesant sept
à huit livres, qui se trouvait exposé sur la tablette du caissier ;
85 il prit ce lingot, l'examina, le passa à son voisin, celui-ci à un
autre, si bien que le lingot, de main en main, s'en alla jusqu'au fond d'un corridor obscur, et ne revint qu'une demi-
heure après reprendre sa place, sans que le caissier eût seulement levé la tête.

90 Mais, le 29 septembre, les choses ne se passèrent pas tout
à fait ainsi. La liasse de bank-notes ne revint pas, et quand
la magnifique horloge, posée au-dessus du « drawing-office »,
sonna à cinq heures la fermeture des bureaux, la Banque

d'Angleterre n'avait plus qu'à passer cinquante-cinq mille
95 livres par le compte de profits et pertes.

Le vol bien et dûment reconnu, des agents, des « détectives[1] », choisis par les plus habiles, furent envoyés dans les
principaux ports, à Liverpool, à Glasgow, au Havre, à Suez,
à Brindisi, à New York, etc., avec promesse, en cas de succès,
100 d'une prime de deux mille livres (50 000 F) et cinq pour cent
de la somme qui serait retrouvée. En attendant les renseignements que devait fournir l'enquête immédiatement commen-
cée, ces inspecteurs avaient pour mission d'observer scrupuleusement tous les voyageurs en arrivée ou en partance.

105 Or, précisément, ainsi que le disait le *Morning Chronicle*,
on avait lieu de supposer que l'auteur du vol ne faisait partie
d'aucune des sociétés de voleurs d'Angleterre. Pendant cette
journée du 29 septembre, un gentleman bien mis, de bonnes
manières, l'air distingué, avait été remarqué, qui allait et
110 venait dans la salle des paiements, théâtre du vol. L'enquête
avait permis de refaire assez exactement le signalement de ce
gentleman, signalement qui fut aussitôt adressé à tous les
détectives du Royaume-Uni et du continent. Quelques bons
esprits – et Gauthier Ralph était du nombre – se croyaient
115 donc fondés à espérer que le voleur n'échapperait pas.

Comme on le pense, ce fait était à l'ordre du jour à Londres
et dans toute l'Angleterre. On discutait, on se passionnait
pour ou contre les probabilités du succès de la police métropolitaine. On ne s'étonnera donc pas d'entendre les membres
120 du Reform-Club traiter la même question, d'autant plus que
l'un des sous-gouverneurs de la Banque se trouvait parmi
eux.

L'honorable Gauthier Ralph ne voulait pas douter du
résultat des recherches, estimant que la prime offerte devait
125 singulièrement aiguiser le zèle et l'intelligence des agents.
Mais son collègue, Andrew Stuart, était loin de partager cette

---

1. **Détectives** : le mot est une création de Jules Verne construite sur le verbe
anglais *to detect*, qui signifie « découvrir ».

confiance. La discussion continua donc entre les gentlemen, qui s'étaient assis à une table de whist, Stuart devant Flanagan, Fallentin devant Phileas Fogg. Pendant le jeu, les joueurs
130 ne parlaient pas, mais entre les robres[1], la conversation interrompue reprenait de plus belle.

« Je soutiens, dit Andrew Stuart, que les chances sont en faveur du voleur, qui ne peut manquer d'être un habile homme !

135 — Allons donc ! répondit Ralph, il n'y a plus un seul pays dans lequel il puisse se réfugier.

— Par exemple !

— Où voulez-vous qu'il aille ?

— Je n'en sais rien, répondit Andrew Stuart, mais, après
140 tout, la terre est assez vaste.

— Elle l'était autrefois... », dit à mi-voix Phileas Fogg. Puis : « À vous de couper, monsieur », ajouta-t-il en présentant les cartes à Thomas Flanagan.

La discussion fut suspendue devant le robre. Mais bientôt
145 Andrew Stuart la reprenait, disant :

« Comment, autrefois ! Est-ce que la terre a diminué, par hasard ?

— Sans doute, répondit Gauthier Ralph. Je suis de l'avis de Mr. Fogg. La terre a diminué, puisqu'on la parcourt
150 maintenant dix fois plus vite qu'il y a cent ans. Et c'est ce qui, dans le cas dont nous nous occupons, rendra les recherches plus rapides.

— Et rendra plus facile aussi la fuite du voleur !

— À vous de jouer, monsieur Stuart ! » dit Phileas Fogg.

155 Mais l'incrédule Stuart n'était pas convaincu, et, la partie achevée :

« Il faut avouer, monsieur Ralph, reprit-il, que vous avez trouvé là une manière plaisante de dire que la terre a dimi-

---

1. **Robres** : au bridge ou au whist, le robre (ou rob) est une manche jouée avec le même partenaire.

nué ! Ainsi parce qu'on en fait maintenant le tour en trois
160 mois...

– En quatre-vingts jours seulement, dit Phileas Fogg.

– En effet, messieurs, ajouta John Sullivan, quatre-vingts
jours, depuis que la section entre Rothal et Allahabad a été
ouverte sur le « Great-Indian peninsular railway », et voici le
165 calcul établi par le *Morning Chronicle* :

De Londres à Suez par le Mont-Cenis et Brindisi, railways et paquebots	7 jours
De Suez à Bombay, paquebot	13 -
De Bombay à Calcutta, railway	3 -
De Calcutta à Hong Kong (Chine), paquebot	13 -
De Hong Kong à Yokohama (Japon), paquebot	6 -
De Yokohama à San Francisco, paquebot	22 -
De San Francisco à New York, railroad	7 -
De New York à Londres, paquebot et railway	9 -
Total	80 jours

– Oui, quatre-vingts jours ! s'écria Andrew Stuart, qui, par
inattention, coupa une carte maîtresse, mais non compris le
180 mauvais temps, les vents contraires, les naufrages, les déraill-
lements, etc.

– Tout compris, répondit Phileas Fogg en continuant de
jouer, car, cette fois, la discussion ne respectait plus le whist.

– Même si les Indous ou les Indiens enlèvent les rails !
185 s'écria Andrew Stuart, s'ils arrêtent les trains, pillent les four-
gons, scalpent les voyageurs !

– Tout compris », répondit Phileas Fogg, qui, abattant son
jeu, ajouta : « Deux atouts maîtres. »

Andrew Stuart, à qui c'était le tour de « faire », ramassa
190 les cartes en disant :

« Théoriquement, vous avez raison, monsieur Fogg, mais
dans la pratique...

– Dans la pratique aussi, monsieur Stuart.

— Je voudrais bien vous y voir.

195 — Il ne tient qu'à vous. Partons ensemble.

— Le Ciel m'en préserve ! s'écria Stuart, mais je parierais bien quatre mille livres (100 000 F) qu'un tel voyage, fait dans ces conditions, est impossible.

— Très possible, au contraire, répondit Mr. Fogg.

200 — Eh bien faites-le donc !

— Le tour du monde en quatre-vingts jours ?

— Oui.

— Je le veux bien.

— Quand ?

205 — Tout de suite.

— C'est de la folie ! s'écria Andrew Stuart, qui commençait à se vexer de l'insistance de son partenaire. Tenez ! jouons plutôt.

— Refaites alors, répondit Phileas Fogg, car il y a 210 maldonne. »

Andrew Stuart reprit les cartes d'une main fébrile ; puis, tout à coup, les posant sur la table :

« Eh bien, oui, monsieur Fogg, dit-il, oui, je parie quatre mille livres !...

215 — Mon cher Stuart, dit Fallentin, calmez-vous. Ce n'est pas sérieux.

— Quand je dis : je parie, répondit Andrew Stuart, c'est toujours sérieux.

— Soit ! » dit Mr. Fogg. Puis, se tournant vers ses 220 collègues :

« J'ai vingt mille livres (500 000 F) déposées chez Baring frères. Je les risquerai volontiers...

— Vingt mille livres ! s'écria John Sullivan. Vingt mille livres qu'un retard imprévu peut vous faire perdre !

225 — L'imprévu n'existe pas, répondit simplement Phileas Fogg.

— Mais, monsieur Fogg, ce laps de quatre-vingts jours n'est calculé que comme un minimum de temps !

« *Eh bien, oui, monsieur Fogg... je parie quatre mille livres !* »
Gravure d'A. de Neuville pour l'édition Hetzel.

– Un minimum bien employé suffit à tout.

230 – Mais pour ne pas le dépasser, il faut sauter mathématiquement des railways dans les paquebots, et des paquebots dans les chemins de fer !

– Je sauterai mathématiquement.

– C'est une plaisanterie !

235 – Un bon Anglais ne plaisante jamais, quand il s'agit d'une chose aussi sérieuse qu'un pari, répondit Phileas Fogg. Je parie vingt mille livres contre qui voudra que je ferai le tour de la terre en quatre-vingts jours ou moins, soit dix-neuf cent vingt heures ou cent quinze mille deux cents minutes. Accep-
240 tez-vous ?

– Nous acceptons, répondirent MM. Stuart, Fallentin, Sullivan, Flanagan et Ralph, après s'être entendus.

– Bien, dit Mr. Fogg. Le train de Douvres part à huit heures quarante-cinq. Je le prendrai.

245 – Ce soir même ? demanda Stuart.

– Ce soir même, répondit Phileas Fogg. Donc, ajouta-t-il en consultant un calendrier de poche, puisque c'est aujourd'hui mercredi 2 octobre, je devrai être de retour à Londres, dans ce salon même du Reform-Club, le samedi 21 décembre,
250 à huit heures quarante-cinq du soir, faute de quoi les vingt mille livres déposées actuellement à mon crédit chez Baring frères vous appartiendront de fait et de droit, messieurs. – Voici un chèque de pareille somme. »

Un procès-verbal du pari fut fait et signé sur-le-champ par
255 les six co-intéressés. Phileas Fogg était demeuré froid. Il n'avait certainement pas parié pour gagner, et n'avait engagé ces vingt mille livres – la moitié de sa fortune – que parce qu'il prévoyait qu'il pourrait avoir à dépenser l'autre pour mener à bien ce difficile, pour ne pas dire inexécutable projet.
260 Quant à ses adversaires, eux, ils paraissaient émus, non pas à cause de la valeur de l'enjeu, mais parce qu'ils se faisaient une sorte de scrupule de lutter dans ces conditions.

Sept heures sonnaient alors. On offrit à Mr. Fogg de suspendre le whist afin qu'il pût faire ses préparatifs de départ.

265 « Je suis toujours prêt ! » répondit cet impassible gentleman, et donnant les cartes :

« Je retourne carreau[1], dit-il. À vous de jouer, monsieur Stuart. »

---

1. **Retourne carreau :** la « retourne » est la carte que le donneur retourne après avoir servi les joueurs et qui, souvent, détermine l'atout.

■ ■ ■ ■ ■ ■ ■ ■

Repères

1. Quels sont les personnages en présence ?
2. Cherchez, dans le texte précédant le passage, une indication sur la disposition des personnages.

Observation

3. De quoi est constitué majoritairement le passage ? Quels sont les traits spécifiques de ce type de texte ?
4. Quelle est la règle concernant l'équilibre de la conversation et du jeu respectée par les personnages ? À quel moment ne l'est-elle plus ?
5. Montrez que l'évolution du jeu est parallèle à celle de la discussion.
6. Quels sont les arguments respectifs des personnages ?
7. Quels éléments soulignent que le pari est à la fois un jeu et une affaire grave ?
8. Quels sont les moyens de transport annoncés ?
9. Quels moyens de dramatisation le narrateur utilise-t-il ?

Interprétations

10. Quelles phrases, prononcées par Phileas Fogg, constituent un rappel de son portrait et pourraient servir de devises à son aventure ?
11. Selon quel point de vue est écrit ce passage ?
12. « *La terre a diminué* », l. 149 : quelle opération mentale permet de dire cela ?
13. Quelle signification symbolique le whist confère-t-il au pari de Phileas Fogg ?

De la lecture à l'écriture

14. Construisez une discussion, pour déterminer si les moyens de transport contribuent plutôt à « diminuer » ou à « augmenter » le monde pour les voyageurs ou les fuyards.

CHAPITRE IV

Dans lequel Phileas Fogg stupéfie Passepartout,
son domestique

À SEPT HEURES VINGT-CINQ, Phileas Fogg, après avoir gagné
une vingtaine de guinées au whist, prit congé de ses honorables collègues, et quitta le Reform-Club. À sept heures cinquante, il ouvrait la porte de sa maison et rentrait chez lui.

5   Passepartout, qui avait consciencieusement étudié son programme, fut assez surpris en voyant Mr. Fogg, coupable
d'inexactitude, apparaître à cette heure insolite. Suivant la
notice, le locataire de Saville-row ne devait rentrer qu'à
minuit précis.

10   Phileas Fogg était tout d'abord monté à sa chambre, puis
il appela :
    « Passepartout. »
    Passepartout ne répondit pas. Cet appel ne pouvait s'adres-
ser à lui ? Ce n'était pas l'heure.

15   « Passepartout », reprit Mr. Fogg sans élever la voix
davantage.
    Passepartout se montra.
    « C'est la deuxième fois que je vous appelle, dit Mr. Fogg.
    — Mais il n'est pas minuit, répondit Passepartout, sa
20 montre à la main.
    — Je le sais, reprit Phileas Fogg, et je ne vous fais pas de
reproche. Nous partons dans dix minutes pour Douvres et
Calais. »

Une sorte de grimace s'ébaucha sur la ronde face du Fran-
25 çais. Il était évident qu'il avait mal entendu.

« Monsieur se déplace ? demanda-t-il.

– Oui, répondit Phileas Fogg. Nous allons faire le tour du
monde. »

Passepartout, l'œil démesurément ouvert, la paupière et le
30 sourcil surélevés, les bras détendus, le corps affaissé, présentait alors tous les symptômes de l'étonnement poussé jusqu'à
la stupeur.

« Le tour du monde ! murmura-t-il.

– En quatre-vingts jours, répondit Mr. Fogg. Ainsi, nous
35 n'avons pas un instant à perdre.

– Mais les malles ?... dit Passepartout, qui balançait
inconsciemment sa tête de droite et de gauche.

– Pas de malles. Un sac de nuit seulement. Dedans, deux
chemises de laine, trois paires de bas. Autant pour vous. Nous
40 achèterons en route. Vous descendrez mon mackintosh[1] et
ma couverture de voyage. Ayez de bonnes chaussures. D'ailleurs, nous marcherons peu ou pas. Allez. »

Passepartout aurait voulu répondre. Il ne put. Il quitta la
chambre de Mr. Fogg, monta dans la sienne, tomba sur une
45 chaise, et employant une phrase assez vulgaire de son pays :

« Ah ! bien, se dit-il, elle est forte, celle-là ! Moi qui voulais
rester tranquille !... »

Et, machinalement, il fit ses préparatifs de départ. Le tour
du monde en quatre-vingts jours ! Avait-il affaire à un fou ?
50 Non... C'était une plaisanterie ? On allait à Douvres, bien. À
Calais, soit. Après tout, cela ne pouvait notablement contra-
rier le brave garçon, qui, depuis cinq ans, n'avait pas foulé le
sol de la patrie. Peut-être même irait-on jusqu'à Paris, et, ma
foi, il reverrait avec plaisir la grande capitale. Mais, certai-
55 nement, un gentleman aussi ménager de ses pas s'arrêterait

---

1. **Mackintosh** : terme anglais désignant, du nom de son inventeur, un
manteau imperméable. Il fut introduit en français par Eugène Sue en 1842.

là... Oui, sans doute, mais il n'en était pas moins vrai qu'il partait, qu'il se déplaçait, ce gentleman, si casanier jusqu'alors !

À huit heures, Passepartout avait préparé le modeste sac qui contenait sa garde-robe et celle de son maître ; puis,
60 l'esprit encore troublé, il quitta sa chambre, dont il ferma soigneusement la porte, et il rejoignit Mr. Fogg.

Mr. Fogg était prêt. Il portait sous son bras le *Bradshaw's continental railway steam transit and general guide*, qui devait lui fournir toutes les indications nécessaires à son
65 voyage. Il prit le sac des mains de Passepartout, l'ouvrit et y glissa une forte liasse de ces belles bank-notes[1] qui ont cours dans tous les pays.

« Vous n'avez rien oublié ? demanda-t-il.

– Rien, monsieur.

70 – Mon mackintosh et ma couverture ?

– Les voici.

– Bien, prenez ce sac. »

Mr. Fogg remit le sac à Passepartout.

« Et ayez-en soin, ajouta-t-il. Il y a vingt mille livres dedans
75 (500 000 F). »

Le sac faillit s'échapper des mains de Passepartout, comme si les vingt mille livres eussent été en or et pesé considérablement.

Le maître et le domestique descendirent alors, et la porte
80 de la rue fut fermée à double tour.

Une station de voitures se trouvait à l'extrémité de Saville-row. Phileas Fogg et son domestique montèrent dans un cab[2], qui se dirigea rapidement vers la gare de Charing-Cross, à laquelle aboutit un des embranchements du South-Eastern-
85 railway.

---

1. **Bank-notes** : billets de banques anglais.
2. **Cab** : abréviation anglaise du mot français « cabriolet » ; le cocher y était placé à l'arrière sur un siège élevé.

À huit heures, le cab s'arrêta devant la grille de la gare. Passepartout sauta à terre. Son maître le suivit et paya le cocher.

En ce moment, une pauvre mendiante, tenant un enfant à
90 la main, pieds nus dans la boue, coiffée d'un chapeau dépenaillé auquel pendait une plume lamentable, un châle en loques sur ses haillons, s'approcha de Mr. Fogg et lui demanda l'aumône.

Mr. Fogg tira de sa poche les vingt guinées[1] qu'il venait
95 de gagner au whist, et les présentait à la mendiante :

« Tenez, ma brave femme, dit-il, je suis content de vous avoir rencontrée ! »

Puis il passa.

Passepartout eut comme une sensation d'humidité autour
100 de la prunelle. Son maître avait fait un pas dans son cœur.

Mr. Fogg et lui entrèrent aussitôt dans la grande salle de la gare. Là, Phileas Fogg donna à Passepartout l'ordre de prendre deux billets de première classe pour Paris. Puis, se retournant, il aperçut ses cinq collègues du Reform-Club.

105 « Messieurs, je pars, dit-il, et les divers visas apposés sur un passeport que j'emporte à cet effet vous permettront, au retour, de contrôler mon itinéraire.

– Oh ! monsieur Fogg, répondit poliment Gauthier Ralph, c'est inutile. Nous nous en rapporterons à votre honneur de
110 gentleman !

– Cela vaut mieux ainsi, dit Mr. Fogg.

– Vous n'oubliez pas que vous devez être revenu ?... fit observer Andrew Stuart.

– Dans quatre-vingts jours, répondit Mr. Fogg, le samedi
115 21 décembre 1872, à huit heures quarante-cinq minutes du soir. Au revoir, messieurs. »

À huit heures quarante, Phileas Fogg et son domestique prirent place dans le même compartiment. À huit heures

---

1. **Guinées** : une guinée vaut 21 shillings, ou 21 × 12 pence.

quarante-cinq, un coup de sifflet retentit, et le train se mit en
120 marche.

La nuit était noire. Il tombait une pluie fine. Phileas Fogg,
accoté dans son coin, ne parlait pas. Passepartout, encore
abasourdi, pressait machinalement contre lui le sac aux bank-
notes.

125 Mais le train n'avait pas dépassé Sydenham, que Passepartout poussait un véritable cri de désespoir !

« Qu'avez-vous ? demanda Mr. Fogg.

– Il y a... que... dans ma précipitation... mon trouble... j'ai
oublié...

130 – Quoi ?

– D'éteindre le bec de gaz de ma chambre !

– Eh bien, mon garçon, répondit froidement Mr. Fogg,
il brûle à votre compte ! »

CHAPITRE V

Dans lequel une nouvelle valeur apparaît
sur la place de Londres

PHILEAS FOGG, en quittant Londres, ne se doutait guère, sans doute, du grand retentissement qu'allait provoquer son départ. La nouvelle du pari se répandit d'abord dans le Reform-Club, et produisit une véritable émotion parmi les
5 membres de l'honorable cercle. Puis, du club, cette émotion passa aux journaux par la voie des reporters, et des journaux au public de Londres et de tout le Royaume-Uni.

Cette « question du tour du monde » fut commentée, discutée, disséquée, avec autant de passion et d'ardeur que s'il
10 se fût agi d'une nouvelle affaire de l'*Alabama*[1]. Les uns prirent parti pour Phileas Fogg, les autres – et ils formèrent bientôt une majorité considérable – se prononcèrent contre lui. Ce tour du monde à accomplir, autrement qu'en théorie et sur le papier, dans ce minimum de temps, avec les moyens
15 de communication actuellement en usage, ce n'était pas seulement impossible, c'était insensé !

Le *Times*, le *Standard*, l'*Evening Star*, le *Morning Chronicle*, et vingt autres journaux de grande publicité, se déclarèrent contre Mr. Fogg. Seul, le *Daily Telegraph* le soutint

---

1. **Nouvelle affaire de l'*Alabama*** : navire confédéfé qui, après avoir été maintes fois victorieux, fut coulé par l'*U.S. Kearsave* (nordiste) au large de Cherbourg le 19 juin 1864.

20 dans une certaine mesure. Phileas Fogg fut généralement traité de maniaque, de fou, et ses collègues du Reform-Club furent blâmés d'avoir tenu ce pari, qui accusait un affaiblissement dans les facultés mentales de son auteur.

Des articles extrêmement passionnés, mais logiques, paru-
25 rent sur la question. On sait l'intérêt que l'on porte en Angleterre à tout ce qui touche à la géographie. Aussi n'était-il pas un lecteur, à quelque classe qu'il appartînt, qui ne dévorât les colonnes consacrées au cas de Phileas Fogg.

Pendant les premiers jours, quelques esprits audacieux
30 – les femmes principalement – furent pour lui, surtout quand l'*Illustrated London News* eut publié son portrait d'après sa photographie déposée aux archives du Reform-Club. Certains gentlemen osaient dire : « Hé ! hé ! pourquoi pas, après tout ? On a vu des choses plus extraordinaires ! » C'étaient
35 surtout les lecteurs du *Daily Telegraph*. Mais on sentit bientôt que ce journal lui-même commençait à faiblir.

En effet, un long article parut le 7 octobre dans le Bulletin de la Société royale de géographie. Il traita la question à tous les points de vue, et démontra clairement la folie de l'entre-
40 prise. D'après cet article, tout était contre le voyageur, obstacles de l'homme, obstacles de la nature. Pour réussir dans ce projet, il fallait admettre une concordance miraculeuse des heures de départ et d'arrivée, concordance qui n'existait pas, qui ne pouvait pas exister. À la rigueur, et en Europe, où il
45 s'agit de parcours d'une longueur relativement médiocre, on peut compter sur l'arrivée des trains à heure fixe ; mais quand ils emploient trois jours à traverser l'Inde, sept jours à traverser les États-Unis, pouvait-on fonder sur leur exactitude les éléments d'un tel problème ? Et les accidents de machine,
50 les déraillements, les rencontres, la mauvaise saison, l'accumulation des neiges, est-ce que tout n'était pas contre Phileas Fogg ? Sur les paquebots, ne se trouverait-il pas, pendant l'hiver, à la merci des coups de vent ou des brouillards ? Estil donc si rare que les meilleurs marcheurs des lignes trans-
55 océaniennes éprouvent des retards de deux ou trois jours ?

Or, il suffisait d'un retard, un seul, pour que la chaîne de communications fût irréparablement brisée. Si Phileas Fogg manquait, ne fût-ce que de quelques heures, le départ d'un paquebot, il serait forcé d'attendre le paquebot suivant, et
60 par cela même son voyage était compromis irrévocablement.

L'article fit grand bruit. Presque tous les journaux le reproduisirent, et les actions de Phileas Fogg baissèrent singulièrement.

Pendant les premiers jours qui suivirent le départ du
65 gentleman, d'importantes affaires s'étaient engagées sur « l'aléa[1] » de son entreprise. On sait ce qu'est le monde des parieurs en Angleterre, monde plus intelligent, plus relevé que celui des joueurs. Parier est dans le tempérament anglais. Aussi, non seulement les divers membres du Reform-Club
70 établirent-ils des paris considérables pour ou contre Phileas Fogg, mais la masse du public entra dans le mouvement. Phileas Fogg fut inscrit comme un cheval de course, à une sorte de *studbook*[2]. On en fit aussi une valeur de bourse, qui fut immédiatement cotée sur la place de Londres. On demandait,
75 on offrait du « Phileas Fogg » ferme ou à prime[3], et il se fit des affaires énormes. Mais cinq jours après son départ, après l'article du Bulletin de la Société de géographie, les offres commencèrent à affluer. Le Phileas Fogg baissa. On l'offrit par paquets. Pris d'abord à cinq, puis à dix, on ne le prit
80 plus qu'à vingt, à cinquante, à cent !

Un seul partisan lui resta. Ce fut le vieux paralytique, Lord Albermale. L'honorable gentleman, cloué sur son fauteuil, eût

---

1. **Aléa** : en 1872, le mot est récent (1852) ; par son origine, il est rattaché aux jeux de hasard (voir l'expression de César franchissant le Rubicon : « *alea jacta est* », les dés sont jetés).
2. **Studbook** *:* registre dans lequel sont inscrites la généalogie et les performances des chevaux pur-sang.
3. **Ferme ou à prime** : l'achat « *ferme* » est plus risqué puisqu'il constitue une obligation d'achat quelle que soit l'évolution de la valeur boursière ; en revanche, dans les opérations « *à prime* », l'acheteur se réserve le droit de ne pas donner suite à la transaction, moyennant le paiement d'un dédit (la prime).

donné sa fortune pour pouvoir faire le tour du monde, même en dix ans ! et il paria cinq mille livres (100 000 F) en faveur
85 de Phileas Fogg. Et quand, en même temps que la sottise du projet, on lui en démontrait l'inutilité, il se contentait de répondre : « Si la chose est faisable, il est bon que ce soit un Anglais qui le premier l'ait faite ! »

Or, on en était là, les partisans de Phileas Fogg se raré-
90 fiaient de plus en plus ; tout le monde, et non sans raison, se mettait contre lui ; on ne le prenait plus qu'à cent cinquante, à deux cents contre un, quand, sept jours après son départ, un incident, complètement inattendu, fit qu'on ne le prit plus du tout.

95 En effet, pendant cette journée, à neuf heures du soir, le directeur de la police métropolitaine avait reçu une dépêche télégraphique ainsi conçue :

Suez à Londres.

Rowan, directeur police, administration centrale, Scotland
100 *place.*

Je file voleur de Banque, Phileas Fogg. Envoyez sans retard mandat d'arrestation à Bombay (Inde anglaise).

FIX, *détective.*

L'effet de cette dépêche fut immédiat. L'honorable gentle-
105 man disparut pour faire place au voleur de bank-notes. Sa photographie, déposée au Reform-Club avec celles de tous ses collègues, fut examinée. Elle reproduisait trait pour trait l'homme dont le signalement avait été fourni par l'enquête. On rappela ce que l'existence de Phileas Fogg avait de mys-
110 térieux, son isolement, son départ subit, et il parut évident que ce personnage, prétextant un voyage autour du monde et l'appuyant sur un pari insensé, n'avait eu d'autre but que de dépister les agents de la police anglaise.

CHAPITRE VI

Dans lequel l'agent Fix montre une impatience bien légitime

Voici dans quelles circonstances avait été lancée cette dépêche concernant le sieur Phileas Fogg.

Le mercredi 9 octobre, on attendait pour onze heures du matin, à Suez, le paquebot *Mongolia*, de la Compagnie
5 péninsulaire et orientale, steamer en fer à hélice et à spardeck[1], jaugeant deux mille huit cents tonnes et possédant une force nationale de cinq cents chevaux. Le *Mongolia* faisait régulièrement les voyages de Brindisi à Bombay par le canal de Suez. C'était un des plus rapides marcheurs de la Compa-
10 gnie, et les vitesses réglementaires, soit dix milles à l'heure entre Brindisi et Suez, et neuf milles cinquante-trois centièmes entre Suez et Bombay, il les avait toujours dépassées.

En attendant l'arrivée du *Mongolia*, deux hommes se promenaient sur le quai au milieu de la foule d'indigènes et
15 d'étrangers qui affluent dans cette ville, naguère une bourgade, à laquelle la grande œuvre de M. de Lesseps assure un avenir considérable.

De ces deux hommes, l'un était l'agent consulaire du Royaume-Uni, établi à Suez, qui – en dépit des fâcheux pro-

---

1. **Spardeck** : pont qui s'étend sans interruption de l'avant à l'arrière d'un navire.

20 nostics du gouvernement britannique et des sinistres prédictions de l'ingénieur Stephenson[1] – voyait chaque jour des navires anglais traverser ce canal, abrégeant ainsi de moitié l'ancienne route de l'Angleterre aux Indes par le cap de Bonne-Espérance.

25 L'autre était un petit homme maigre, de figure assez intelligente, nerveux, qui contractait avec une persistance remarquable ses muscles sourciliers. À travers ses longs cils brillait un œil très vif, mais dont il savait à volonté éteindre l'ardeur. En ce moment, il donnait certaines marques d'impatience, 30 allant, venant, ne pouvant tenir en place.

Cet homme se nommait Fix, et c'était un de ces « détectices » ou agents de police anglais, qui avaient été envoyés dans les divers ports, après le vol commis à la Banque d'Angleterre. Ce Fix devait surveiller avec le plus grand soin 35 tous les voyageurs prenant la route de Suez, et si l'un d'eux lui semblait suspect, le « filer » en attendant un mandat d'arrestation.

Précisément, depuis deux jours, Fix avait reçu du directeur de la police métropolitaine le signalement de l'auteur présumé 40 du vol. C'était celui de ce personnage distingué et bien mis que l'on avait observé dans la salle des paiements de la Banque.

Le détective, très alléché évidemment par la forte prime promise en cas de succès, attendait donc avec une impatience 45 facile à comprendre l'arrivée du *Mongolia*.

« Et vous dites, monsieur le consul, demanda-t-il pour la dixième fois, que ce bateau ne peut tarder ?

– Non, monsieur Fix, répondit le consul. Il a été signalé hier au large de Port-Saïd, et les cent soixante kilomètres du 50 canal ne comptent pas pour un tel marcheur. Je vous répète que le *Mongolia* a toujours gagné la prime de vingt-cinq

---

1. **Stephenson** : ingénieur britannique, créateur de la traction à vapeur sur voie ferrée (voir « Contextes », p. 16).

livres que le gouvernement accorde pour chaque avance de vingt-quatre heures sur les temps réglementaires.

– Ce paquebot vient directement de Brindisi ? demanda
55 Fix.

– De Brindisi même, où il a pris la malle des Indes, de Brindisi qu'il a quitté samedi à cinq heures du soir. Ainsi ayez patience, il ne peut tarder à arriver. Mais je ne sais vraiment pas comment, avec le signalement que vous avez reçu, vous
60 pourrez reconnaître votre homme, s'il est à bord du *Mongolia*.

– Monsieur le consul, répondit Fix, ces gens-là, on les sent plutôt qu'on ne les reconnaît. C'est du flair qu'il faut avoir, et le flair est comme un sens spécial auquel concourent l'ouïe,
65 la vue et l'odorat. J'ai arrêté dans ma vie plus d'un de ces gentlemen, et pourvu que mon voleur soit à bord, je vous réponds qu'il ne me glissera pas entre les mains.

– Je le souhaite, monsieur Fix, car il s'agit d'un vol important.

70 – Un vol magnifique, répondit l'agent enthousiasmé. Cinquante-cinq mille livres ! Nous n'avons pas souvent de pareilles aubaines ! Les voleurs deviennent mesquins ! La race des Sheppard[1] s'étiole ! On se fait pendre maintenant pour quelques shillings !

75 – Monsieur Fix, répondit le consul, vous parlez d'une telle façon que je vous souhaite vivement de réussir ; mais, je vous le répète, dans les conditions où vous êtes, je crains que ce ne soit difficile. Savez-vous bien que, d'après le signalement que vous avez reçu, ce voleur ressemble absolument à un
80 honnête homme ?

– Monsieur le consul, répondit dogmatiquement l'inspecteur de police, les grands voleurs ressemblent toujours à d'honnêtes gens. Vous comprenez bien que ceux qui ont des

---

1. **Sheppard** : Jack Sheppard fut exécuté à Tyburn à 23 ans, le 16 novembre 1724 ; les aventures de ce criminel fameux inspirèrent récits, pièces de théâtre, chansons...

figures de coquins n'ont qu'un parti à prendre, c'est de rester
85 probes, sans cela ils se feraient arrêter. Les physionomies honnêtes, ce sont celles-là qu'il faut dévisager surtout. Travail
difficile, j'en conviens, et qui n'est plus du métier, mais de
l'art. »

On voit que ledit Fix ne manquait pas d'une certaine dose
90 d'amour-propre.

Cependant le quai s'animait peu à peu. Marins de diverses
nationalités, commerçants, courtiers, portefaix, fellahs[1] y
affluaient. L'arrivée du paquebot était évidemment
prochaine.
95 Le temps était assez beau, mais l'air froid, par ce vent d'est.
Quelques minarets se dessinaient au-dessus de la ville sous
les pâles rayons du soleil. Vers le sud, une jetée longue de
deux mille mètres s'allongeait comme un bras sur la rade de
Suez. À la surface de la mer Rouge roulaient plusieurs
100 bateaux de pêche ou de cabotage, dont quelques-uns ont
conservé dans leurs façons l'élégant gabarit de la galère
antique.

Tout en circulant au milieu de ce populaire, Fix, par une
habitude de sa profession, dévisageait les passants d'un
105 rapide coup d'œil.

Il était alors dix heures et demie.

« Mais il n'arrivera pas, ce paquebot ! s'écria-t-il en entendant sonner l'horloge du port.

— Il ne peut être éloigné, répondit le consul.
110 — Combien de temps stationnera-t-il à Suez ? demanda
Fix.

— Quatre heures. Le temps d'embarquer son charbon. De
Suez à Aden, à l'extrémité de la mer Rouge, on compte treize
cent dix milles, et il faut faire provision de combustible.

1. **Courtiers, portefaix, fellahs** : le courtier est un intermédiaire commercial,
le portefaix, celui qui décharge les marchandises d'un bateau, et le fellah est un
paysan égyptien.

115   – Et de Suez, ce bateau va directement à Bombay ? demanda Fix.

– Directement, sans rompre charge.

– Eh bien, dit Fix, si le voleur a pris cette route et ce bateau, il doit entrer dans son plan de débarquer à Suez, afin
120 de gagner par une autre voie les possessions hollandaises ou françaises de l'Asie. Il doit bien savoir qu'il ne serait pas en sûreté dans l'Inde, qui est une terre anglaise.

– À moins que ce ne soit un homme très fort, répondit le consul. Vous le savez, un criminel anglais est toujours mieux
125 caché à Londres qu'il ne le serait à l'étranger. »

Sur cette réflexion, qui donna fort à réfléchir à l'agent, le consul regagna ses bureaux, situés à peu de distance. L'inspecteur de police demeura seul, pris d'une impatience nerveuse, avec ce pressentiment assez bizarre que son voleur
130 devait se trouver à bord du *Mongolia*, – et en vérité, si ce coquin avait quitté l'Angleterre avec l'intention de gagner le Nouveau Monde, la route des Indes, moins surveillée ou plus difficile à surveiller que celle de l'Atlantique, devait avoir obtenu sa préférence.

135   Fix ne fut pas longtemps livré à ses réflexions. De vifs coups de sifflet annoncèrent l'arrivée du paquebot. Toute la horde des portefaix et des fellahs se précipita vers le quai dans un tumulte un peu inquiétant pour les membres et les vêtements des passagers. Une dizaine de canots se détachèrent
140 de la rive et allèrent au-devant du *Mongolia*.

Bientôt on aperçut la gigantesque coque du *Mongolia*, passant entre les rives du canal, et onze heures sonnaient quand le steamer vint mouiller en rade, pendant que sa vapeur fusait à grand bruit par les tuyaux d'échappement.

145   Les passagers étaient assez nombreux à bord. Quelques-uns restèrent sur le spardeck à contempler le panorama pittoresque de la ville ; mais la plupart débarquèrent dans les canots qui étaient venus accoster le *Mongolia*.

Fix examinait scrupuleusement tous ceux qui mettaient
150 pied à terre.

En ce moment, l'un d'eux s'approcha de lui, après avoir vigoureusement repoussé les fellahs qui l'assaillaient de leurs offres de service, et il lui demanda fort poliment s'il pouvait lui indiquer les bureaux de l'agent consulaire anglais. Et en 155 même temps ce passager présentait un passeport sur lequel il désirait sans doute faire apposer le visa britannique.

Fix, instinctivement, prit le passeport, et, d'un rapide coup d'œil, il en lut le signalement.

Un mouvement involontaire faillit lui échapper. La feuille 160 trembla dans sa main. Le signalement libellé sur le passeport était identique à celui qu'il avait reçu du directeur de la police métropolitaine.

« Ce passeport n'est pas le vôtre ? dit-il au passager.

– Non, répondit celui-ci, c'est le passeport de mon maître.

165 – Et votre maître ?

– Il est resté à bord.

– Mais, reprit l'agent, il faut qu'il se présente en personne aux bureaux du consulat afin d'établir son identité.

– Quoi ! cela est nécessaire ?

170 – Indispensable.

– Et où sont ces bureaux ?

– Là, au coin de la place, répondit l'inspecteur en indiquant une maison éloignée de deux cents pas.

– Alors, je vais aller chercher mon maître, à qui pourtant 175 cela ne plaira guère de se déranger ! »

Là-dessus, le passager salua Fix et retourna à bord du steamer.

CHAPITRE VII

Qui témoigne une fois de plus de l'inutilité
des passeports en matière de police

L'INSPECTEUR redescendit sur le quai et se dirigea rapidement vers les bureaux du consul. Aussitôt, et sur sa demande pressante, il fut introduit près de ce fonctionnaire.

« Monsieur le consul, lui dit-il sans autre préambule, j'ai
5 de fortes présomptions de croire que notre homme a pris passage à bord du *Mongolia*. »

Et Fix raconta ce qui s'était passé entre ce domestique et lui à propos du passeport.

« Bien, monsieur Fix, répondit le consul, je ne serais pas
10 fâché de voir la figure de ce coquin. Mais peut-être ne se présentera-t-il pas à mon bureau, s'il est ce que vous supposez. Un voleur n'aime pas à laisser derrière lui des traces de son passage, et d'ailleurs la formalité des passeports n'est plus obligatoire.

15 — Monsieur le consul, répondit l'agent, si c'est un homme fort comme on doit le penser, il viendra !

— Faire viser son passeport ?

— Oui. Les passeports ne servent jamais qu'à gêner les honnêtes gens et à favoriser la fuite des coquins. Je vous affirme
20 que celui-ci sera en règle, mais j'espère bien que vous ne le viserez pas...

— Et pourquoi pas ? Si ce passeport est régulier, répondit le consul, je n'ai pas le droit de refuser mon visa.

– Cependant, monsieur le consul, il faut bien que je
25 retienne ici cet homme jusqu'à ce que j'aie reçu de Londres
un mandat d'arrestation.

– Ah ! cela, monsieur Fix, c'est votre affaire, répondit le
consul, mais moi, je ne puis... »

Le consul n'acheva pas sa phrase. En ce moment, on frap-
30 pait à la porte de son cabinet, et le garçon de bureau introduisit deux étrangers, dont l'un était précisément ce domestique qui s'était entretenu avec le détective.

C'étaient, en effet, le maître et le serviteur. Le maître présenta son passeport, en priant laconiquement le consul de
35 vouloir bien y apposer son visa.

Celui-ci prit le passeport et le lut attentivement, tandis que
Fix, dans un coin du cabinet, observait ou plutôt dévorait
l'étranger des yeux.

Quand le consul eut achevé sa lecture :
40 « Vous êtes Phileas Fogg, esquire ? demanda-t-il.

– Oui, monsieur, répondit le gentleman.

– Et cet homme est votre domestique ?

– Oui. Un Français nommé Passepartout.

– Vous venez de Londres ?
45 – Oui.

– Et vous allez ?

– À Bombay.

– Bien, monsieur. Vous savez que cette formalité du visa
est inutile, et que nous n'exigeons plus la présentation du
50 passeport ?

– Je le sais, monsieur, répondit Phileas Fogg, mais je désire
constater par votre visa mon passage à Suez.

– Soit, monsieur. »

Et le consul, ayant signé et daté le passeport, y apposa son
55 cachet. Mr. Fogg acquitta les droits de visa, et, après avoir
froidement salué, il sortit, suivi de son domestique.

« Eh bien ? demanda l'inspecteur.

– Eh bien, répondit le consul, il a l'air d'un parfait honnête
homme !

60   – Possible, répondit Fix, mais ce n'est point ce dont il s'agit. Trouvez-vous, monsieur le consul, que ce flegmatique gentleman ressemble trait pour trait au voleur dont j'ai reçu le signalement ?

    – J'en conviens, mais vous le savez, tous les signalements...

65   – J'en aurai le cœur net, répondit Fix. Le domestique me paraît être moins indéchiffrable que le maître. De plus, c'est un Français, qui ne pourra se retenir de parler. À bientôt, monsieur le consul. »

    Cela dit, l'agent sortit et se mit à la recherche de 70 Passepartout.

    Cependant, Mr. Fogg, en quittant la maison consulaire, s'était dirigé vers le quai. Là, il donna quelques ordres à son domestique ; puis il s'embarqua dans un canot, revint à bord du *Mongolia* et rentra dans sa cabine. Il prit alors son carnet, 75 qui portait les notes suivantes :

    « Quitté Londres, mercredi 2 octobre, 8 heures 45 soir.

    « Arrivé à Paris, jeudi 3 octobre, 7 heures 20 matin.

    « Quitté Paris, jeudi 8 heures 40 matin.

    « Arrivé par le Mont-Cenis à Turin, vendredi 4 octobre, 80 6 heures 35 matin.

    « Quitté Turin, vendredi, 7 heures 20 matin.

    « Arrivé à Brindisi, samedi 5 octobre, 4 heures soir.

    « Embarqué sur le *Mongolia*, samedi, 5 heures soir.

    « Arrivé à Suez, mercredi 9 octobre, 11 heures matin.

85   « Total des heures dépensées : 158 1/2, soit en jours : 6 jours 1/2. »

    Mr. Fogg inscrivit ces dates sur un itinéraire disposé par colonnes, qui indiquait – depuis le 2 octobre jusqu'au 21 décembre – le mois, le quantième, le jour, les arrivées 90 réglementaires et les arrivées effectives en chaque point principal, Paris, Brindisi, Suez, Bombay, Calcutta, Singapore, Hong Kong, Yokohama, San Francisco, New York, Liverpool, Londres, et qui permettait de chiffrer le gain obtenu ou la perte éprouvée à chaque endroit du parcours.

95   Ce méthodique itinéraire tenait ainsi compte de tout, et Mr. Fogg savait toujours s'il était en avance ou en retard.

    Il inscrivit donc, ce jour-là, mercredi 9 octobre, son arrivée à Suez, qui, concordant avec l'arrivée réglementaire, ne le constituait ni en gain ni en perte.

100   Puis il se fit servir à déjeuner dans sa cabine. Quant à voir la ville, il n'y pensait même pas, étant de cette race d'Anglais qui font visiter par leur domestique les pays qu'ils traversent.

Chapitre VIII

Dans lequel Passepartout parle un peu plus
peut-être qu'il ne conviendrait

Fix avait en peu d'instants rejoint sur le quai Passepartout, qui flânait et regardait, ne se croyait pas, lui, obligé à ne point voir.

« Eh bien, mon ami, lui dit Fix en l'abordant, votre pas-
5 seport est-il visé ?

– Ah ! c'est vous, monsieur, répondit le Français. Bien obligé. Nous sommes parfaitement en règle.

– Et vous regardez le pays ?

– Oui, mais nous allons si vite qu'il me semble que je
10 voyage en rêve. Et comme cela, nous sommes à Suez ?

– À Suez.

– En Égypte.

– En Égypte, parfaitement.

– Et en Afrique ?

15 – En Afrique ! répéta Passepartout. Je ne peux y croire. Figurez-vous, monsieur, que je m'imaginais ne pas aller plus loin que Paris, et cette fameuse capitale, je l'ai revue tout juste de sept heures vingt du matin à huit heures quarante, entre la gare du Nord et la gare de Lyon, à travers les vitres d'un
20 fiacre et par une pluie battante ! Je le regrette ! J'aurais aimé à revoir le Père-Lachaise et le Cirque des Champs-Élysées !

– Vous êtes donc bien pressé ? demanda l'inspecteur de police.

– Moi, non, mais c'est mon maître. À propos, il faut que
25 j'achète des chaussettes et des chemises ! Nous sommes partis
sans malles, avec un sac de nuit seulement.

– Je vais vous conduire à un bazar où vous trouverez tout
ce qu'il faut.

– Monsieur, répondit Passepartout, vous êtes vraiment
30 d'une complaisance !... »

Et tous deux se mirent en route. Passepartout causait
toujours.

« Surtout, dit-il, que je prenne bien garde de ne pas manquer le bateau !

35 – Vous avez le temps, répondit Fix, il n'est encore que
midi ! »

Passepartout tira sa grosse montre.

« Midi, dit-il. Allons donc ! il est neuf heures cinquante-
deux minutes !

40 – Votre montre retarde, répondit Fix.

– Ma montre ! Une montre de famille, qui vient de mon
arrière-grand-père ! Elle ne varie pas de cinq minutes par an.
C'est un vrai chronomètre !

– Je vois ce que c'est, répondit Fix. Vous avez gardé
45 l'heure de Londres, qui retarde de deux heures environ sur
Suez. Il faut avoir soin de remettre votre montre au midi de
chaque pays.

– Moi ! toucher à ma montre ! s'écria Passepartout,
jamais !

50 – Eh bien, elle ne sera plus d'accord avec le soleil.

– Tant pis pour le soleil, monsieur ! C'est lui qui aura
tort ! »

Et le brave garçon remit sa montre dans son gousset avec
un geste superbe.

55 Quelques instants après, Fix lui disait :

« Vous avez donc quitté Londres précipitamment ?

– Je le crois bien ! Mecredi dernier, à huit heures du soir,
contre toutes ses habitudes, Mr. Fogg revint de son cercle, et
trois quarts d'heure après nous étions partis.

60 — Mais où va-t-il donc, votre maître ?

— Toujours devant lui ! Il fait le tour du monde !

— Le tour du monde ? s'écria Fix.

— Oui, en quatre-vingts jours ! Un pari, dit-il, mais, entre nous, je n'en crois rien. Cela n'aurait pas le sens commun. Il 65 y a autre chose.

— Ah ! c'est un original, ce Mr. Fogg ?

— Je le crois.

— Il est donc riche ?

— Évidemment, et il emporte une jolie somme avec lui, en 70 bank-notes toutes neuves ! Et il n'épargne pas l'argent en route ! Tenez ! il a promis une prime magnifique au mécanicien du *Mongolia*, si nous arrivions à Bombay avec une belle avance !

— Et vous le connaissez depuis longtemps, votre maître ?

75 — Moi ! répondit Passepartout, je suis entré à son service le jour même de notre départ. »

On s'imagine aisément l'effet que ces réponses devaient produire sur l'esprit déjà surexcité de l'inspecteur de police.

Ce départ précipité de Londres, peu de temps après le vol, 80 cette grosse somme emportée, cette hâte d'arriver en des pays lointains, ce prétexte d'un pari excentrique, tout confirmait et devait confirmer Fix dans ses idées. Il fit encore parler le Français et acquit la certitude que ce garçon ne connaissait aucunement son maître, que celui-ci vivait isolé à Londres, 85 qu'on le disait riche sans savoir l'origine de sa fortune, que c'était un homme impénétrable, etc. Mais, en même temps, Fix put tenir pour certain que Phileas Fogg ne débarquait point à Suez, et qu'il allait réellement à Bombay.

« Est-ce loin Bombay ? demanda Passepartout.

90 — Assez loin, répondit l'agent. Il vous faut encore une dizaine de jours de mer.

— Et où prenez-vous Bombay ?

— Dans l'Inde.

— En Asie ?

95 — Naturellement.

– Diable ! C'est que je vais vous dire... il y a une chose qui me tracasse... c'est mon bec !

– Quel bec ?

– Mon bec de gaz que j'ai oublié d'éteindre et qui brûle à 100 mon compte. Or, j'ai calculé que j'en avais pour deux shillings par vingt-quatre heures, juste six pence de plus que je ne gagne, et vous comprenez que pour peu que le voyage se prolonge... »

Fix comprit-il l'affaire du gaz ? C'est peu probable. Il 105 n'écoutait plus et prenait un parti. Le Français et lui étaient arrivés au bazar. Fix laissa son compagnon y faire ses emplettes, il lui recommanda de ne pas manquer le départ du *Mongolia*, et il revint en toute hâte aux bureaux de l'agent consulaire.

110 Fix, maintenant que sa conviction était faite, avait repris tout son sang-froid.

« Monsieur, dit-il au consul, je n'ai plus aucun doute. Je tiens mon homme. Il se fait passer pour un excentrique qui veut faire le tour du monde en quatre-vingts jours.

115 – Alors c'est un malin, répondit le consul, et il compte revenir à Londres, après avoir dépisté toutes les polices des deux continents !

– Nous verrons bien, répondit Fix.

– Mais ne vous trompez-vous pas ? demanda encore une 120 fois le consul.

– Je ne me trompe pas.

– Alors, pourquoi ce voleur a-t-il tenu à faire constater par un visa son passage à Suez ?

– Pourquoi ?... je n'en sais rien, monsieur le consul, répon-125 dit le détective, mais écoutez-moi. »

Et, en quelques mots, il rapporta les points saillants de sa conversation avec le domestique dudit Fogg.

« En effet, dit le consul, toutes les présomptions sont contre cet homme. Et qu'allez-vous faire ?

130 – Lancer une dépêche à Londres avec demande instante de m'adresser un mandat d'arrestation à Bombay, m'embarquer

sur le *Mongolia*, filer mon voleur jusqu'aux Indes, et là, sur cette terre anglaise, l'accoster poliment, mon mandat à la main et la main sur l'épaule. »

135 Ces paroles prononcées froidement, l'agent prit congé du consul et se rendit au bureau télégraphique. De là, il lança au directeur de la police métropolitaine cette dépêche que l'on connaît.

Un quart d'heure plus tard, Fix, son léger bagage à la main,
140 bien muni d'argent, d'ailleurs, s'embarquait à bord du *Mongolia*, et bientôt le rapide steamer filait à toute vapeur sur les eaux de la mer Rouge.

Repères

1. Faites le plan du passage en repérant l'alternance suivie par le dialogue entre les deux personnages.

Observation

2. Retrouvez les étapes de l'enquête de Fix dans ses questions. Où se révèle le mieux son habileté ?

3. Montrez que les conclusions de l'inspecteur renouvellent l'impression de mystère dégagée par la présentation de Phileas Fogg au premier chapitre.

4. Quels sont les traits de caractère de Passepartout révélés par ce passage ? En quoi ressemble-t-il à son maître ?

5. Le court débat sur l'heure indiquée par la montre de Passepartout rompt le fil de l'enquête de Fix. Est-il pour autant sans rapport aucun avec lui ?

6. Combien Passepartout risque-t-il de perdre d'argent ? À combien s'élève d'ores et déjà sa dette ?

7. Repérez les répétitions au cours du dialogue et analysez leurs effets.

Interprétations

8. En quoi l'exclamation de Passepartout : « *Tant pis pour le soleil* » (l. 51), reprend-elle les termes de Phileas Fogg dans le chapitre III ?

9. Lequel des deux personnages a raison ? Montrez qu'ils suivent chacun une logique différente mais tout aussi cohérente.

10. Quels rapports, mathématique et symbolique, peut-on établir entre l'argent dépensé par Phileas Fogg jusqu'à présent, celui que perd Passepartout et celui que recherche Fix ?

De la lecture à l'écriture

11. Imaginez le rapport envoyé par Fix à ses supérieurs.

12. Faites le portrait de Fix tel que ce chapitre vous le fait imaginer.

CHAPITRE IX

Où la mer Rouge et la mer des Indes se montrent propices aux desseins de Phileas Fogg

LA DISTANCE entre Suez et Aden est exactement de treize cent dix milles, et le cahier des charges de la Compagnie alloue à ses paquebots un laps de temps de cent trente-huit heures pour la franchir. Le *Mongolia*, dont les feux étaient active-
5 ment poussés, marchait de manière à devancer l'arrivée réglementaire.

La plupart des passagers embarqués à Brindisi avaient presque tous l'Inde pour destination. Les uns se rendaient à Bombay, les autres à Calcutta, mais via Bombay, car depuis
10 qu'un chemin de fer traverse dans toute sa largeur la pénin-sule indienne, il n'est plus nécessaire de doubler la pointe de Ceylan.

Parmi ces passagers du *Mongolia*, on comptait divers fonc-tionnaires civils et des officiers de tout grade. De ceux-ci, les
15 uns appartenaient à l'armée britannique proprement dite, les autres commandaient les troupes indigènes de cipayes[1], tous chèrement appointés, même à présent que le gouvernement s'est substitué aux droits et aux charges de l'ancienne

---

1. **Cipayes** : soldats autochtones de la Compagnie anglaise des Indes ; leur révolte en 1857-1858 la fit disparaître.

Compagnie des Indes : sous-lieutenants à 7 000 F, brigadiers
20 à 60 000, généraux à 100 000*.

On vivait donc bien à bord du *Mongolia*, dans cette société
de fonctionnaires, auxquels se mêlaient quelques jeunes
Anglais, qui, le million en poche, allaient fonder au loin des
comptoirs de commerce. Le « purser[1] », l'homme de
25 confiance de la Compagnie, l'égal du capitaine à bord, faisait
somptueusement les choses. Au déjeuner du matin, au lunch
de deux heures, au dîner de cinq heures et demie, au souper
de huit heures, les tables pliaient sous les plats de viande
fraîche et les entremets fournis par la boucherie et les offices
30 du paquebot. Les passagères – il y en avait quelques-unes –
changeaient de toilette deux fois par jour. On faisait de la
musique, on dansait même, quand la mer le permettait.

Mais la mer Rouge est fort capricieuse et trop souvent
mauvaise, comme tous ces golfes étroits et longs. Quand le
35 vent soufflait soit de la côte d'Asie, soit de la côte d'Afrique,
le *Mongolia*, long fuseau à hélice, pris par le travers, roulait
épouvantablement. Les dames disparaissaient alors ; les pia-
nos se taisaient ; chants et danses cessaient à la fois. Et pourtant, malgré la rafale, malgré la houle, le paquebot, poussé
40 par sa puissante machine, courait sans retard vers le détroit
de Bab-el-Mandeb.

Que faisait Phileas Fogg pendant ce temps ? On pourrait
croire que, toujours inquiet et anxieux, il se préoccupait des
changements de vent nuisibles à la marche du navire, des
45 mouvements désordonnés de la houle qui risquaient d'occa-
sionner un accident à la machine, enfin de toutes les avaries
possibles qui, en obligeant le *Mongolia* à relâcher dans
quelque port, auraient compromis son voyage ?

---

* Le traitement des fonctionnaires civils est encore plus élevé. Les simples
assistants, au premier degré de la hiérarchie, ont 12 000 F ; les juges, 60 000 F ;
les présidents de cour, 250 000 F ; les gouverneurs, 300 000 F, et le gouverneur
général, plus de 600 000 F. (Note de l'auteur.)
1. **Purser** : commissaire de bord.

Aucunement, ou tout au moins, si ce gentleman songeait
50 à ces éventualités, il n'en laissait rien paraître. C'était toujours
l'homme impassible, le membre imperturbable du Reform-
Club, qu'aucun incident ou accident ne pouvait surprendre.
Il ne paraissait pas plus ému que les chronomètres du bord.
On le voyait rarement sur le pont. Il s'inquiétait peu d'ob-
55 server cette mer Rouge, si féconde en souvenirs, ce théâtre
des premières scènes historiques de l'humanité. Il ne venait
pas reconnaître les curieuses villes semées sur ses bords, et
dont la pittoresque silhouette se découpait quelquefois à
l'horizon. Il ne rêvait même pas aux dangers de ce golfe Ara-
60 bique, dont les anciens historiens, Strabon, Arrien, Arthémi-
dore, Edrisi[1], ont toujours parlé avec épouvante, et sur lequel
les navigateurs ne se hasardaient jamais autrefois sans avoir
consacré leur voyage par des sacrifices propitiatoires.

Que faisait donc cet original, emprisonné dans le *Mongo-*
65 *lia* ? D'abord il faisait ses quatre repas par jour, sans que
jamais ni roulis ni tangage pussent détraquer une machine si
merveilleusement organisée. Puis il jouait au whist.

Oui ! il avait rencontré des partenaires, aussi enragés que
lui : un collecteur de taxes qui se rendait à son poste à Goa,
70 un ministre, le révérend Décimus Smith, retournant à Bombay, et un brigadier général de l'armée anglaise, qui rejoignait
son corps à Bénarès. Ces trois passagers avaient pour le whist
la même passion que Mr. Fogg, et ils jouaient pendant des
heures entières, non moins silencieuses que lui.

75 Quant à Passepartout, le mal de mer n'avait aucune prise
sur lui. Il occupait une cabine à l'avant et mangeait, lui aussi,
consciencieusement. Il faut dire que, décidément, ce voyage,
fait dans ces conditions, ne lui déplaisait plus. Il en prenait
son parti. Bien nourri, bien logé, il voyait du pays et d'ailleurs

---

1. **Strabon** [...] **Edrisi** : géographe grec (Ier s. av. J.-C.) ; Arrien : historien et
philosophe grec (Ier-IIe s. ap. J.-C.) ; Artémidore d'Éphèse est l'auteur d'une
Interprétation des songes, au IIe s. ap. J.-C. ; Edrisi : géographe arabe (XIIe s.).

80 il s'affirmait à lui-même que toute cette fantaisie finirait à Bombay.

Le lendemain du départ de Suez, le 10 octobre, ce ne fut pas sans un certain plaisir qu'il rencontra sur le pont l'obligeant personnage auquel il s'était adressé en débarquant en 85 Égypte.

« Je ne me trompe pas, dit-il en l'abordant avec son plus aimable sourire, c'est bien vous, monsieur, qui m'avez si complaisamment servi de guide à Suez ?

— En effet, répondit le détective, je vous reconnais ! Vous 90 êtes le domestique de cet Anglais original...

— Précisément, monsieur... ?

— Fix.

— Monsieur Fix, répondit Passepartout. Enchanté de vous retrouver à bord. Et où allez-vous donc ?

95 — Mais, ainsi que vous, à Bombay.

— C'est au mieux ! Est-ce que vous avez déjà fait ce voyage ?

— Plusieurs fois, répondit Fix. Je suis un agent de la Compagnie péninsulaire.

100 — Alors vous connaissez l'Inde ?

— Mais... oui..., répondit Fix, qui ne voulait pas trop s'avancer.

— Et c'est curieux, cette Inde-là ?

— Très curieux ! Des mosquées, des minarets, des temples, 105 des fakirs, des pagodes, des tigres, des serpents, des bayadères[1] ! Mais il faut espérer que vous aurez le temps de visiter le pays ?

— Je l'espère, monsieur Fix. Vous comprenez bien qu'il n'est pas permis à un homme sain d'esprit de passer sa vie 110 à sauter d'un paquebot dans un chemin de fer et d'un chemin de fer dans un paquebot, sous prétexte de faire le tour du

---

1. **Bayadères** : danseuses sacrées de l'Inde.

monde en quatre-vingts jours ! Non. Toute cette gymnastique cessera à Bombay, n'en doutez pas.

– Et il se porte bien, Mr. Fogg ? demanda Fix du ton le
115 plus naturel.

– Très bien, monsieur Fix. Moi aussi, d'ailleurs. Je mange comme un ogre qui serait à jeun. C'est l'air de la mer.

– Et votre maître, je ne le vois jamais sur le pont.

– Jamais. Il n'est pas curieux.

120 – Savez-vous, monsieur Passepartout, que ce prétendu voyage en quatre-vingts jours pourrait bien cacher quelque mission secrète... une mission diplomatique, par exemple !

– Ma foi, monsieur Fix, je n'en sais rien, je vous l'avoue, et, au fond, je ne donnerais pas une demi-couronne pour le
125 savoir. »

Depuis cette rencontre, Passepartout et Fix causèrent souvent ensemble. L'inspecteur de police tenait à se lier avec le domestique du sieur Fogg. Cela pouvait le servir à l'occasion. Il lui offrait donc souvent, au bar-room du *Mongolia*,
130 quelques verres de whisky ou de pale-ale, que le brave garçon acceptait sans cérémonie et rendait même pour ne pas être en reste – trouvant, d'ailleurs, ce Fix un gentleman bien honnête.

Cependant le paquebot s'avançait rapidement. Le 13, on
135 eut connaissance de Moka, qui apparut dans sa ceinture de murailles ruinées, au-dessus desquelles se détachaient quelques dattiers verdoyants. Au loin, dans les montagnes, se développaient de vastes champs de caféiers. Passepartout fut ravi de contempler cette ville célèbre, et il trouva même
140 qu'avec ces murs circulaires et un fort démantelé qui se dessinait comme une anse, elle ressemblait à une énorme demi-tasse.

Pendant la nuit suivante, le *Mongolia* franchit le détroit de Bab-el-Mandeb, dont le nom arabe signifie la *Porte des*
145 *Larmes*, et le lendemain, 14, il faisait escale à Steamer-Point, au nord-ouest de la rade d'Aden. C'est là qu'il devait se réapprovisionner de combustible.

Grave et importante affaire que cette alimentation du foyer des paquebots à de telles distances des centres de production.
150 Rien que pour la Compagnie péninsulaire, c'est une dépense annuelle qui se chiffre par huit cent mille livres (20 millions de francs). Il a fallu, en effet, établir des dépôts en plusieurs ports, et, dans ces mers éloignées, le charbon revient à quatre-vingts francs la tonne.

155 Le *Mongolia* avait encore seize cent cinquante milles à faire avant d'atteindre Bombay, et il devait rester quatre heures à Steamer-Point, afin de remplir ses soutes.

Mais ce retard ne pouvait nuire en aucune façon au programme de Phileas Fogg. Il était prévu. D'ailleurs le *Mon-*
160 *golia*, au lieu d'arriver à Aden le 15 octobre seulement au matin, y entrait le 14 au soir. C'était un gain de quinze heures.

Mr. Fogg et son domestique descendirent à terre. Le gentleman voulait faire viser son passeport. Fix le suivit sans être
165 remarqué. La formalité du visa accomplie, Phileas Fogg revint à bord reprendre sa partie interrompue.

Passepartout, lui, flâna, suivant sa coutume, au milieu de cette population de Somanlis, de Banians, de Parsis[1], de Juifs, d'Arabes, d'Européens, composant les vingt-cinq mille
170 habitants d'Aden. Il admira les fortifications qui font de cette ville le Gibraltar de la mer des Indes, et de magnifiques citernes auxquelles travaillaient encore les ingénieurs anglais, deux mille ans après les ingénieurs du roi Salomon.

« Très curieux, très curieux ! se disait Passepartout en reve-
175 nant à bord. Je m'aperçois qu'il n'est pas inutile de voyager, si l'on veut voir du nouveau. »

---

1. **Somanlis** [...] **Parsis** : Somanlis, vraisemblablement Somalis, ancien peuple nomade musulman des bords du golfe d'Aden et qui s'est fixé en Somalie, en Éthiopie et à Djibouti ; Banians : membres d'une caste de la classe des *vaisyas* vouée au grand commerce ; Parsis : « Persans » mazdéens vivant en Inde, dont le culte fut réformé par Zoroastre.

À six heures du soir, le *Mongolia* battait des branches de son hélice les eaux de la rade d'Aden et courait bientôt sur la mer des Indes. Il lui était accordé cent soixante-huit heures
180 pour accomplir la traversée entre Aden et Bombay. Du reste, cette mer indienne lui fut favorable. Le vent tenait dans le nord-ouest. Les voiles vinrent en aide à la vapeur.

Le navire, mieux appuyé, roula moins. Les passagères, en fraîches toilettes, reparurent sur le pont. Les chants et les
185 danses recommencèrent.

Le voyage s'accomplit donc dans les meilleures conditions. Passepartout était enchanté de l'aimable compagnon que le hasard lui avait procuré en la personne de Fix.

Le dimanche 20 octobre, vers midi, on eut connaissance
190 de la côte indienne. Deux heures plus tard, le pilote montait à bord du *Mongolia*. À l'horizon, un arrière-plan de collines se profilait harmonieusement sur le fond du ciel. Bientôt, les rangs de palmiers qui couvrent la ville se détachèrent vivement. Le paquebot pénétra dans cette rade formée par les îles
195 Salcette, Colaba, Éléphanta, Butcher, et à quatre heures et demie il accostait les quais de Bombay.

Phileas Fogg achevait alors le trente-troisième robre de la journée, et son partenaire et lui, grâce à une manœuvre audacieuse, ayant fait les treize levées[1], terminèrent cette belle
200 traversée par un chelem[2] admirable.

Le *Mongolia* ne devait arriver que le 22 octobre à Bombay. Or, il y arrivait le 20. C'était donc, depuis son départ de Londres, un gain de deux jours, que Phileas Fogg inscrivit méthodiquement sur son itinéraire à la colonne des bénéfices.

---

1. **Levées** : ensembles de cartes ramassées par le gagnant du coup (synonyme : « pli »).
2. **Chelem** : réunion de toutes les levées dans un camp.

CHAPITRE X

Où Passepartout est trop heureux d'en être quitte en perdant sa chaussure

PERSONNE n'ignore que l'Inde – ce grand triangle renversé dont la base est au nord et la pointe au sud – comprend une superficie de quatorze cent mille milles carrés, sur laquelle est inégalement répandue une population de cent quatre-vingts millions d'habitants. Le gouvernement britannique exerce une domination réelle sur une certaine partie de cet immense pays. Il entretient un gouverneur général à Calcutta, des gouverneurs à Madras, à Bombay, au Bengale, et un lieutenant-gouverneur à Agra.

Mais l'Inde anglaise proprement dite ne compte qu'une superficie de sept cent mille milles carrés et une population de cent à cent dix millions d'habitants. C'est assez dire qu'une notable partie du territoire échappe encore à l'autorité de la reine ; et, en effet, chez certains rajahs[1] de l'intérieur, farouches et terribles, l'indépendance indoue est encore absolue.

Depuis 1756 – époque à laquelle fut fondé le premier établissement anglais sur l'emplacement aujourd'hui occupé par la ville de Madras – jusqu'à cette année dans laquelle éclata

---

1. **Rajahs** : rois hindous ; dans l'Inde britannique, grands vassaux de la couronne.

20 la grande insurrection des cipayes[1], la célèbre Compagnie des Indes fut toute-puissante. Elle s'annexait peu à peu les diverses provinces, achetées aux rajahs au prix de rentes qu'elle payait peu ou point ; elle nommait son gouverneur général et tous ses employés civils ou militaires ; mais
25 maintenant elle n'existe plus, et les possessions anglaises de l'Inde relèvent directement de la couronne.

Aussi l'aspect, les mœurs, les divisions ethnographiques de la péninsule tendent à se modifier chaque jour. Autrefois, on y voyageait par tous les antiques moyens de transport, à pied,
30 à cheval, en charrette, en brouette, en palanquin[2], à dos d'homme, en coach[3], etc. Maintenant, des steamboats parcourent à grande vitesse l'Indus, le Gange, et un chemin de fer, qui traverse l'Inde dans toute sa largeur en se ramifiant sur son parcours, met Bombay à trois jours seulement de
35 Calcutta.

Le tracé de ce chemin de fer ne suit pas la ligne droite à travers l'Inde. La distance à vol d'oiseau n'est que de mille à onze cents milles, et des trains, animés d'une vitesse moyenne seulement, n'emploieraient pas trois jours à la franchir ; mais
40 cette distance est accrue d'un tiers, au moins, par la corde que décrit le railway en s'élevant jusqu'à Allahabad dans le nord de la péninsule.

Voici, en somme, le tracé à grands points du « Great Indian peninsular railway[4] ». En quittant l'île de Bombay, il
45 traverse Salcette, saute sur le continent en face de Tannah, franchit la chaîne des Ghâtes-Occidentales, court au nord-est jusqu'à Burhampour, sillonne le territoire à peu près indépendant du Bundelkund, s'élève jusqu'à Allahabad, s'infléchit vers l'est, rencontre le Gange à Bénarès, s'en écarte légère-

---

1. **Insurrection des cipayes** : révolte des soldats autochtones de la Compagnie anglaise des Indes en 1857-1858, dont elle provoqua la disparition.
2. **Palanquin** : litière portée par des hommes.
3. **Coach** : voiture à deux portes et quatre places (avec deux sièges rabattables).
4. **Great Indian peninsular railway** : voir « Contextes », p. 15.

50 ment, et, redescendant au sud-est par Burdivan et la ville française de Chandernagor, il fait tête de ligne à Calcutta.

C'était à quatre heures et demie du soir que les passagers du *Mongolia* avaient débarqué à Bombay, et le train de Calcutta partait à huit heures précises.

55 Mr. Fogg prit donc congé de ses partenaires, quitta le paquebot, donna à son domestique le détail de quelques emplettes à faire, lui recommanda expressément de se trouver avant huit heures à la gare, et, de son pas régulier qui battait la seconde comme le pendule d'une horloge astronomique, il
60 se dirigea vers le bureau des passeports.

Ainsi donc, des merveilles de Bombay, il ne songeait à rien voir, ni l'hôtel de ville, ni la magnifique bibliothèque, ni les forts, ni les docks, ni le marché au coton, ni les bazars, ni les mosquées, ni les synagogues, ni les églises arméniennes, ni la
65 splendide pagode de Malebar-Hill, ornée de deux tours polygones. Il ne contemplerait ni les chefs-d'œuvre d'Éléphanta, ni ses mystérieux hypogées[1], cachés au sud-est de la rade, ni les grottes Kanhérie de l'île Salcette, ces admirables restes de l'architecture bouddhiste !

70 Non ! rien. En sortant du bureau des passeports, Phileas Fogg se rendit tranquillement à la gare, et là il se fit servir à dîner. Entre autres mets, le maître d'hôtel crut devoir lui recommander une certaine gibelotte de « lapin du pays », dont il lui dit merveille.

75 Phileas Fogg accepta la gibelotte et la goûta consciencieusement ; mais, en dépit de sa sauce épicée, il la trouva détestable.

Il sonna le maître d'hôtel.

« Monsieur, lui dit-il en le regardant fixement, c'est du
80 lapin, cela ?

– Oui, mylord, répondit effrontément le drôle, du lapin des jungles.

---

1. **Hypogées** : constructions souterraines formées d'une suite de chambres qui recevaient des sépultures.

– Et ce lapin-là n'a pas miaulé quand on l'a tué ?

– Miaulé ! Oh ! mylord ! un lapin ! Je vous jure...

85 – Monsieur le maître d'hôtel, reprit froidement Mr. Fogg, ne jurez pas et rappelez-vous ceci : autrefois, dans l'Inde, les chats étaient considérés comme des animaux sacrés. C'était le bon temps.

– Pour les chats, mylord ?

90 – Et peut-être aussi pour les voyageurs ! »

Cette observation faite, Mr. Fogg continua tranquillement à dîner.

Quelques instants après Mr. Fogg, l'agent Fix avait, lui aussi, débarqué du *Mongolia* et couru chez le directeur de la 95 police de Bombay. Il fit reconnaître sa qualité de détective, la mission dont il était chargé, sa situation vis-à-vis de l'auteur présumé du vol. Avait-on reçu de Londres un mandat d'arrêt ?... On n'avait rien reçu. Et, en effet, le mandat, parti après Fogg, ne pouvait être encore arrivé.

100 Fix resta fort décontenancé. Il voulut obtenir du directeur un ordre d'arrestation contre le sieur Fogg. Le directeur refusa. L'affaire regardait l'administration métropolitaine, et celle-ci seule pouvait légalement délivrer un mandat. Cette sévérité de principes, cette observance rigoureuse de la légalité 105 est parfaitement explicable avec les mœurs anglaises, qui, en matière de liberté individuelle, n'admettent aucun arbitraire.

Fix n'insista pas et comprit qu'il devait se résigner à attendre son mandat. Mais il résolut de ne point perdre de vue son impénétrable coquin, pendant tout le temps que 110 celui-ci demeurerait à Bombay. Il ne doutait pas que Phileas Fogg n'y séjournât – et, on le sait, c'était aussi la conviction de Passepartout –, ce qui laisserait au mandat d'arrêt le temps d'arriver.

Mais depuis les derniers ordres que lui avait donnés son 115 maître en quittant le *Mongolia*, Passepartout avait bien compris qu'il en serait de Bombay comme de Suez et de Paris, que le voyage ne finirait pas ici, qu'il se poursuivrait au moins jusqu'à Calcutta, et peut-être plus loin. Et il commença à se

demander si ce pari de Mr. Fogg n'était pas absolument
120 sérieux, et si la fatalité ne l'entraînait pas, lui qui voulait vivre
en repos, à accomplir le tour du monde en quatre-vingts
jours !

En attendant, et après avoir fait acquisition de quelques
chemises et chaussettes, il se promenait dans les rues de Bom-
125 bay. Il y avait grand concours de populaire, et, au milieu
d'Européens de toutes nationalités, des Persans à bonnets
pointus, des Bunhyas à turbans ronds, des Sindes[1] à bonnets
carrés, des Arméniens en longues robes, des Parsis à mitre
noire. C'était précisément une fête célébrée par ces Parsis ou
130 Guèbres[2], descendants directs des sectateurs de Zoroastre[3],
qui sont les plus industrieux, les plus civilisés, les plus intel-
ligents, les plus austères des Indous – race à laquelle appar-
tiennent actuellement les riches négociants indigènes de Bombay. Ce jour-là, ils célébraient une sorte de carnaval religieux,
135 avec processions et divertissements, dans lesquels figuraient
des bayadères vêtues de gazes roses brochées d'or et d'argent,
qui, au son des violes et au bruit des tam-tams, dansaient
merveilleusement, et avec une décence parfaite, d'ailleurs.

Si Passepartout regardait ces curieuses cérémonies, si ses
140 yeux et ses oreilles s'ouvraient démesurément pour voir et
entendre, si son air, sa physionomie était bien celle du
« booby[4] » le plus neuf qu'on pût imaginer, il est superflu
d'y insister ici.

Malheureusement pour lui et pour son maître, dont il ris-
145 qua de compromettre le voyage, sa curiosité l'entraîna plus
loin qu'il ne convenait.

---

1. **Bunhyas [...] Sindes** : si on peut rattacher les seconds à la province du Sind,
située à l'extrême Sud-Est du Pakistan actuel, les premiers restent mystérieux ;
il peut s'agir d'un mot inventé, ou mal noté par Verne.
2. **Guèbres** : nom donné aux Parsis qui restèrent fidèles au mazdéisme après
la conquête musulmane.
3. **Zoroastre** : ou Zarathushtra (vers 660 av. J.-C. - 583 av. J.-C.), réformateur
du mazdéisme, une religion de l'Iran ancien.
4. **Booby** : mot anglais signifiant « nigaud ».

En effet, après avoir entrevu ce carnaval parsi, Passepartout se dirigeait vers la gare, quand, passant devant l'admirable pagode de Malebar-Hill, il eut la malencontreuse idée 150 d'en visiter l'intérieur.

Il ignorait deux choses : d'abord que l'entrée de certaines pagodes indoues est formellement interdite aux chrétiens, et ensuite que les croyants eux-mêmes ne peuvent y pénétrer sans avoir laissé leurs chaussures à la porte. Il faut remarquer 155 ici que, par raison de saine politique, le gouvernement anglais, respectant et faisant respecter jusque dans ses plus insignifiants détails la religion du pays, punit sévèrement quiconque en viole les pratiques.

Passepartout, entré là, sans penser à mal, comme un simple 160 touriste, admirait, à l'intérieur de Malebar-Hill, ce clinquant éblouissant de l'ornementation brahmanique, quand soudain il fut renversé sur les dalles sacrées. Trois prêtres, le regard plein de fureur, se précipitèrent sur lui, arrachèrent ses souliers et ses chaussettes, et commencèrent à le rouer de coups, 165 en proférant des cris sauvages.

Le Français, vigoureux et agile, se releva vivement. D'un coup de poing et d'un coup de pied, il renversa deux de ses adversaires, fort empêtrés dans leurs longues robes, et, s'élançant hors de la pagode de toute la vitesse de ses jambes, il 170 eut bientôt distancé le troisième Indou, qui s'était jeté sur ses traces, en ameutant la foule.

À huit heures moins cinq, quelques minutes seulement avant le départ du train, sans chapeau, pieds nus, ayant perdu dans la bagarre le paquet contenant ses emplettes, Passepar- 175 tout arrivait à la gare du chemin de fer.

Fix était là, sur le quai d'embarquement. Ayant suivi le sieur Fogg à la gare, il avait compris que ce coquin allait quitter Bombay. Son parti fut aussitôt pris de l'accompagner jusqu'à Calcutta et plus loin s'il le fallait. Passepartout ne vit 180 pas Fix, qui se tenait dans l'ombre, mais Fix entendit le récit de ses aventures, que Passepartout narra en peu de mots à son maître.

« J'espère que cela ne vous arrivera plus », répondit simplement Phileas Fogg, en prenant place dans un des wagons
185 sans mot dire.

Fix allait monter dans un wagon séparé, quand une pensée
le retint et modifia subitement son projet de départ.

« Non, je reste, se dit-il. Un délit commis sur le territoire
indien... Je tiens mon homme. »

190 En ce moment, la locomotive lança un vigoureux sifflet, et
le train disparut dans la nuit.

Repères

1. Délimitez les cinq parties dont se compose le chapitre X. Laquelle est la plus développée ?
2. Combien d'épisodes narratifs contient-il ?

Observation

3. Situez chronologiquement les épisodes que vous avez repérés. Combien de temps couvrent-ils ?
4. Montrez que le narrateur fait ici œuvre pédagogique, et relevez quelques tournures caractéristiques de ce projet.
5. Un « *booby* » (l. 142) est, en anglais, un idiot. Cherchez un autre qualificatif qui pourrait s'appliquer à Passepartout. Expliquez votre réponse.

Interprétations

6. Pourquoi Fix veut-il rester à Bombay ?
7. Chacun des trois personnages vit une « mésaventure » ; montrez que chacune contribue à déterminer son héros.
8. La mésaventure de Passepartout est de celles qui sont fréquentes pour les voyageurs sans expérience… Quels autres personnages littéraires pouvez-vous retrouver qui en vivent de semblables ? En général, quel est le propos de ces romans ?
9. En quoi la technique transforme-t-elle l'espace géographique ? Montrez qu'elle modifie la perception des distances. Aujourd'hui, combien de temps faut-il pour atteindre Calcutta depuis Bombay ?

De la lecture à l'écriture

10. À l'occasion d'un voyage, avez-vous vécu, vous-même ou quelqu'un de votre entourage, une mésaventure due à l'ignorance des coutumes d'une région ou d'un pays ? Racontez-la en mettant l'accent sur son caractère humoristique ou dramatique.
11. Dans le cas contraire, racontez une « maladresse » commise par un touriste étranger arrivant en France.

Un atlas vivant...

Ainsi quadrillé, le monde est accessible aux « *culs de plomb* », comme Jules Verne appelait affectueusement ses lecteurs adultes, qui ne peuvent voyager. Le périple de Passepartout, car c'est de lui qu'il s'agit, lui « *qui flânait et regardait, ne se croyant pas, obligé à ne point voir* » (chap. VIII, l. 2-3), entraîne les lecteurs dans un voyage tour à tour tranquille et mouvementé. L'ignorance du Français justifie la précision du narrateur, qui répond à des questions informulées : le lexique, plus exact qu'exotique, est souvent explicité par le contexte, ou même défini au fil du récit.

La vivacité du personnage, aussi sensible à la beauté des paysages qu'il est curieux des usages, fait des lecteurs des compagnons plus que de simples spectateurs : attentive à rendre son admiration, la description se fait poétique ou ethnologique. Le paysage n'est ni un simple décor, ni un arrière-plan, il sollicite les aventures, propulse les voyageurs dans leur découverte.

... de géographie

« *Un atlas vivant de géographie...* » Ce jugement de Mallarmé (dans *La Dernière Mode,* 1874) souligne la magie de Jules Verne : science ne veut pas dire exposé ; il ne s'agit pas de rendre raison des particularités géographiques, mais de les mettre en roman : « *pour chaque pays nouveau, il m'a fallu imaginer une fable nouvelle* », explique Jules Verne dans une lettre à Mario Turiello (citée par Daniel Compère). Fable policière, avec Fix, qui révèle l'étendue de la mainmise de la couronne britannique. Fable romanesque, avec Aouda, qui incarne le charme mystérieux de l'Inde, mais aussi les vertus civilisatrices de la colonisation selon Jules Verne : anoblissement des Parsis, progrès de la ville « européenne » de Calcutta sur la « ville noire »... La fable centrale, celle du regard négatif de Phileas Fogg évitant consciencieusement la découverte, introduit une distance humoristique : avec lui, le narrateur rationalise, explique et parfois corrige les connaissances acquises sur tel ou tel pays. Reste que cette absence d'émotion de la part du héros laisse planer un doute sur l'intérêt de l'exploration, comme si, au lendemain de 1870, il paraissait plus désirable de fermer tranquillement la porte sur un bonheur sédentaire.

CHAPITRE XI

Où Phileas Fogg achète une monture
à un prix fabuleux

LE TRAIN était parti à l'heure réglementaire. Il emportait un certain nombre de voyageurs, quelques officiers, des fonctionnaires civils et des négociants en opium et en indigo[1], que leur commerce appelait dans la partie orientale de la
5 péninsule.

Passepartout occupait le même compartiment que son maître. Un troisième voyageur se trouvait placé dans le coin opposé.

C'était le brigadier général, Sir Francis Cromarty, l'un des
10 partenaires de Mr. Fogg pendant la traversée de Suez à Bombay, qui rejoignait ses troupes cantonnées auprès de Bénarès.

Sir Francis Cromary, grand, blond, âgé de cinquante ans environ, qui s'était fort distingué pendant la dernière révolte des cipayes, eût véritablement mérité la qualification d'indi-
15 gène. Depuis son jeune âge, il habitait l'Inde et n'avait fait que de rares apparitions dans son pays natal. C'était un homme instruit, qui aurait volontiers donné des renseignements sur les coutumes, l'histoire, l'organisation du pays indou, si Phileas Fogg eût été homme à les demander. Mais

---

1. **En opium et en indigo** : l'opium est du latex séché utilisé en médecine comme calmant, et consommé également comme drogue ; l'indigo est une matière colorante bleue extraite de l'indigotier.

20 ce gentleman ne demandait rien. Il ne voyageait pas, il décrivait une circonférence. C'était un corps grave, parcourant une orbite autour du globe terrestre, suivant les lois de la mécanique rationnelle. En ce moment, il refaisait dans son esprit le calcul des heures dépensées depuis son départ de Londres,
25 et il se fût frotté les mains, s'il eût été dans sa nature de faire un mouvement inutile.

Sir Francis Cromarty n'était pas sans avoir reconnu l'originalité de son compagnon de route, bien qu'il ne l'eût étudié que les cartes à la main et entre deux robres. Il était donc
30 fondé à se demander si un cœur humain battait sous cette froide enveloppe, si Phileas Fogg avait une âme sensible aux beautés de la nature, aux aspirations morales. Pour lui, cela faisait question. De tous les originaux que le brigadier général avait rencontrés, aucun n'était comparable à ce produit des
35 sciences exactes.

Phileas Fogg n'avait point caché à Sir Francis Cromarty son projet de voyage autour du monde, ni dans quelles conditions il l'opérait. Le brigadier général ne vit dans ce pari qu'une excentricité sans but utile et à laquelle manquerait
40 nécessairement le *transire benefaciendo*[1] qui doit guider tout homme raisonnable. Au train dont marchait le bizarre gentleman, il passerait évidemment sans « rien faire », ni pour lui, ni pour les autres.

Une heure après avoir quitté Bombay, le train, franchissant
45 les viaducs, avait traversé l'île Salcette et courait sur le continent. À la station de Callyan, il laissa sur la droite l'embranchement qui, par Kandallah et Pounah, descend vers le sudest de l'Inde, et il gagna la station de Pauwell. À ce point, il s'engagea dans les montagnes très ramifiées des Ghâtes-
50 Occidentales, chaînes à base de trapp[2] et de basalte, dont les plus hauts sommets sont couverts de bois épais.

---

1. *Transire benefaciendo* : il faut tirer parti du voyage (en latin).
2. **Trapp** : les Ghâts sont une chaîne montagneuse constituée de « trapps », c'est-à-dire de plateaux basaltiques d'origine volcanique.

De temps à autre, Sir Francis Cromarty et Phileas Fogg échangeaient quelques paroles, et, à ce moment, le brigadier général, relevant une conversation qui tombait souvent, dit :

55 « Il y a quelques années, monsieur Fogg, vous auriez éprouvé en cet endroit un retard qui eût probablement compromis votre itinéraire.

– Pourquoi cela, Sir Francis ?

– Parce que le chemin de fer s'arrêtait à la base de ces
60 montagnes, qu'il fallait traverser en palanquin ou à dos de poney jusqu'à la station de Kandallah, située sur le versant opposé.

– Ce retard n'eût aucunement dérangé l'économie de mon programme, répondit Mr. Fogg. Je ne suis pas sans avoir
65 prévu l'éventualité de certains obstacles.

– Cependant, monsieur Fogg, reprit le brigadier général, vous risquiez d'avoir une fort mauvaise affaire sur les bras avec l'aventure de ce garçon. »

Passepartout, les pieds entortillés dans sa couverture de
70 voyage, dormait profondément et ne rêvait guère que l'on parlât de lui.

« Le gouvernement anglais est extrêmement sévère et avec raison pour ce genre de délit, reprit Sir Francis Cromarty. Il tient par-dessus tout à ce que l'on respecte les coutumes reli-
75 gieuses des Indous, et si votre domestique eût été pris...

– Eh bien, s'il eût été pris, Sir Francis, répondit Mr. Fogg, il aurait été condamné, il aurait subi sa peine, et puis il serait revenu tranquillement en Europe. Je ne vois pas en quoi cette affaire eût pu retarder son maître ! »

80 Et, là-dessus, la conversation retomba. Pendant la nuit, le train franchit les Ghâtes, passa à Nassik, et le lendemain, 21 octobre, il s'élançait à travers un pays relativement plat, formé par le territoire du Khandeish. La campagne, bien cultivée, était semée de bourgades, au-dessus desquelles le
85 minaret de la pagode remplaçait le clocher de l'église euro-péenne. De nombreux petits cours d'eau, la plupart affluents

ou sous-affluents du Godavery, irriguaient cette contrée fertile.

Passepartout, réveillé, regardait, et ne pouvait croire qu'il traversait le pays des Indous dans un train du « Great peninsular railway ». Cela lui paraissait invraisemblable. Et cependant rien de plus réel ! La locomotive, dirigée par le bras d'un mécanicien anglais et chauffée de houille anglaise, lançait sa fumée sur les plantations de cotonniers, de caféiers, de muscadiers, de girofliers, de poivriers rouges. La vapeur se contournait en spirales autour des groupes de palmiers, entre lesquels apparaissaient de pittoresques bungalows, quelques viharis[1], sortes de monastères abandonnés, et des temples merveilleux qu'enrichissait l'inépuisable ornementation de l'architecture indienne. Puis, d'immenses étendues de terrain se dessinaient à perte de vue, des jungles où ne manquaient ni les serpents ni les tigres qu'épouvantaient les hennissements du train, et enfin des forêts, fendues par le tracé de la voie, encore hantées d'éléphants, qui, d'un œil pensif, regardaient passer le convoi échevelé.

Pendant cette matinée, au-delà de la station de Malligaum, les voyageurs traversèrent ce territoire funeste, qui fut si souvent ensanglanté par les sectateurs de la déesse Kâli[2]. Non loin s'élevaient Ellora et ses pagodes admirables, non loin la célèbre Aurungabad, la capitale du farouche Aureng-Zeb[3], maintenant simple chef-lieu de l'une des provinces détachées du royaume du Nizam[4]. C'était sur cette contrée que Feringhea, le chef des Thugs[5], le roi des Étrangleurs, exerçait sa

---

1. **Viharis** : le *vihara* est un monastère (généralement bouddhique).
2. **Kâli** : déesse de la mort et épouse de Shiva dans la religion bouddhique.
3. **Aureng-Zeb** : empereur moghol de l'Inde, qui détruisit Golconde en 1687 ; son intransigeance envers les Hindous et ses guerres amorcèrent le déclin de l'empire moghol.
4. **Nizam** : région au centre-est de la péninsule indienne, qui fait aujourd'hui partie du Pakistan.
5. **Thugs** : confrérie qui, en l'honneur de Kâli, se livrait au meurtre rituel par strangulation.

domination. Ces assassins, unis dans une association insai-
115 sissable, étranglaient, en l'honneur de la déesse de la Mort,
des victimes de tout âge, sans jamais verser de sang, et il fut
un temps où l'on ne pouvait fouiller un endroit quelconque
de ce sol sans y trouver un cadavre. Le gouvernement anglais
a bien pu empêcher ces meurtres dans une notable propor-
120 tion, mais l'épouvantable association existe toujours et fonc-
tionne encore.

À midi et demi, le train s'arrêta à la station de Burhampour, et Passepartout put s'y procurer à prix d'or une paire
de babouches, agrémentées de perles fausses, qu'il chaussa
125 avec un sentiment d'évidente vanité.

Les voyageurs déjeunèrent rapidement, et repartirent pour
la station d'Assurghur, après avoir un instant côtoyé la rive
du Tapty, petit fleuve qui va se jeter dans le golfe de Cam-
baye, près de Surate.

130 Il est opportun de faire connaître quelles pensées occupaient alors l'esprit de Passepartout. Jusqu'à son arrivée à
Bombay, il avait cru et pu croire que les choses en resteraient
là. Mais maintenant, depuis qu'il filait à toute vapeur à travers l'Inde, un revirement s'était fait dans son esprit. Son
135 naturel lui revenait au galop. Il retrouvait les idées fantaisistes
de sa jeunesse, il prenait au sérieux les projets de son maître,
il croyait à la réalité du pari, conséquemment à ce tour du
monde et à ce maximum de temps, qu'il ne fallait pas dépasser. Déjà même, il s'inquiétait des retards possibles, des acci-
140 dents qui pouvaient survenir en route. Il se sentait comme
intéressé dans cette gageure, et tremblait à la pensée qu'il
avait pu la compromettre la veille par son impardonnable
badauderie. Aussi, beaucoup moins flegmatique que
Mr. Fogg, il était beaucoup plus inquiet. Il comptait et
145 recomptait les jours écoulés, maudissait les haltes du train,
l'accusait de lenteur et blâmait *in petto* Mr. Fogg de n'avoir
pas promis une prime au mécanicien. Il ne savait pas, le brave
garçon, que ce qui était possible sur un paquebot ne l'était
plus sur un chemin de fer, dont la vitesse est réglementée.

150 Vers le soir, on s'engagea dans les défilés des montagnes de Sutpour, qui séparent le territoire du Khandeish de celui du Bundelkund.

Le lendemain, 22 octobre, sur une question de Sir Francis Cromarty, Passepartout, ayant consulté sa montre, répondit
155 qu'il était trois heures du matin. Et, en effet, cette fameuse montre, toujours réglée sur le méridien de Greenwich, qui se trouvait à près de soixante-dix-sept degrés dans l'ouest, devait retarder et retardait en effet de quatre heures.

Sir Francis rectifia donc l'heure donnée par Passepartout,
160 auquel il fit la même observation que celui-ci avait déjà reçue de la part de Fix. Il essaya de lui faire comprendre qu'il devait se régler sur chaque nouveau méridien, et que, puisqu'il marchait constamment vers l'est, c'est-à-dire au-devant du soleil, les jours étaient plus courts d'autant de fois quatre minutes
165 qu'il y avait de degrés parcourus. Ce fut inutile. Que l'entêté garçon eût compris ou non l'observation du brigadier général, il s'obstina à ne pas avancer sa montre, qu'il maintint invariablement à l'heure de Londres. Innocente manie, d'ailleurs, et qui ne pouvait nuire à personne.

170 À huit heures du matin et à quinze milles en avant de la station de Rothal, le train s'arrêta au milieu d'une vaste clairière, bordée de quelques bungalows et de cabanes d'ouvriers. Le conducteur du train passa devant la ligne des wagons en disant :

175 « Les voyageurs descendent ici. »

Phileas Fogg regarda Sir Francis Cromarty, qui parut ne rien comprendre à cette halte au milieu d'une forêt de tamarins et de khajours.

Passepartout, non moins surpris, s'élança sur la voie et
180 revint presque aussitôt, s'écriant :

« Monsieur, plus de chemin de fer !

– Que voulez-vous dire ? demanda Sir Francis Cromarty.

– Je veux dire que le train ne continue pas ! »

Le brigadier général descendit aussitôt de wagon. Phileas

185 Fogg le suivit, sans se presser. Tous deux s'adressèrent au conducteur :

« Où sommes-nous ? demanda Sir Francis Cromarty.

– Au hameau de Kholby, répondit le conducteur.

– Nous nous arrêtons ici ?

190 – Sans doute. Le chemin de fer n'est point achevé...

– Comment ! il n'est point achevé ?

– Non ! il y a encore un tronçon d'une cinquantaine de milles à établir entre ce point et Allahabad, où la voie reprend.

195 – Les journaux ont pourtant annoncé l'ouverture complète du railway !

– Que voulez-vous, mon officier, les journaux se sont trompés.

– Et vous donnez des billets de Bombay à Calcutta ! reprit

200 Sir Francis Cromarty, qui commençait à s'échauffer.

– Sans doute, répondit le conducteur, mais les voyageurs savent bien qu'ils doivent se faire transporter de Kholby jusqu'à Allahabad. »

Sir Francis Cromarty était furieux. Passepartout eût volon-

205 tiers assommé le conducteur, qui n'en pouvait mais. Il n'osait regarder son maître.

« Sir Francis, dit simplement Mr. Fogg, nous allons, si vous le voulez bien, aviser au moyen de gagner Allahabad.

– Monsieur Fogg, il s'agit ici d'un retard absolument pré-

210 judiciable à vos intérêts ?

– Non, Sir Francis, cela était prévu.

– Quoi ! vous saviez que la voie...

– En aucune façon, mais je savais qu'un obstacle quelconque surgirait tôt ou tard sur ma route. Or, rien n'est

215 compromis. J'ai deux jours d'avance à sacrifier. Il y a un steamer qui part de Calcutta pour Hong Kong le 25 à midi. Nous ne sommes qu'au 22, et nous arriverons à temps à Calcutta. »

Il n'y avait rien à dire à une réponse faite avec une si

220 complète assurance.

Il n'était que trop vrai que les travaux du chemin de fer s'arrêtaient à ce point. Les journaux sont comme certaines montres qui ont la manie d'avancer, et ils avaient prématurément annoncé l'achèvement de la ligne. La plupart des
225 voyageurs connaissaient cette interruption de la voie, et, en descendant du train, ils s'étaient emparés des véhicules de toutes sortes que possédait la bourgade, palkigharis à quatre roues, charrettes traînées par des zèbres, sortes de bœufs à bosses, chars de voyage ressemblant à des pagodes ambu-
230 lantes, palanquins, poneys, etc. Aussi Mr. Fogg et Sir Francis Cromarty, après avoir cherché dans toute la bourgade, revinrent-ils sans avoir rien trouvé.

« J'irai à pied », dit Phileas Fogg.

Passepartout, qui rejoignait alors son maître, fit une gri-
235 mace significative, en considérant ses magnifiques mais insuffisantes babouches. Fort heureusement, il avait été de son côté à la découverte, et en hésitant un peu :

« Monsieur, dit-il, je crois que j'ai trouvé un moyen de transport.

240 – Lequel ?

– Un éléphant ! Un éléphant qui appartient à un Indien logé à cent pas d'ici.

– Allons voir l'éléphant », répondit Mr. Fogg.

Cinq minutes plus tard, Phileas Fogg, Sir Francis Cromarty
245 et Passepartout arrivaient près d'une hutte qui attenait à un enclos fermé de hautes palissades. Dans la hutte, il y avait un Indien, et dans l'enclos, un éléphant. Sur leur demande, l'Indien introduisit Mr. Fogg et ses deux compagnons dans l'enclos.

250 Là, ils se trouvèrent en présence d'un animal, à demi domestiqué, que son propriétaire élevait, non pour en faire une bête de somme, mais une bête de combat. Dans ce but, il avait commencé à modifier le caractère naturellement doux de l'animal, de façon à le conduire graduellement à ce
255 paroxysme de rage appelé « mutsh » dans la langue indoue, et cela, en le nourrissant pendant trois mois de sucre et de

« Là, ils se trouvèrent en présence d'un animal... »
Gravure de L. Benett pour l'édition Hetzel.

beurre. Ce traitement peut paraître impropre à donner un tel résultat, mais il n'en est pas moins employé avec succès par les éleveurs. Très heureusement pour Mr. Fogg, l'éléphant en
260 question venait à peine d'être mis à ce régime, et le « mutsh » ne s'était point encore déclaré.

Kiouni – c'était le nom de la bête – pouvait, comme tous ses congénères, fournir pendant longtemps une marche rapide, et, à défaut d'autre monture, Phileas Fogg résolut de
265 l'employer.

Mais les éléphants sont chers dans l'Inde, où ils commencent à devenir rares. Les mâles, qui seuls conviennent aux luttes des cirques, sont extrêmement recherchés. Ces animaux ne se reproduisent que rarement, quand ils sont réduits
270 à l'état de domesticité, de telle sorte qu'on ne peut s'en procurer que par la chasse. Aussi sont-ils l'objet de soins extrêmes, et lorsque Mr. Fogg demanda à l'Indien s'il voulait lui louer son éléphant, l'Indien refusa net.

Fogg insista et offrit de la bête un prix excessif, dix livres
275 (250 F) l'heure. Refus. Vingt livres ? Refus encore. Quarante livres ? Refus toujours. Passepartout bondissait à chaque surenchère. Mais l'Indien ne se laissait pas tenter.

La somme était belle, cependant. En admettant que l'éléphant employât quinze heures à se rendre à Allahabad, c'était
280 six cents livres (15 000 F) qu'il rapporterait à son propriétaire.

Phileas Fogg, sans s'animer en aucune façon, proposa alors à l'Indien de lui acheter sa bête et lui en offrit tout d'abord mille livres (25 000 F).

285 L'Indien ne voulait pas vendre ! Peut-être le drôle flairait-il une magnifique affaire.

Sir Francis Cromarty prit Mr. Fogg à part et l'engagea à réfléchir avant d'aller plus loin. Phileas Fogg répondit à son compagnon qu'il n'avait pas l'habitude d'agir sans réflexion,
290 qu'il s'agissait en fin de compte d'un pari de vingt mille livres, que cet éléphant lui était nécessaire, et que, dût-il le payer vingt fois sa valeur, il aurait cet éléphant.

Mr. Fogg revint trouver l'Indien, dont les petits yeux, allumés par la convoitise, laissaient bien voir que pour lui ce
295 n'était qu'une question de prix. Phileas Fogg offrit successivement douze cents livres, puis quinze cents, puis dix-huit cents, enfin deux mille (50 000 F). Passepartout, si rouge d'ordinaire, était pâle d'émotion.

À deux mille livres, l'Indien se rendit.

300 « Par mes babouches, s'écria Passepartout, voilà qui met à un beau prix la viande d'éléphant ! »

L'affaire conclue, il ne s'agissait plus que de trouver un guide. Ce fut plus facile. Un jeune Parsi, à la figure intelligente, offrit ses services. Mr. Fogg accepta et lui promit une
305 forte rémunération, qui ne pouvait que doubler son intelligence.

L'éléphant fut amené et équipé sans retard. Le Parsi connaissait parfaitement le métier de « mahout » ou cornac. Il couvrit d'une sorte de housse le dos de l'éléphant et dis-
310 posa, de chaque côté sur ses flancs, deux espèces de cacolets[1] assez peu confortables.

Phileas Fogg paya l'Indien en bank-notes qui furent extraites du fameux sac. Il semblait vraiment qu'on les tirât des entrailles de Passepartout. Puis Mr. Fogg offrit à Sir Francis
315 Cromarty de le transporter à la station d'Allahabad. Le brigadier général accepta. Un voyageur de plus n'était pas pour fatiguer le gigantesque animal.

Des vivres furent achetées à Kholby. Sir Francis Cromarty prit place dans l'un des cacolets, Phileas Fogg dans l'autre.
320 Passepartout se mit à califourchon sur la housse entre son maître et le brigadier général. Le Parsi se jucha sur le cou de l'éléphant, et à neuf heures l'animal, quittant la bourgade, s'enfonçait par le plus court dans l'épaisse forêt de lataniers.

---

1. **Cacolets** : doubles sièges à dossier fixé sur le dos d'un animal.

CHAPITRE XII

Où Phileas Fogg et ses compagnons
s'aventurent à travers les forêts de l'Inde,
et ce qui s'ensuit

LE GUIDE, afin d'abréger la distance à parcourir, laissa sur sa droite le tracé de la voie dont les travaux étaient en cours d'exécution. Ce tracé, très contrarié par les capricieuses ramifications des monts Vindhias, ne suivait pas le plus court che-
5 min, que Phileas Fogg avait intérêt à prendre. Le Parsi, très familiarisé avec les routes et sentiers du pays, prétendait gagner une vingtaine de milles en coupant à travers la forêt, et on s'en rapporta à lui.

Phileas Fogg et Sir Francis Cromarty, enfouis jusqu'au cou
10 dans leurs cacolets, étaient fort secoués par le trot raide de l'éléphant, auquel son mahout imprimait une allure rapide. Mais ils enduraient la situation avec le flegme le plus britannique, causant peu d'ailleurs, et se voyant à peine l'un l'autre.

Quant à Passepartout, posté sur le dos de la bête et direc-
15 tement soumis aux coups et aux contrecoups, il se gardait bien, sur une recommandation de son maître, de tenir sa langue entre ses dents, car elle eût été coupée net. Le brave garçon, tantôt lancé sur le cou de l'éléphant, tantôt rejeté sur la croupe, faisait de la voltige, comme un clown sur un trem-
20 plin. Mais il plaisantait, il riait au milieu de ses sauts de carpe, et, de temps en temps, il tirait de son sac un morceau

de sucre, que l'intelligent Kiouni prenait du bout de sa trompe, sans interrompre un instant son trot régulier.

Après deux heures de marche, le guide arrêta l'éléphant et
25 lui donna une heure de repos. L'animal dévora des branchages et des arbrisseaux, après s'être d'abord désaltéré à une mare voisine. Sir Francis Cromarty ne se plaignait pas de cette halte. Il était brisé. Mr. Fogg paraissait être aussi dispos qu'il se fût sorti de son lit.

30   « Mais il est donc de fer ! dit le brigadier général en le regardant avec admiration.

– De fer forgé », répondit Passepartout, qui s'occupa de préparer un déjeuner sommaire.

À midi, le guide donna le signal du départ. Le pays prit
35 bientôt un aspect très sauvage. Aux grandes forêts succédèrent des taillis de tamarins[1] et de palmiers nains, puis de vastes plaines arides, hérissées de maigres arbrisseaux et semées de gros blocs de syénites[2]. Toute cette partie du haut Bundelkund, peu fréquentée des voyageurs, est habitée par
40 une population fanatique, endurcie dans les pratiques les plus terribles de la religion indoue. La domination des Anglais n'a pu s'établir régulièrement sur un territoire soumis à l'influence des rajahs, qu'il eût été difficile d'atteindre dans leurs inaccessibles retraites des Vindhias.

45   Plusieurs fois, on aperçut des bandes d'Indiens farouches, qui faisaient un geste de colère en voyant passer le rapide quadrupède. D'ailleurs, le Parsi les évitait autant que possible, les tenant pour des gens de mauvaise rencontre. On vit peu d'animaux pendant cette journée, à peine quelques
50 singes, qui fuyaient avec mille contorsions et grimaces dont s'amusait fort Passepartout.

Une pensée au milieu de bien d'autres inquiétait ce garçon. Qu'est-ce que Mr. Fogg ferait de l'éléphant, quand il serait

---

1. **Tamarins** : ou tamariniers, arbres décoratifs de l'Inde, dont les fruits, les tamarins, sont très prisés.
2. **Syénites** : roches endogènes (de l'intérieur de la Terre) grenues.

arrivé à la station d'Allahabad ? L'emmènerait-il ? Impos-
55 sible ! Le prix du transport ajouté au prix d'acquisition en
ferait un animal ruineux. Le vendrait-on, le rendrait-on à la
liberté ? Cette estimable bête méritait bien qu'on eût des
égards pour elle. Si, par hasard, Mr. Fogg lui en faisait
cadeau, à lui, Passepartout, il en serait très embarrassé. Cela
60 ne laissait pas de le préoccuper.

À huit heures du soir, la principale chaîne des Vindhias
avait été franchie, et les voyageurs firent halte au pied du
versant septentrional, dans un bungalow en ruine.

La distance parcourue pendant cette journée était d'envi-
65 ron vingt-cinq milles, et il en restait autant à faire pour
atteindre la station d'Allahabad.

La nuit était froide. À l'intérieur du bungalow, le Parsi
alluma un feu de branches sèches, dont la chaleur fut très
appréciée. Le souper se composa des provisions achetées à
70 Kholby. Les voyageurs mangèrent en gens harassés et mou-
lus. La conversation, qui commença par quelques phrases
entrecoupées, se termina bientôt par des ronflements sonores.
Le guide veilla près de Kiouni, qui s'endormit debout, appuyé
au tronc d'un gros arbre.

75 Nul incident ne signala cette nuit. Quelques rugissements
de guépards et de panthères troublèrent parfois le silence,
mêlés à des ricanements aigus de singes. Mais les carnassiers
s'en tinrent à des cris et ne firent aucune démonstration hostile contre les hôtes du bungalow. Sir Francis Cromarty dor-
80 mit lourdement comme un brave militaire rompu de fatigues.
Passepartout, dans un sommeil agité, recommença en rêve
les culbutes de la veille. Quant à Mr. Fogg, il reposa aussi
paisiblement que s'il eût été dans sa tranquille maison de
Saville-row.

85 À six heures du matin, on se remit en marche. Le guide
espérait arriver à la station d'Allahabad le soir même. De
cette façon, Mr. Fogg ne perdrait qu'une partie des quarante-
huit heures économisées depuis le commencement du voyage.

On descendit les dernières rampes des Vindhias. Kiouni

90 avait repris son allure rapide. Vers midi, le guide tourna la bourgade de Kallenger, située sur le Cani, un des sous-affluents du Gange. Il évitait toujours les lieux habités, se sentant plus en sûreté dans ces campagnes désertes, qui marquent les premières dépressions du bassin du grand 95 fleuve. La station d'Allahabad n'était pas à douze milles dans le nord-est. On fit halte sous un bouquet de bananiers, dont les fruits, aussi sains que le pain, « aussi succulents que la crème », disent les voyageurs, furent extrêmement appréciés.

À deux heures, le guide entra sous le couvert d'une épaisse 100 forêt, qu'il devait traverser sur un espace de plusieurs milles. Il préférait voyager ainsi à l'abri des bois. En tout cas, il n'avait fait jusqu'alors aucune rencontre fâcheuse, et le voyage semblait devoir s'accomplir sans accident, quand l'éléphant, donnant quelques signes d'inquiétude, s'arrêta 105 soudain.

Il était quatre heures alors.

« Qu'y a-t-il ? demanda Sir Francis Cromarty, qui releva la tête au-dessus de son cacolet.

– Je ne sais, mon officier », répondit le Parsi, en prêtant 110 l'oreille à un murmure confus qui passait sous l'épaisse ramure.

Quelques instants après, ce murmure devint plus définissable. On eût dit un concert, encore fort éloigné, de voix humaines et d'instruments de cuivre.

115 Passepartout était tout yeux, tout oreilles. Mr. Fogg attendait patiemment, sans prononcer une parole.

Le Parsi sauta à terre, attacha l'éléphant à un arbre et s'enfonça au plus épais du taillis. Quelques minutes plus tard, il revint, disant :

120 « Une procession de brahmanes qui se dirige de ce côté. S'il est possible, évitons d'être vus. »

Le guide détacha l'éléphant et le conduisit dans un fourré, en recommandant aux voyageurs de ne point mettre pied à terre. Lui-même se tint prêt à enfourcher rapidement sa mon-125 ture, si la fuite devenait nécessaire. Mais il pensa que la troupe des fidèles passerait sans l'apercevoir, car l'épaisseur du feuillage le dissimulait entièrement.

Le bruit discordant des voix et des instruments se rapprochait. Des chants monotones se mêlaient au son des tambours
130 et des cymbales. Bientôt la tête de la procession apparut sous les arbres, à une cinquantaine de pas du poste occupé par Mr. Fogg et ses compagnons. Ils distinguaient aisément à travers les branches le curieux personnel de cette cérémonie religieuse.

135 En première ligne s'avançaient des prêtres, coiffés de mitres et vêtus de longues robes chamarrées. Ils étaient entourés d'hommes, de femmes, d'enfants, qui faisaient entendre une sorte de psalmodie funèbre, interrompue à intervalles égaux par des coups de tam-tam et de cymbales. Derrière eux, sur
140 un char aux larges roues dont les rayons et la jante figuraient un entrelacement de serpents, apparut une statue hideuse, traînée par deux couples de zébus richement caparaçonnés. Cette statue avait quatre bras ; le corps colorié d'un rouge sombre, les yeux hagards, les cheveux emmêlés, la langue·
145 pendante, les lèvres teintes de henné et de bétel. À son cou s'enroulait un collier de têtes de morts, à ses flancs une ceinture de mains coupées. Elle se tenait debout sur un géant terrassé auquel le chef manquait.

Sir Francis Cromarty reconnut cette statue.

150 « La déesse Kâli, murmura-t-il, la déesse de l'amour et de la mort.

– De la mort, j'y consens, mais de l'amour, jamais ! dit Passepartout. La vilaine bonne femme ! »

Le Parsi lui fit signe de se taire.

155 Autour de la statue s'agitait, se démenait, se convulsionnait un groupe de vieux fakirs, zébrés de bandes d'ocre, couverts d'incisions cruciales qui laissaient échapper leur sang goutte à goutte, énergumènes stupides qui, dans les grandes cérémonies indoues, se précipitent encore sous les roues du char
160 de Jaggernaut.

Derrière eux, quelques brahmanes, dans toute la somptuo-

sité de leur costume oriental, traînaient une femme qui se
soutenait à peine.

Cette femme était jeune, blanche comme une Européenne.
165 Sa tête, son cou, ses épaules, ses oreilles, ses bras, ses mains,
ses orteils étaient surchargés de bijoux, colliers, bracelets,
boucles et bagues. Une tunique lamée d'or, recouverte d'une
mousseline légère, dessinait les contours de sa taille.

Derrière cette jeune femme – contraste violent pour les
170 yeux –, des gardes armés de sabres nus passés à leur ceinture
et de longs pistolets damasquinés, portaient un cadavre sur
un palanquin.

C'était le corps d'un vieillard, revêtu de ses opulents habits
de rajah, ayant, comme en sa vie, le turban brodé de perles,
175 la robe tissue de soie et d'or, la ceinture de cachemire dia-
manté, et ses magnifiques armes de prince indien.

Puis des musiciens et une arrière-garde de fanatiques, dont
les cris couvraient parfois l'assourdissant fracas des instruments, fermaient le cortège.

180 Sir Francis Cromarty regardait toute cette pompe d'un air
singulièrement attristé, et se tournant vers le guide :

« Un sutty[1] ! » dit-il.

Le Parsi fit un signe affirmatif et mit un doigt sur ses lèvres.

La longue procession se déroula lentement sous les arbres, et
185 bientôt ses derniers rangs disparurent dans la profondeur de
la forêt.

Peu à peu, les chants s'éteignirent. Il y eut encore quelques
éclats de cris lointains, et enfin à tout ce tumulte succéda un
profond silence.

190 Phileas Fogg avait entendu ce mot, prononcé par Sir Francis Cromarty, et aussitôt que la procession eut disparu :

« Qu'est-ce qu'un sutty ? demanda-t-il.

– Un sutty, monsieur Fogg, répondit le brigadier général,
c'est un sacrifice humain, mais un sacrifice volontaire. Cette

---

1. **Sutty** : mot anglais pour le *sati*, coutume hindoue contraignant la veuve
d'un défunt à se laisser brûler sur le bûcher de son mari.

195 femme que vous venez de voir sera brûlée demain aux premières heures du jour.

– Ah ! les gueux ! s'écria Passepartout, qui ne put retenir
ce cri d'indignation.

– Et ce cadavre ? demanda Mr. Fogg.

200 – C'est celui du prince, son mari, répondit le guide, un
rajah indépendant du Bundelkund.

– Comment ! reprit Phileas Fogg, sans que sa voix trahît
la moindre émotion, ces barbares coutumes subsistent encore
dans l'Inde, et les Anglais n'ont pu les détruire ?

205 – Dans la plus grande partie de l'Inde, répondit Sir Francis
Cromarty, ces sacrifices ne s'accomplissent plus, mais nous
n'avons aucune influence sur ces contrées sauvages, et principalement sur ce territoire du Bundelkund. Tout le revers
septentrional des Vinchias est le théâtre de meurtres et de

210 pillages incessants.

– La malheureuse ! murmurait Passepartout, brûlée vive !

– Oui, reprit le brigadier général, brûlée, et si elle ne l'était
pas, vous ne sauriez croire à quelle misérable condition elle
se verrait réduite par ses proches. On lui raserait les cheveux,

215 on la nourrirait à peine de quelques poignées de riz, on la
repousserait, elle serait considérée comme une créature
immonde et mourrait dans quelque coin comme un chien
galeux. Aussi la perspective de cette affreuse existence pousse-
t-elle souvent ces malheureuses au supplice, bien plus que

220 l'amour ou le fanatisme religieux. Quelquefois, cependant, le
sacrifice est réellement volontaire, et il faut l'intervention
énergique du gouvernement pour l'empêcher. Ainsi, il y a
quelques années, je résidais à Bombay, quand une jeune
veuve quitta la ville, se réfugia chez un rajah indépendant, et

225 là elle consomma son sacrifice. »

Pendant le récit du brigadier général, le guide secouait la
tête, et, quand le récit fut achevé :

« Le sacrifice qui aura lieu demain au lever du jour n'est
pas volontaire, dit-il.

230 – Comment le savez-vous ?

– C'est une histoire que tout le monde connaît dans le Bundelkung, répondit le guide.

– Cependant cette infortunée ne paraissait faire aucune résistance, fit observer Sir Francis Cromarty.

235 – Cela tient à ce qu'on l'a enivrée de la fumée du chanvre et de l'opium.

– Mais où la conduit-on ?

– À la pagode de Pillaji, à deux milles d'ici. Là, elle passera la nuit en attendant l'heure du sacrifice.

240 – Et ce sacrifice aura lieu ?...

– Demain, dès la première apparition du jour. »

Après cette réponse, le guide fit sortir l'éléphant de l'épais fourré et se hissa sur le cou de l'animal. Mais au moment où il allait l'exciter par un sifflement particulier, Mr. Fogg l'ar-
245 rêta, et, s'adressant à Sir Francis Cromarty :

« Si nous sauvions cette femme ? dit-il.

– Sauver cette femme, monsieur Fogg !... s'écria le brigadier général.

– J'ai encore douze heures d'avance. Je puis les consacrer
250 à cela.

– Tiens ! Mais vous êtes un homme de cœur ! dit Sir Francis Cromarty.

– Quelquefois, répondit simplement Phileas Fogg. Quand j'ai le temps. »

REPÈRES

1. La fin du chapitre XI et le début du chapitre XII livrent deux aspects de l'éléphant : lesquels ?
2. Qui propose la solution de l'éléphant ?

OBSERVATION

3. Montrez que les deux chapitres sont construits en contraste.
4. Pourquoi le narrateur est-il aussi précis sur les sommes offertes, et sur leurs équivalents en francs ? Comparez le coût de cet animal à l'argent déjà investi par Phileas Fogg, à celui qu'espère toucher Fix, et enfin à celui que perd Passepartout. Quelles conclusions en tirez-vous ?
5. Montrez que les sommes données concourent également à dramatiser le passage. Quels autres éléments ont le même rôle ?
6. Montrez que la présence de Passepartout est essentielle à l'effet produit par le début du chapitre XII. Relevez un terme significatif du rôle qu'il joue.

INTERPRÉTATIONS

7. L'éléphant rompt la série des moyens de transport « modernes » auparavant utilisés par Phileas Fogg. Si l'on se réfère au premier chapitre, quelles conséquences pourrait-on en tirer concernant le succès de son voyage ?
8. Quelles raisons, liées justement à la technique, rendent indispensable l'emploi de l'éléphant ?
9. Lors de l'adaptation théâtrale, l'éléphant fut un ingrédient décisif du succès du *Tour du monde en quatre-vingts jours*. Quels effets de mise en scène le début du chapitre XII permet-il d'imaginer ?

DE LA LECTURE À L'ÉCRITURE

10. Chevaucher un éléphant ne semble pas facile… Imaginez, en gardant les mêmes personnages, les aléas qui pourraient survenir.
11. Imaginez l'encart publicitaire d'une agence vantant ce voyage à dos d'éléphant.

CHAPITRE XIII

Dans lequel Passepartout prouve une fois
de plus que la fortune sourit aux audacieux

LE DESSEIN était hardi, hérissé de difficultés, impraticable
peut-être. Mr. Fogg allait risquer sa vie, ou tout au moins sa
liberté, et par conséquent la réussite de ses projets, mais il
n'hésita pas. Il trouva, d'ailleurs, dans Sir Francis Cromarty,
5 un auxiliaire décidé.

Quant à Passepartout, il était prêt, on pouvait disposer
de lui. L'idée de son maître l'exaltait. Il sentait un cœur,
une âme sous cette enveloppe de glace. Il se prenait à aimer
Phileas Fogg.

10 Restait le guide. Quel parti prendrait-il dans l'affaire ? Ne
serait-il pas porté pour les Indous ? À défaut de son concours,
il fallait au moins s'assurer sa neutralité.

Sir Francis Cromarty lui posa franchement la question.

« Mon officier, répondit le guide, je suis Parsi, et cette
15 femme est Parsie. Disposez de moi.

– Bien, guide, répondit Mr. Fogg.

– Toutefois, sachez-le bien, reprit le Parsi, non seulement
nous risquons notre vie, mais des supplices horribles, si nous
sommes pris. Ainsi, voyez.

20 – C'est vu, répondit Mr. Fogg. Je pense que nous devrons
attendre la nuit pour agir ?

– Je le pense aussi », répondit le guide.

Ce brave Indou donna alors quelques détails sur la victime.

C'était une Indienne d'une beauté célèbre, de race parsie, fille
25 de riches négociants de Bombay. Elle avait reçu dans cette
ville une éducation absolument anglaise, et à ses manières, à
son instruction, on l'eût crue Européenne. Elle se nommait
Aouda.

Orpheline, elle fut mariée malgré elle à ce vieux rajah du
30 Bundelkund. Trois mois après, elle devint veuve. Sachant le
sort qui l'attendait, elle s'échappa, fut reprise aussitôt, et les
parents du rajah, qui avaient intérêt à sa mort, la vouèrent à
ce supplice auquel il ne semblait pas qu'elle pût échapper.

Ce récit ne pouvait qu'enraciner Mr. Fogg et ses compa-
35 gnons dans leur généreuse résolution. Il fut décidé que le
guide dirigerait l'éléphant vers la pagode de Pillaji, dont il se
rapprocherait autant que possible.

Une demi-heure après, halte fut faite sous un taillis, à cinq
cents pas de la pagode, que l'on ne pouvait apercevoir ;
40 mais les hurlements des fanatiques se laissaient entendre
distinctement.

Les moyens de parvenir jusqu'à la victime furent alors dis-
cutés. Le guide connaissait cette pagode de Pillaji, dans
laquelle il affirmait que la jeune femme était emprisonnée.
45 Pourrait-on y pénétrer par une des portes, quand toute la
bande serait plongée dans le sommeil de l'ivresse, ou faudrait-
il pratiquer un trou dans une muraille ? C'est ce qui ne pourrait être décidé qu'au moment et au lieu mêmes. Mais ce qui
ne fit aucun doute, c'est que l'enlèvement devait s'opérer cette
50 nuit même, et non quand, le jour venu, la victime serait
conduite au supplice. À cet instant, aucune intervention
humaine n'eût pu la sauver.

Mr. Fogg et ses compagnons attendirent la nuit. Dès que
l'ombre se fit, vers six heures du soir, ils résolurent d'opérer
55 une reconnaissance autour de la pagode. Les derniers cris des
fakirs s'éteignaient alors. Suivant leur habitude, ces Indiens
devaient être plongés dans l'épaisse ivresse du « hang »
– opium liquide, mélangé d'une infusion de chanvre –, et il

serait peut-être possible de se glisser entre eux jusqu'au
60 temple.

Le Parsi, guidant Mr. Fogg, Sir Francis Cromarty et Passepartout, s'avança sans bruit à travers la forêt. Après dix minutes de reptation sous les ramures, ils arrivèrent au bord d'une petite rivière, et là, à la lueur de torches de fer à la
65 pointe desquelles brûlaient des résines, ils aperçurent un monceau de bois empilé. C'était le bûcher, fait de précieux santal, et déjà imprégné d'une huile parfumée. À sa partie supérieure reposait le corps embaumé du rajah, qui devait être brûlé en même temps que sa veuve. À cent pas de ce bûcher s'élevait
70 la pagode, dont les minarets perçaient dans l'ombre la cime des arbres.

« Venez ! » dit le guide à voix basse.

Et, redoublant de précaution, suivi de ses compagnons, il se glissa silencieusement à travers les grandes herbes.
75 Le silence n'était plus interrompu que par le murmure du vent dans les branches.

Bientôt le guide s'arrêta à l'extrémité d'une clairière. Quelques résines éclairaient la place. Le sol était jonché de groupes de dormeurs, appesantis par l'ivresse. On eût dit un
80 champ de bataille couvert de morts. Hommes, femmes, enfants, tout était confondu. Quelques ivrognes râlaient encore çà et là.

À l'arrière-plan, entre la masse des arbres, le temple de Pillaji se dressait confusément. Mais au grand désappointe-
85 ment du guide, les gardes des rajahs, éclairés par des torches fuligineuses, veillaient aux portes et se promenaient, le sabre nu. On pouvait supposer qu'à l'intérieur les prêtres veillaient aussi.

Le Parsi ne s'avança pas plus loin. Il avait reconnu l'im-
90 possibilité de forcer l'entrée du temple, et il ramena ses compagnons en arrière.

Phileas Fogg et Sir Francis Cromarty avaient compris comme lui qu'ils ne pouvaient rien tenter de ce côté.

Ils s'arrêtèrent et s'entretinrent à voix basse.

95 « Attendons, dit le brigadier général, il n'est que huit heures encore, et il est possible que ces gardes succombent aussi au sommeil.

– Cela est possible, en effet », répondit le Parsi.

Phileas Fogg et ses compagnons s'étendirent donc au pied
100 d'un arbre et attendirent.

Le temps leur parut long ! Le guide les quittait parfois et allait observer la lisière du bois. Les gardes du rajah veillaient toujours à la lueur des torches, et une vague lumière filtrait à travers les fenêtres de la pagode.

105 On attendit ainsi jusqu'à minuit. La situation ne changea pas. Même surveillance au-dehors. Il était évident qu'on ne pouvait compter sur l'assoupissement des gardes. L'ivresse du « hang » leur avait été probablement épargnée. Il fallait donc agir autrement et pénétrer par une ouverture pratiquée aux
110 murailles de la pagode. Restait la question de savoir si les prêtres veillaient auprès de leur victime avec autant de soin que les soldats à la porte du temple.

Après une dernière conversation, le guide se dit prêt à partir. Mr. Fogg, Sir Francis et Passepartout le suivirent. Ils firent
115 un détour assez long, afin d'atteindre la pagode par son chevet.

Vers minuit et demi, ils arrivèrent au pied des murs sans avoir rencontré personne. Aucune surveillance n'avait été établie de ce côté, mais il est vrai de dire que fenêtres et portes
120 manquaient absolument.

La nuit était sombre. La lune, alors dans son dernier quartier, quittait à peine l'horizon, encombré de gros nuages. La hauteur des arbres accroissait encore l'obscurité.

Mais il ne suffisait pas d'avoir atteint le pied des murailles,
125 il fallait encore y pratiquer une ouverture. Pour cette opération, Phileas Fogg et ses compagnons n'avaient absolument que leurs couteaux de poche. Très heureusement, les parois du temple se composaient d'un mélange de briques et de bois qui ne pouvait être difficile à percer. La première brique une
130 fois enlevée, les autres viendraient facilement.

On se mit à la besogne, en faisant le moins de bruit possible. Le Parsi, d'un côté, Passepartout, de l'autre, travaillaient à desceller les briques, de manière à obtenir une ouverture large de deux pieds.

135 Le travail avançait, quand un cri se fit entendre à l'intérieur du temple, et presque aussitôt d'autres cris lui répondirent du dehors.

Passepartout et le guide interrompirent leur travail. Les avait-on surpris ? L'éveil était-il donné ? La plus vulgaire pru-
140 dence leur commandait de s'éloigner – ce qu'ils firent en même temps que Phileas Fogg et Sir Francis Cromarty. Ils se blottirent de nouveau sous le couvert du bois, attendant que l'alerte, si c'en était une, se fût dissipée, et prêts, dans ce cas, à reprendre leur opération.

145 Mais – contretemps funeste – des gardes se montrèrent au chevet de la pagode, et s'y installèrent de manière à empêcher toute approche.

Il serait difficile de décrire le désappointement de ces quatre hommes, arrêtés dans leur œuvre. Maintenant qu'ils ne pou-
150 vaient plus parvenir jusqu'à la victime, comment la sauveraient-ils ? Sir Francis Cromarty se rongeait les poings. Passepartout était hors de lui, et le guide avait quelque peine à le contenir. L'impassible Fogg attendait sans manifester ses sentiments.

155 « N'avons-nous plus qu'à partir ? demanda le brigadier général à voix basse.

– Nous n'avons plus qu'à partir, répondit le guide.

– Attendez, dit Fogg. Il suffit que je sois demain à Allahabad avant midi.

160 – Mais qu'espérez-vous ? répondit Sir Francis Cromarty. Dans quelques heures le jour va paraître, et...

– La chance qui nous échappe peut se représenter au moment suprême. »

Le brigadier général aurait voulu pouvoir lire dans les yeux
165 de Phileas Fogg.

Sur quoi comptait donc ce froid Anglais ? Voulait-il, au

moment du supplice, se précipiter vers la jeune femme et l'arracher ouvertement à ses bourreaux ?

C'eût été une folie, et comment admettre que cet homme
170 fût fou à ce point ? Néanmoins, Sir Francis Cromarty consentit à attendre jusqu'au dénouement de cette terrible scène. Toutefois, le guide ne laissa pas ses compagnons à l'endroit où ils s'étaient réfugiés, et il les ramena vers la partie antérieure de la clairière. Là, abrités par un bouquet d'arbres, ils
175 pouvaient observer les groupes endormis.

Cependant Passepartout, juché sur les premières branches d'un arbre, ruminait une idée qui avait d'abord traversé son esprit comme un éclair, et qui finit par s'incruster dans son cerveau.
180 Il avait commencé par se dire : « Quelle folie ! » et maintenant il répétait : « Pourquoi pas, après tout ? C'est une chance, peut-être la seule, et avec de tels abrutis !... »

En tout cas, Passepartout ne formula pas autrement sa pensée, mais il ne tarda pas à se glisser avec la souplesse d'un
185 serpent sur les basses branches de l'arbre dont l'extrémité se courbait vers le sol.

Les heures s'écoulaient, et bientôt quelques nuances moins sombres annoncèrent l'approche du jour. Cependant l'obscurité était profonde encore.
190 C'était le moment. Il se fit comme une résurrection dans cette foule assoupie. Les groupes s'animèrent. Des coups de tam-tam retentirent. Chants et cris éclatèrent de nouveau. L'heure était venue à laquelle l'infortunée allait mourir.

En effet, les portes de la pagode s'ouvrirent. Une lumière
195 plus vive s'échappa de l'intérieur. Mr. Fogg et Sir Francis Cromarty purent apercevoir la victime, vivement éclairée, que deux prêtres traînaient au-dehors. Il leur sembla même que, secouant l'engourdissement de l'ivresse par un suprême instinct de conservation, la malheureuse tentait d'échapper à ses
200 bourreaux. Le cœur de Sir Francis Cromarty bondit, et par un mouvement convulsif, saisissant la main de Phileas Fogg, il sentit que cette main tenait un couteau ouvert.

En ce moment, la foule s'ébranla. La jeune femme était retombée dans cette torpeur provoquée par les fumées du chanvre. Elle passa à travers les fakirs, qui l'escortaient de leurs vociférations religieuses.

Phileas Fogg et ses compagnons, se mêlant aux derniers rangs de la foule, la suivirent.

Deux minutes après, ils arrivaient sur le bord de la rivière et s'arrêtaient à moins de cinquante pas du bûcher, sur lequel était couché le corps du rajah. Dans la demi-obscurité, ils virent la victime absolument inerte, étendue auprès du cadavre de son époux.

Puis une torche fut approchée, et le bois, imprégné d'huile, s'enflamma aussitôt.

À ce moment, Sir Francis Cromarty et le guide retinrent Phileas Fogg, qui, dans un moment de folie généreuse, s'élançait vers le bûcher...

Mais Phileas Fogg les avait déjà repoussés, quand la scène changea soudain. Un cri de terreur s'éleva. Toute la foule se précipita à terre, épouvantée.

Le vieux rajah n'était donc pas mort, qu'on le vît se redresser tout à coup, comme un fantôme, soulever la jeune femme dans ses bras, descendre du bûcher au milieu des tourbillons de vapeurs qui lui donnaient une apparence spectrale ?

Les fakirs, les gardes, les prêtres, pris d'une terreur subite, étaient là, face à terre, n'osant lever les yeux et regarder un tel prodige !

La victime inanimée passa entre les bras vigoureux qui la portaient, et sans qu'elle parût leur peser. Mr. Fogg et Sir Francis Cromarty étaient demeurés debout. Le Parsi avait courbé la tête, et Passepartout, sans doute, n'était pas moins stupéfié !...

Ce ressuscité arriva ainsi près de l'endroit où se tenaient Mr. Fogg et Sir Francis Cromarty, et là, d'une voix brève :

« Filons !... » dit-il.

C'était Passepartout lui-même qui s'était glissé vers le bûcher au milieu de la fumée épaisse ! C'était Passepartout

qui, profitant de l'obscurité profonde encore, avait arraché la
240 jeune femme à la mort. C'était Passepartout qui, jouant son
rôle avec un audacieux bonheur, passait au milieu de l'épouvante générale !

Un instant après, tous quatre disparaissaient dans le bois,
et l'éléphant les emportait d'un trot rapide. Mais des cris, des
245 clameurs et même une balle, perçant le chapeau de Phileas
Fogg, leur apprirent que la ruse était découverte.

En effet, sur le bûcher enflammé se détachait alors le corps
du vieux rajah. Les prêtres, revenus de leur frayeur, avaient
compris qu'un enlèvement venait de s'accomplir.

250 Aussitôt ils s'étaient précipités dans la forêt. Les gardes les
avaient suivis. Une décharge avait eu lieu, mais les ravisseurs
fuyaient rapidement, et, en quelques instants, ils se trouvaient
hors de la portée des balles et des flèches.

« Un cri de terreur s'éleva... » Gravure de L. Benett pour l'édition Hetzel.

Repères

1. Quel est le plan des quatre hommes ?
2. Que sait-on de la victime ?

Observation

3. Cette péripétie est plus dramatique que celles des chapitres X et XI : pourquoi ? Comment le narrateur le souligne-t-il ?
4. Combien de fois sont-ils obligés de changer leurs projets ? Énumérez les obstacles auxquels ils se heurtent.
5. Établissez précisément le plan du chapitre.
6. Peut-on savoir ce que compte faire Phileas Fogg ?
7. L'épisode met-il Phileas Fogg en retard ? Combien de temps le sauvetage a-t-il nécessité ?
8. Aouda est-elle vraiment le premier personnage féminin du roman ? Expliquez l'effet ménagé ainsi par le narrateur.

Interprétations

9. Quelles qualités nouvelles Passepartout montre-t-il ici ?
10. Voici l'entrée en scène du personnage féminin : en quoi cela constitue-t-il un tournant dans l'aventure de Phileas Fogg ?
11. En quoi l'épisode confère-t-il une dimension plus romanesque au récit, en même temps qu'une dimension plus héroïque aux personnages ?

De la lecture à l'écriture

12. « *Aucune intervention humaine* » (l. 51-52) ne semblait pouvoir sauver Aouda, et pour les Indiens, Passepartout ressemble fort à un prodige. Racontez la scène telle que les Indiens la perçoivent.
13. Le portrait d'Aouda est poétique dans le texte ; substituez-lui un portrait réaliste et précis, en vous fondant ou non sur une personne réelle.

CHAPITRE XIV

Dans lequel Phileas Fogg descend
toute l'admirable vallée du Gange
sans même songer à la voir

LE HARDI ENLÈVEMENT avait réussi. Une heure après, Passepartout riait encore de son succès. Sir Francis Cromarty avait serré la main de l'intrépide garçon. Son maître lui avait dit : « Bien », ce qui, dans la bouche de ce gentleman, équivalait
5 à une haute approbation. À quoi Passepartout avait répondu que tout l'honneur de l'affaire appartenait à son maître. Pour lui, il n'avait eu qu'une idée « drôle », et il riait en songeant que, pendant quelques instants, lui, Passepartout, ancien gymnaste, ex-sergent de pompiers, avait été le veuf d'une
10 charmante femme, un vieux rajah embaumé !

Quant à la jeune Indienne, elle n'avait pas eu conscience de ce qui s'était passé. Enveloppée dans les couvertures de voyage, elle reposait sur l'un des cacolets.

Cependant l'éléphant, guidé avec une extrême sûreté par
15 le Parsi, courait rapidement dans la forêt encore obscure. Une heure après avoir quitté la pagode de Pillaji, il se lançait à travers une immense plaine. À sept heures, on fit halte. La jeune femme était toujours dans une prostration complète. Le

guide lui fit boire quelques gorgées d'eau et de brandy, mais
20 cette influence stupéfiante qui l'accablait devait se prolonger
quelque temps encore.

Sir Francis Cromarty, qui connaissait les effets de l'ivresse
produite par l'inhalation des vapeurs du chanvre, n'avait
aucune inquiétude sur son compte.

25 Mais si le rétablissement de la jeune Indienne ne fit pas
question dans l'esprit du brigadier général, celui-ci se montrait moins rassuré pour l'avenir. Il n'hésita pas à dire à Phileas Fogg que si Mrs. Aouda restait dans l'Inde, elle retom-
berait inévitablement entre les mains de ses bourreaux. Ces
30 énergumènes se tenaient dans toute la péninsule, et certainement, malgré la police anglaise, ils sauraient reprendre leur
victime, fût-ce à Madras, à Bombay, à Calcutta. Et Sir Francis
Cromarty citait, à l'appui de ce dire, un fait de même nature
qui s'était passé récemment. À son avis, la jeune femme ne
35 serait véritablement en sûreté qu'après avoir quitté l'Inde.

Phileas Fogg répondit qu'il tiendrait compte de ces observations et qu'il aviserait.

Vers dix heures, le guide annonçait la station d'Allahabad.
Là reprenait la voie interrompue du chemin de fer, dont les
40 trains franchissent, en moins d'un jour et d'une nuit, la distance qui sépare Allahabad de Calcutta.

Phileas Fogg devait donc arriver à temps pour prendre un
paquebot qui ne partait que le lendemain seulement,
25 octobre, à midi, pour Hong Kong.

45 La jeune femme fut déposée dans une chambre de la gare.
Passepartout fut chargé d'aller acheter pour elle divers objets
de toilette, robe, châle, fourrures, etc., ce qu'il trouverait. Son
maître lui ouvrait un crédit illimité.

Passepartout partit aussitôt et courut les rues de la ville.
50 Allahabad, c'est la cité de Dieu, l'une des plus vénérées de
l'Inde, en raison de ce qu'elle est bâtie au confluent de deux
fleuves sacrés, le Gange et la Jumna, dont les eaux attirent
les pèlerins de toute la péninsule. On sait d'ailleurs que, sui-

vant les légendes du Ramayana[1], le Gange prend sa source
55 dans le ciel, d'où, grâce à Brahma[2], il descend sur la terre.

Tout en faisant ses emplettes, Passepartout eut bientôt vu
la ville, autrefois défendue par un fort magnifique qui est
devenu une prison d'État. Plus de commerce, plus d'industrie
dans cette cité, jadis industrielle et commerçante. Passepar-
60 tout, qui cherchait vainement un magasin de nouveautés,
comme s'il eût été dans Regent-street à quelques pas de Far-
mer et Co., ne trouva que chez un revendeur, vieux juif difficultueux[3], les objets dont il avait besoin, une robe en étoffe
écossaise, un vaste manteau, et une magnifique pelisse en
65 peau de loutre qu'il n'hésita pas à payer soixante-quinze
livres (1 875 F). Puis, tout triomphant, il retourna à la gare.

Mrs. Aouda commençait à revenir à elle. Cette influence à
laquelle les prêtres de Pillaji l'avaient soumise se dissipait peu
à peu, et ses beaux yeux reprenaient toute leur douceur
70 indienne.

Lorsque le roi-poète, Uçaf Uddaul, célèbre les charmes de
la reine d'Ahméhnagara, il s'exprime ainsi :

« Sa luisante chevelure, régulièrement divisée en deux
parts, encadre les contours harmonieux de ses joues délicates
75 et blanches, brillantes de poli et de fraîcheur. Ses sourcils
d'ébène ont la forme et la puissance de l'arc de Kama, dieu
d'amour, et sous ses longs cils soyeux, dans la pupille noire
de ses grands yeux limpides, nagent comme dans les lacs
sacrés de l'Himalaya, les reflets les plus purs de la lumière
80 céleste. Fines, égales et blanches, ses dents resplendissent
entre ses lèvres souriantes, comme des gouttes de rosée dans
le sein mi-clos d'une fleur de grenadier. Ses oreilles
mignonnes aux courbes symétriques, ses mains vermeilles, ses

---

1. Ramayana : seconde des deux grandes épopées indiennes, écrite aux
alentours de l'ère chrétienne, qui relate la « Geste de Rama », incarnation du
dieu hindou Vishnou.
2. Brahma : premier dieu créé du panthéon hindou, créateur de toutes choses.
3. Difficultueux : (littéraire) qui fait des difficultés sur tout.

petits pieds bombés et tendres comme les bourgeons du lotus,
85 brillent de l'éclat des plus belles perles de Ceylan[1], des plus
beaux diamants de Golconde[2]. Sa mince et souple ceinture,
qu'une main suffit à enserrer, rehausse l'élégante cambrure
de ses reins arrondis et la richesse de son buste où la jeunesse
en fleur étale ses plus parfaits trésors, et, sous les plis soyeux
90 de sa tunique, elle semble avoir été modelée en argent pur de
la main divine de Vicvacarma, l'éternel statutaire. »

Mais, sans toute cette amplification, il suffit de dire que
Mrs. Aouda, la veuve du rajah du Bundelkund, était une
charmante femme dans toute l'acception européenne du mot.
95 Elle parlait l'anglais avec une grande pureté, et le guide
n'avait point exagéré en affirmant que cette jeune Parsie avait
été transformée par l'éducation.

Cependant le train allait quitter la station d'Allahabad. Le
Parsi attendait. Mr. Fogg lui régla son salaire au prix
100 convenu, sans le dépasser d'un farthing[3]. Ceci étonna un peu
Passepartout, qui savait tout ce que son maître devait au
dévouement du guide. Le Parsi avait, en effet, risqué volon-
tairement sa vie dans l'affaire de Pillaji, et si, plus tard, les
Indous l'apprenaient, il échapperait difficilement à leur
105 vengeance.

Restait aussi la question de Kiouni. Que ferait-on d'un éléphant acheté si cher ?

Mais Phileas Fogg avait déjà pris une résolution à cet
égard.
110 « Parsi, dit-il au guide, tu as été serviable et dévoué. J'ai
payé ton service, mais non ton dévouement. Veux-tu cet éléphant ? Il est à toi. »

Les yeux du guide brillèrent.

---

1. **Ceylan** : ancien nom du Sri Lanka, état insulaire situé au Sud-Est de l'Inde.
2. **Golconde** : forteresse de l'Inde, riche de ses ruines des XVIe et XVIIe siècles
et des trésors du sultanat musulman de Deccan.
3. **Farthing** : pièce de monnaie valant un quart de l'ancien penny.

« C'est une fortune que Votre Honneur me donne ! s'écria-t-il.

– Accepte, guide, répondit Mr. Fogg, et c'est moi qui serai encore ton débiteur.

– À la bonne heure ! s'écria Passepartout. Prends, ami ! Kiouni est un brave et courageux animal ! »

Et, allant à la bête, il lui présenta quelques morceaux de sucre, disant :

« Tiens, Kiouni, tiens, tiens ! »

L'éléphant fit entendre quelques grognements de satisfaction. Puis, prenant Passepartout par la ceinture et l'enroulant de sa trompe, il l'enleva jusqu'à la hauteur de sa tête. Passepartout, nullement effrayé, fit une bonne caresse à l'animal, qui le replaça doucement à terre, et, à la poignée de trompe de l'honnête Kiouni, répondit une vigoureuse poignée de main de l'honnête garçon.

Quelques instants après, Phileas Fogg, Sir Francis Cromarty et Passepartout, installés dans un confortable wagon dont Mrs. Aouda occupait la meilleure place, couraient à toute vapeur vers Bénarès.

Quatre-vingts milles au plus séparent cette ville d'Allahabad, et ils furent franchis en deux heures.

Pendant ce trajet, la jeune femme revint complètement à elle ; les vapeurs assoupissantes du hang se dissipèrent.

Quel fut son étonnement de se trouver sur le railway, dans ce compartiment, recouverte de vêtements européens, au milieu de voyageurs qui lui étaient absolument inconnus !

Tout d'abord, ses compagnons lui prodiguèrent leurs soins et la ranimèrent avec quelques gouttes de liqueur ; puis le brigadier général lui raconta son histoire. Il insista sur le dévouement de Phileas Fogg, qui n'avait pas hésité à jouer sa vie pour la sauver, et sur le dénouement de l'aventure, dû à l'audacieuse imagination de Passepartout.

Mr. Fogg laissa dire sans prononcer une parole. Passepartout, tout honteux, répétait que « ça n'en valait pas la peine » !

150 Mrs. Aouda remercia ses sauveurs avec effusion, par ses larmes plus que par ses paroles. Ses beaux yeux, mieux que ses lèvres, furent les interprètes de sa reconnaissance. Puis, sa pensée la reportant aux scènes du sutty, ses regards revoyant cette terre indienne où tant de dangers l'attendaient encore,
155 elle fut prise d'un frisson de terreur.

Phileas Fogg comprit ce qui se passait dans l'esprit de Mrs. Aouda, et, pour la rassurer, il lui offrit, très froidement d'ailleurs, de la conduire à Hong Kong, où elle demeurerait jusqu'à que cette affaire fût assoupie.

160 Mrs. Aouda accepta l'offre avec reconnaissance. Précisément, à Hong Kong, résidait un de ses parents, Parsi comme elle, et l'un des principaux négociants de cette ville, qui est absolument anglaise, tout en occupant un point de la côte chinoise.

165 À midi et demi, le train s'arrêtait à la station de Bénarès. Les légendes brahmaniques affirment que cette ville occupe l'emplacement de l'ancienne Casi, qui était autrefois suspendue dans l'espace, entre le zénith et le nadir, comme la tombe de Mahomet. Mais, à cette époque plus réaliste, Bénarès,
170 l'Athènes de l'Inde au dire des orientalistes, reposait tout prosaïquement sur le sol, et Passepartout put un instant entrevoir ses maisons de briques, ses huttes en clayonnage[1], qui lui donnaient un aspect absolument désolé, sans aucune couleur locale.

175 C'était là que devait s'arrêter sir Francis Cromarty. Les troupes qu'il rejoignait campaient à quelques milles au nord de la ville. Le brigadier général fit donc ses adieux à Phileas Fogg, lui souhaitant tout le succès possible, et exprimant le vœu qu'il recommençât ce voyage d'une façon moins origi-
180 nale, mais plus profitable. Mr. Fogg pressa légèrement les doigts de son compagnon. Les compliments de Mrs. Aouda furent plus affectueux. Jamais elle n'oublierait ce qu'elle

---

1. **En clayonnage** : construites avec de la terre soutenue par des treillis d'osier ou de fil métallique appelés claies.

devait à Sir Francis Cromarty. Quant à Passepartout, il fut
honoré d'une vraie poignée de main de la part du brigadier
185 général. Tout ému, il se demanda où et quand il pourrait
bien se dévouer pour lui. Puis on se sépara.

À partir de Bénarès, la voie ferrée suivait en partie la vallée
du Gange. À travers les vitres du wagon, par un temps assez
clair, apparaissait le paysage varié du Béhar, puis des mon-
190 tagnes couvertes de verdure, des champs d'orge, de maïs et
de froment, des rios et des étangs peuplés d'alligators ver-
dâtres, des villages bien entretenus, des forêts encore ver-
doyantes. Quelques éléphants, des zébus à grosse bosse
venaient se baigner dans les eaux du fleuve sacré, et aussi,
195 malgré la saison avancée et la température déjà froide, des
bandes d'Indous des deux sexes, qui accomplissaient pieuse-
ment leurs saintes ablutions. Ces fidèles, ennemis acharnés du
bouddhisme, sont sectateurs fervents de la religion brahmanique, qui s'incarne en ces trois personnes : Vishnou, la divi-
200 nité solaire, Shiva, la personnification divine des forces naturelles, et Brahma, le maître suprême des prêtres et des légis-
lateurs. Mais de quel œil Brahma, Shiva et Vishnou devaient-
ils considérer cette Inde, maintenant « britannisée », lorsque
quelque steam-boat passait en hennissant et troublait les eaux
205 consacrées du Gange, effarouchant les mouettes qui volaient
à sa surface, les tortues qui pullulaient sur ses bords, et les
dévots étendus au long de ses rives !

Tout ce panorama défila comme un éclair, et souvent un
nuage de vapeur blanche en cacha les détails. À peine les
210 voyageurs purent-ils entrevoir le fort de Chunar, à vingt
milles au sud-est de Bénarès, ancienne forteresse des rajahs
du Béhar, Ghazepour et ses importantes fabriques d'eau de
rose, le tombeau de Lord Cornwallis[1] qui s'élève sur la rive
gauche du Gange, la ville fortifiée de Buxar, Patna, grande
215 cité industrielle et commerçante, où se tient le principal

---

1. **Lord Cornwallis** : général et administrateur britannique (1738-1805),
commandant en chef pour l'Inde, qui soumit le sultan Tippoo-Sahib en 1792.

marché d'opium de l'Inde, Monghir, ville plus qu'européenne, anglaise comme Manchester ou Birmingham, renom-
mée pour ses fonderies de fer, ses fabriques de taillanderie et
d'armes blanches, et dont les hautes cheminées encrassaient
220 d'une fumée noire le ciel de Brahma – un véritable coup de
poing dans le pays du rêve !

Puis la nuit vint et, au milieu des hurlements des tigres, des
ours, des loups qui fuyaient devant la locomotive, le train
passa à toute vitesse, et on n'aperçut plus rien des merveilles
225 du Bengale, ni Golgonde, ni Gour en ruine, ni Moursheda-
bad, qui fut autrefois capitale, ni Burdwan, ni Hougly, ni
Chandernagor, ce point français du territoire indien sur
lequel Passepartout eût été fier de voir flotter le drapeau de
sa patrie !

230 Enfin, à sept heures du matin, Calcutta était atteint. Le
paquebot, en partance pour Hong Kong, ne levait l'ancre
qu'à midi. Phileas Fogg avait donc cinq heures devant lui.

D'après son itinéraire, ce gentleman devait arriver dans la
capitale des Indes le 25 octobre, vingt-trois jours après avoir
235 quitté Londres, et il y arrivait au jour fixé. Il n'avait donc ni
retard ni avance. Malheureusement, les deux jours gagnés par
lui entre Londres et Bombay avaient été perdus, on sait
comment, dans cette traversée de la péninsule indienne – mais
il est à supposer que Phileas Fogg ne les regrettait pas.

CHAPITRE XV

Où le sac aux bank-notes s'allège encore de quelques milliers de livres

LE TRAIN s'était arrêté en gare. Passepartout descendit le premier du wagon, et fut suivi de Mr. Fogg, qui aida sa jeune compagne à mettre pied sur le quai. Phileas Fogg comptait se rendre directement au paquebot de Hong Kong, afin d'y
5 installer confortablement Mrs. Aouda, qu'il ne voulait pas quitter, tant qu'elle serait en ce pays si dangereux pour elle.

Au moment où Mr. Fogg allait sortir de la gare, un policeman s'approcha de lui et dit :

« Monsieur Phileas Fogg ?
10   — C'est moi.

— Cet homme est votre domestique ? ajouta le policeman en désignant Passepartout.

— Oui.

— Veuillez me suivre tous les deux. »
15   Mr. Fogg ne fit pas un mouvement qui pût marquer en lui une surprise quelconque. Cet agent était un représentant de la loi, et, pour tout Anglais, la loi est sacrée. Passepartout, avec ses habitudes françaises, voulut raisonner, mais le policeman le toucha de sa baguette, et Phileas Fogg lui fit signe
20 d'obéir.

« Cette jeune dame peut nous accompagner ? demanda Mr. Fogg.

— Elle le peut », répondit le policeman.

Le policeman conduisit Mr. Fogg, Mrs. Aouda et Passe-
25 partout vers un palki-ghari, sorte de voiture à quatre roues
et à quatre places, attelée de deux chevaux. On partit. Personne ne parla pendant le trajet, qui dura vingt minutes
environ.

La voiture traversa d'abord la « ville noire », aux rues
30 étroites, bordées de cahutes dans lesquelles grouillait une
population cosmopolite, sale et déguenillée ; puis elle passa à
travers la ville européenne, égayée de maisons de briques,
ombragée de cocotiers, hérissée de mâtures, que parcouraient
déjà, malgré l'heure matinale, des cavaliers élégants et de
35 magnifiques attelages.

Le palki-ghari s'arrêta devant une habitation d'apparence
simple, mais qui ne devait pas être affectée aux usages domestiques. Le policeman fit descendre ses prisonniers – on pouvait vraiment leur donner ce nom –, et il les conduisit dans
40 une chambre aux fenêtres grillées, en leur disant :

« C'est à huit heures et demie que vous comparaîtrez
devant le juge Obadiah. »

Puis il se retira et ferma la porte.

« Allons ! nous sommes pris ! » s'écria Passepartout, en se
45 laissant aller sur une chaise.

Mrs. Aouda, s'adressant aussitôt à Mr. Fogg, lui dit d'une
voix dont elle cherchait en vain à déguiser l'émotion :

« Monsieur, il faut m'abandonner ! C'est pour moi que
vous êtes poursuivi ! C'est pour m'avoir sauvée ! »
50 Phileas Fogg se contenta de répondre que cela n'était pas
possible. Poursuivi pour cette affaire du sutty ! Inadmissible !
Comment les plaignants oseraient-ils se présenter ? Il y avait
méprise. Mr. Fogg ajouta que, dans tous les cas, il n'aban-
donnerait pas la jeune femme, et qu'il la conduirait à Hong
55 Kong.

« Mais le bateau part à midi ! fit observer Passepartout.

– Avant midi nous serons à bord », répondit simplement
l'impassible gentleman.

Cela fut affirmé si nettement, que Passepartout ne put
60 s'empêcher de se dire à lui-même :

« Parbleu ! cela est certain ! avant midi nous serons à
bord ! » Mais il n'était pas rassuré du tout.

À huit heures et demie, la porte de la chambre s'ouvrit. Le
policeman reparut, et il introduisit les prisonniers dans la
65 salle voisine. C'était une salle d'audience, et un public assez
nombreux, composé d'Européens et d'indigènes, en occupait
déjà le prétoire[1].

Mr. Fogg, Mrs. Aouda et Passepartout s'assirent sur un
banc en face des sièges réservés au magistrat et au greffier.

70 Ce magistrat, le juge Obadiah, entra presque aussitôt, suivi
du greffier. C'était un gros homme tout rond. Il décrocha une
perruque pendue à un clou et s'en coiffa lestement.

« La première cause », dit-il.

Mais, portant la main à sa tête :

75 « Hé ! ce n'est pas ma perruque !

– En effet, monsieur Obadiah, c'est la mienne, répondit le
greffier.

– Cher monsieur Oysterpuf, comment voulez-vous qu'un
juge puisse rendre une bonne sentence avec la perruque d'un
80 greffier ! »

L'échange des perruques fut fait. Pendant ces préliminaires,
Passepartout bouillait d'impatience, car l'aiguille lui paraissait marcher terriblement vite sur le cadran de la grosse horloge du prétoire.

85 « La première cause, reprit alors le juge Obadiah.

– Phileas Fogg ? dit le greffier Oysterpuf.

– Me voici, répondit Mr. Fogg.

– Passepartout ?

– Présent ! répondit Passepartout.

90 – Bien ! dit le juge Obadiah. Voilà deux jours, accusés, que
l'on vous guette à tous les trains de Bombay.

---

1. **Prétoire** : salle d'audience du tribunal.

« – Mais de quoi nous accuse-t-on ? s'écria Passepartout, impatienté.

– Vous allez le savoir, répondit le juge.

95 – Monsieur, dit alors Mr. Fogg, je suis citoyen anglais, et j'ai droit...

– Vous a-t-on manqué d'égards ? demanda Mr. Obadiah.

– Aucunement.

– Bien ! faites entrer les plaignants. »

100 Sur l'ordre du juge, une porte s'ouvrit, et trois prêtres indous furent introduits par un huissier.

« C'est bien cela ! murmura Passepartout, ce sont ces coquins qui voulaient brûler notre jeune dame ! »

Les prêtres se tinrent debout devant le juge, et le greffier

105 lut à haute voix une plainte en sacrilège, formulée contre le sieur Phileas Fogg et son domestique, accusés d'avoir violé un lieu consacré par la religion brahmanique.

« Vous avez entendu ? demanda le juge à Phileas Fogg.

– Oui, monsieur, répondit Mr. Fogg en consultant sa

110 montre, et j'avoue.

– Ah ! vous avouez ?...

– J'avoue et j'attends que ces trois prêtres avouent à leur tour ce qu'ils voulaient faire à la pagode de Pillaji. »

Les prêtres se regardèrent. Ils semblaient ne rien

115 comprendre aux paroles de l'accusé.

« Sans doute ! s'écria impétueusement Passepartout, à cette pagode de Pillaji, devant laquelle ils allaient brûler leur victime ! »

Nouvelle stupéfaction des prêtres, et profond étonnement

120 du juge Obadiah.

« Quelle victime ? demanda-t-il. Brûler qui ! En pleine ville de Bombay ?

– Bombay ? s'écria Passepartout.

– Sans doute. Il ne s'agit pas de la pagode de Pillaji, mais

125 de la pagode de Malebar-Hill, à Bombay.

– Et comme pièce de conviction, voici les souliers du profanateur, ajouta le greffier, en posant une paire de chaussures sur son bureau.

– Mes souliers ! » s'écria Passepartout, qui, surpris au dernier chef, ne put retenir cette involontaire exclamation.

On devine la confusion qui s'était opérée dans l'esprit du maître et du domestique. Cet incident de la pagode de Bombay, ils l'avaient oublié, et c'était celui-là même qui les amenait devant le magistrat de Calcutta.

En effet, l'agent Fix avait compris tout le parti qu'il pouvait tirer de cette malencontreuse affaire. Retardant son départ de douze heures, il s'était fait le conseil des prêtres de Malebar-Hill ; il leur avait promis des dommages-intérêts considérables, sachant bien que le gouvernement anglais se montrait très sévère pour ce genre de délit ; puis, par le train suivant, il les avait lancés sur les traces du sacrilège. Mais, par suite du temps employé à la délivrance de la jeune veuve, Fix et les Indous arrivèrent à Calcutta avant Phileas Fogg et son domestique, que les magistrats, prévenus par dépêche, devaient arrêter à leur descente du train. Que l'on juge du désappointement de Fix, quand il apprit que Phileas Fogg n'était point encore arrivé dans la capitale de l'Inde. Il dut croire que son voleur, s'arrêtant à une des stations du Peninsular-railway, s'était réfugié dans les provinces septentrionales. Pendant vingt-quatre heures, au milieu de mortelles inquiétudes, Fix le guetta à la gare. Quelle fut donc sa joie quand, ce matin même, il le vit descendre du wagon, en compagnie, il est vrai, d'une jeune femme dont il ne pouvait s'expliquer la présence. Aussitôt il lança sur lui un policeman, et voilà comment Mr. Fogg, Passepartout et la veuve du rajah du Bundelkund furent conduits devant le juge Obadiah.

Et si Passepartout eût été moins préoccupé de son affaire, il aurait aperçu, dans un coin du prétoire, le détective, qui suivait le débat avec un intérêt facile à comprendre, – car à Calcutta, comme à Bombay, comme à Suez, le mandat d'arrestation lui manquait encore !

Cependant le juge Obadiah avait pris acte de l'aveu échappé à Passepartout, qui aurait donné tout ce qu'il possédait pour reprendre ses imprudentes paroles.

165 « Les faits sont avoués ? dit le juge.

– Avoués, repondit froidement Mr. Fogg.

– Attendu, reprit le juge, attendu que la loi anglaise entend protéger également et rigoureusement toutes les religions des populations de l'Inde, le délit étant avoué par le sieur Pas-
170 separtout, convaincu d'avoir violé d'un pied sacrilège le pavé de la pagode de Malebar-Hill, à Bombay, dans la journée du 20 octobre, condamne ledit Passepartout à quinze jours de prison et à une amende de trois cents livres (7 500 F).

– Trois cents livres ? s'écria Passepartout, qui n'était véri-
175 tablement sensible qu'à l'amende.

– Silence ! fit l'huissier d'une voix glapissante.

– Et, ajouta le juge Obadiah, attendu qu'il n'est pas matériellement prouvé qu'il n'y ait pas eu connivence entre le domestique et le maître, qu'en tout cas celui-ci doit être tenu
180 responsable des faits et gestes d'un serviteur à ses gages, retient ledit Phileas Fogg et le condamne à huit jours de prison et cent cinquante livres d'amende. Greffier, appelez une autre cause ! »

Fix, dans son coin, éprouvait une indicible satisfaction.
185 Phileas Fogg retenu huit jours à Calcutta, c'était plus qu'il n'en fallait pour donner au mandat le temps de lui arriver.

Passepartout était abasourdi. Cette condamnation ruinait son maître. Un pari de vingt mille livres perdu, et tout cela parce que, en vrai badaud, il était entré dans cette maudite
190 pagode !

Phileas Fogg, aussi maître de lui que si cette condamnation ne l'eût pas concerné, n'avait pas même froncé le sourcil. Mais au moment où le greffier appelait une autre cause, il se leva et dit :

195 « J'offre caution.

– C'est votre droit », répondit le juge.

Fix se sentit froid dans le dos, mais il reprit son assurance, quand il entendit le juge, « attendu la qualité d'étrangers de Phileas Fogg et de son domestique », fixer la caution pour chacun d'eux à la somme énorme de mille livres (25 000 F).

C'était deux mille livres qu'il en coûterait à Mr. Fogg, s'il ne purgeait pas sa condamnation.

« Je paie », dit ce gentleman.

Et du sac que portait Passepartout, il retira un paquet de bank-notes qu'il déposa sur le bureau du greffier.

« Cette somme vous sera restituée à votre sortie de prison, dit le juge. En attendant, vous êtes libres sous caution.

– Venez, dit Phileas Fogg à son domestique.

– Mais, au moins, qu'ils rendent les souliers ! » s'écria Passepartout avec un mouvement de rage.

On lui rendit ses souliers.

« En voilà qui coûtent cher ! murmura-t-il. Plus de mille livres chacun ! Sans compter qu'ils me gênent ! »

Passepartout, absolument piteux, suivit Mr. Fogg, qui avait offert son bras à la jeune femme. Fix espérait encore que son voleur ne se déciderait jamais à abandonner cette somme de deux mille livres et qu'il ferait ses huit jours de prison. Il se jeta donc sur les traces de Fogg.

Mr. Fogg prit une voiture, dans laquelle Mrs. Aouda, Passepartout et lui montèrent aussitôt. Fix courut derrière la voiture, qui s'arrêta bientôt sur l'un des quais de la ville.

À un demi-mille en rade, le *Rangoon* était mouillé, son pavillon de partance hissé en tête de mât. Onze heures sonnaient. Mr. Fogg était en avance d'une heure. Fix le vit descendre de voiture et s'embarquer dans un canot avec Mrs. Aouda et son domestique. Le détective frappa la terre du pied.

« Le gueux ! s'écria-t-il, il part ! Deux mille livres sacrifiées ! Prodigue comme un voleur ! Ah ! je le filerai jusqu'au bout du monde s'il le faut ; mais du train dont il va, tout l'argent du vol y aura passé ! »

L'inspecteur de police était fondé à faire cette réflexion. En effet, depuis qu'il avait quitté Londres, tant en frais de voyage qu'en primes, en achat d'éléphant, en cautions et en amendes, Phileas Fogg avait déjà semé plus de cinq mille livres (125 000 F) sur sa route, et le tant pour cent de la somme recouvrée, attribué aux détectives, allait diminuant toujours.

■ ■ ■ ■ ■ ■ ■■

REPÈRES

1. Combien d'hypothèses peut-on faire sur les motifs de cette arrestation ?

2. De combien de temps Phileas Fogg dispose-t-il pour ne pas enregistrer de retard ?

OBSERVATION

3. Faites le plan du chapitre en décomposant soigneusement ses étapes. À quel autre chapitre ce plan vous fait-il penser ?

4. Expliquez l'épisode des perruques échangées ; quel est son rôle ?

5. De quoi Passepartout s'est-il rendu coupable ?

6. Quel a été le rôle de Fix ? Montrez que sa présence muette domine le passage.

7. En quoi l'exclamation de Passepartout : « *Mes souliers !* » (l. 129) est-elle comique ?

8. Vérifiez le compte de l'argent dépensé par Phileas Fogg. S'il est le voleur, combien peut espérer toucher le détective ? Et s'il ne l'est pas, de combien dispose-t-il encore ?

INTERPRÉTATIONS

9. Qu'est-ce que les deux épisodes, du procès et du sacrifice, révèlent de la civilisation indienne ? Le narrateur donne-t-il son point de vue ?

10. L'argent de Phileas Fogg vient à bout de nombreux obstacles… Que pensez-vous de ces méthodes ?

DE LA LECTURE À L'ÉCRITURE

11. Réalisez entièrement la transformation de ce chapitre en scène de théâtre en excluant évidemment tous les commentaires du narrateur et tous les passages narratifs.

CHAPITRE XVI

Où Fix n'a pas l'air de connaître du tout les choses dont on lui parle

LE *RANGOON*, l'un des paquebots que la Compagnie péninsulaire et orientale emploie au service des mers de la Chine et du Japon, était un steamer en fer, à hélice, jaugeant brut dix-sept cent soixante-dix tonnes, et d'une force nominale de
5 quatre cents chevaux. Il égalait le *Mongolia* en vitesse, mais non en confortable. Aussi Mrs. Aouda ne fut-elle point aussi bien installée que l'eût désiré Phileas Fogg. Après tout, il ne s'agissait que d'une traversée de trois mille cinq cents milles, soit de onze à douze jours, et la jeune femme ne se montra
10 pas une difficile passagère.

Pendant les premiers jours de cette traversée, Mrs. Aouda fit plus ample connaissance avec Phileas Fogg. En toute occasion, elle lui témoignait la plus vive reconnaissance. Le flegmatique gentleman l'écoutait, en apparence au moins, avec
15 la plus extrême froideur, sans qu'une intonation, un geste décelât en lui la plus légère émotion. Il veillait à ce que rien ne manquât à la jeune femme. À de certaines heures il venait régulièrement, sinon causer, du moins l'écouter. Il accomplissait envers elle les devoirs de la politesse la plus stricte,
20 mais avec la grâce et l'imprévu d'un automate dont les mouvements auraient été combinés pour cet usage. Mrs. Aouda ne savait trop que penser, mais Passepartout lui avait un peu expliqué l'excentrique personnalité de son maître. Il lui avait

appris quelle gageure entraînait ce gentleman autour du
25 monde. Mrs. Aouda avait souri ; mais après tout, elle lui
devait la vie, et son sauveur ne pouvait perdre à ce qu'elle le
vît à travers sa reconnaissance.

Mrs. Aouda confirma le récit que le guide indou avait fait
de sa touchante histoire. Elle était, en effet, de cette race qui
30 tient le premier rang parmi les races indigènes. Plusieurs
négociants parsis ont fait de grandes fortunes aux Indes, dans
le commerce des cotons. L'un d'eux, Sir James Jejeebhoy, a
été anobli par le gouvernement anglais, et Mrs. Aouda était
parente de ce riche personnage qui habitait Bombay. C'était
35 même un cousin de Sir Jejeebhoy, l'honorable Jejeeh, qu'elle
comptait rejoindre à Hong Kong. Trouverait-elle près de lui
refuge et assistance ? Elle ne pouvait l'affirmer. À quoi
Mr. Fogg répondait qu'elle n'eût pas à s'inquiéter, et que tout
s'arrangerait mathématiquement ! Ce fut son mot.
40 La jeune femme comprenait-elle cet horrible adverbe ? On
ne sait. Toutefois, ses grands yeux se fixaient sur ceux de
Mr. Fogg, ses grands yeux « limpides comme les lacs sacrés
de l'Himalaya » ! Mais l'intraitable Fogg, aussi boutonné que
jamais, ne semblait point homme à se jeter dans ce lac.
45 Cette première partie de la traversée du *Rangoon* s'accomplit dans des conditions excellentes. Le temps était maniable.
Toute cette portion de l'immense baie que les marins
appellent « les brasses du Bengale » se montra favorable à la
marche du paquebot. Le *Rangoon* eut bientôt connaissance
50 du Grand-Andaman[1], la principale du groupe, que sa pittoresque montagne de Saddle-Peak, haute de deux mille
quatre cents pieds, signale de fort loin aux navigateurs.

La côte fut prolongée d'assez près. Les sauvages Papouas
de l'île ne se montrèrent point. Ce sont des êtres placés au
55 dernier degré de l'échelle humaine, mais dont on fait à tort
des anthropophages.

---

1. **Grand-Andaman** : les îles Andaman, dans le golfe du Bengale, forment un
archipel appartenant au territoire indien.

Le développement panoramique de ces îles était superbe.
D'immenses forêts de lataniers, d'arecs[1], de bambousiers, de
muscadiers, de tecks, de gigantesques mimosées, de fougères
60 arborescentes, couvraient le pays en premier plan, et en
arrière se profilait l'élégante silhouette des montagnes. Sur la
côte pullulaient par milliers ces précieuses salanganes[2], dont
les nids comestibles forment un mets recherché dans le
Céleste Empire. Mais tout ce spectacle varié, offert aux
65 regards par le groupe des Andaman, passa vite, et le *Rangoon*
s'achemina rapidement vers le détroit de Malacca, qui devait
lui donner accès dans les mers de la Chine.

Que faisait pendant cette traversée l'inspecteur Fix, si
malencontreusement entraîné dans un voyage de circumna-
70 vigation ? Au départ de Calcutta, après avoir laissé des ins-
tructions pour que le mandat, s'il arrivait enfin, lui fût adressé
à Hong Kong, il avait pu s'embarquer à bord du *Rangoon*
sans avoir été aperçu de Passepartout, et il espérait bien dis-
simuler sa présence jusqu'à l'arrivée du paquebot. En effet, il
75 lui eût été difficile d'expliquer pourquoi il se trouvait à bord,
sans éveiller les soupçons de Passepartout, qui devait le croire
à Bombay. Mais il fut amené à renouer connaissance avec
l'honnête garçon par la logique même des circonstances.
Comment ? On va le voir.

80 Toutes les espérances, tous les désirs de l'inspecteur de
police, étaient maintenant concentrés sur un unique point du
monde, Hong Kong, car le paquebot s'arrêtait trop peu de
temps à Singapore pour qu'il pût opérer en cette ville. C'était
donc à Hong Kong que l'arrestation du voleur devait se faire,
85 ou le voleur lui échappait, pour ainsi dire, sans retour.

En effet, Hong Kong étant encore une terre anglaise, mais
la dernière qui se rencontrât sur le parcours. Au-delà, la
Chine, le Japon, l'Amérique offraient un refuge à peu près

---

1. **Lataniers, arecs** : variétés de palmiers ; de l'amande de l'arec, on tire le
cachou.
2. **Salanganes** : oiseaux de Chine à longues ailes et courte queue carrée.

assuré au sieur Fogg. À Hong Kong, s'il y trouvait enfin le
90 mandat d'arrestation qui courait évidemment après lui, Fix
arrêtait Fogg et le remettait entre les mains de la police locale.
Nulle difficulté. Mais après Hong Kong, un simple mandat
d'arrestation ne suffirait plus. Il faudrait un acte d'extradition. De là retards, lenteurs, obstacles de toute nature, dont
95 le coquin profiterait pour échapper définitivement. Si l'opération manquait à Hong Kong, il serait, sinon impossible, du
moins bien difficile, de la reprendre avec quelque chance de
succès.

« Donc, se répétait Fix pendant ces longues heures qu'il
100 passait dans sa cabine, donc, ou le mandat sera à Hong
Kong, et j'arrête mon homme, ou il n'y sera pas, et cette fois
il faut à tout prix que je retarde son départ ! J'ai échoué à
Bombay, j'ai échoué à Calcutta ! Si je manque mon coup à
Hong Kong, je suis perdu de réputation ! Coûte que coûte,
105 il faut réussir. Mais quel moyen employer pour retarder, si
cela est nécessaire, le départ de ce maudit Fogg ? »

En dernier ressort, Fix était bien décidé à tout avouer à
Passepartout, à lui faire connaître ce maître qu'il servait et
dont il n'était certainement pas le complice. Passepartout,
110 éclairé par cette révélation, devant craindre d'être compromis, se rangerait sans doute à lui, Fix. Mais enfin c'était un
moyen hasardeux, qui ne pouvait être employé qu'à défaut
de tout autre. Un mot de Passepartout à son maître eût suffi
à compromettre irrévocablement l'affaire.
115 L'inspecteur de police était donc extrêmement embarrassé,
quand la présence de Mrs. Aouda à bord du *Rangoon*, en
compagnie de Phileas Fogg, lui ouvrit de nouvelles
perspectives.

Quelle était cette femme ? Quel concours de circonstances
120 en avait fait la compagne de Fogg ? C'était évidemment entre
Bombay et Calcutta que la rencontre avait eu lieu. Mais
en quel point de la péninsule ? Était-ce le hasard qui avait
réuni Phileas Fogg et la jeune voyageuse ? Ce voyage à travers
l'Inde, au contraire, n'avait-il pas été entrepris par ce

125 gentleman dans le but de rejoindre cette charmante personne ? car elle était charmante ! Fix l'avait bien vu dans la salle d'audience du tribunal de Calcutta.

On comprend à quel point l'agent devait être intrigué. Il se demanda s'il n'y avait pas dans cette affaire quelque cri-
130 minel enlèvement. Oui ! cela devait être ! Cette idée s'incrusta dans le cerveau de Fix, et il reconnut tout le parti qu'il pouvait tirer de cette circonstance. Que cette jeune femme fût mariée ou non, il y avait enlèvement, et il était possible, à Hong Kong, de susciter au ravisseur des embarras tels, qu'il
135 ne pût s'en tirer à prix d'argent.

Mais il ne fallait pas attendre l'arrivée du *Rangoon* à Hong Kong. Ce Fogg avait la détestable habitude de sauter d'un bateau dans un autre, et, avant que l'affaire fût entamée, il pouvait être déjà loin.

140 L'important était donc de prévenir les autorités anglaises et de signaler le passage du *Rangoon* avant son débarquement. Or, rien n'était plus facile, puisque le paquebot faisait escale à Singapore, et que Singapore est reliée à la côte chinoise par un fil télégraphique.

145 Toutefois, avant d'agir et pour opérer plus sûrement, Fix résolut d'interroger Passepartout. Il savait qu'il n'était pas très difficile de faire parler ce garçon, et il se décida à rompre l'incognito qu'il avait gardé jusqu'alors. Or, il n'y avait pas de temps à perdre. On était au 30 octobre, et le lendemain
150 même le *Rangoon* devait relâcher à Singapore.

Donc, ce jour-là, Fix, sortant de sa cabine, monta sur le pont, dans l'intention d'aborder Passepartout « le premier » avec les marques de la plus extrême surprise. Passepartout se promenait à l'avant, quand l'inspecteur se précipita vers lui,
155 s'écriant :

« Vous, sur le *Rangoon* !

– Monsieur Fix à bord ! répondit Passepartout, absolument surpris, en reconnaissant son compagnon de traversée du *Mongolia*. Quoi ! je vous laisse à Bombay, et je vous

160 retrouve sur la route de Hong Kong ! Mais vous faites donc, vous aussi, le tour du monde ?

— Non, non, répondit Fix, et je compte m'arrêter à Hong Kong – au moins quelques jours.

— Ah ! dit Passepartout, qui parut un instant étonné. Mais
165 comment ne vous ai-je pas aperçu à bord depuis notre départ de Calcutta ?

— Ma foi, un malaise... un peu de mal de mer... Je suis resté couché dans ma cabine... Le golfe du Bengale ne me réussit pas aussi bien que l'océan Indien. Et votre maître,
170 Mr. Phileas Fogg ?

— En parfaite santé, et aussi ponctuel que son itinéraire ! Pas un jour de retard ! Ah ! monsieur Fix, vous ne savez pas cela, vous, mais nous avons aussi une jeune dame avec nous.

— Une jeune dame ? » répondit l'agent, qui avait parfaite-
175 ment l'air de ne pas comprendre ce que son interlocuteur voulait dire.

Mais Passepartout l'eut bientôt mis au courant de son histoire. Il raconta l'incident de la pagode de Bombay, l'acquisition de l'éléphant au prix de deux mille livres, l'affaire du
180 sutty, l'enlèvement d'Aouda, la condamnation du tribunal de Calcutta, la liberté sous caution. Fix, qui connaissait la dernière partie de ces incidents, semblait les ignorer tous, et Passepartout se laissait aller au charme de narrer ses aventures devant un auditeur qui lui marquait tant d'intérêt.

185 « Mais, en fin de compte, demanda Fix, est-ce que votre maître a l'intention d'emmener cette jeune femme en Europe ?

— Non pas, monsieur Fix, non pas ! Nous allons tout simplement la remettre aux soins de l'un de ses parents, riche
190 négociant de Hong Kong. »

« Rien à faire ! » se dit le détective en dissimulant son désappointement. « Un verre de gin, monsieur Passepartout ?

— Volontiers, monsieur Fix. C'est bien le moins que nous buvions à notre rencontre à bord du *Rangoon* ! »

CHAPITRE XVII

Où il est question de choses et d'autres pendant la traversée de Singapore à Hong Kong

DEPUIS CE JOUR, Passepartout et le détective se rencontrèrent fréquemment, mais l'agent se tint dans une extrême réserve vis-à-vis de son compagnon, et il n'essaya point de le faire parler. Une ou deux fois seulement, il entrevit Mr. Fogg, qui
5 restait volontiers dans le grand salon du *Rangoon*, soit qu'il tînt compagnie à Mrs. Aouda, soit qu'il jouât au whist, suivant son invariable habitude.

Quant à Passepartout, il s'était pris très sérieusement à méditer sur le singulier hasard qui avait mis, encore une fois,
10 Fix sur la route de son maître. Et, en effet, on eût été étonné à moins. Ce gentleman, très aimable, très complaisant à coup sûr, que l'on rencontre d'abord à Suez, qui s'embarque sur le *Mongolia*, qui débarque à Bombay, où il dit devoir séjourner, que l'on retrouve sur le *Rangoon*, faisant route pour
15 Hong Kong, en un mot, suivant pas à pas l'itinéraire de Mr. Fogg, cela valait la peine qu'on y réfléchît. Il y avait là une concordance au moins bizarre. À qui en avait ce Fix ? Passepartout était prêt à parier ses babouches – il les avait précieusement conservées – que le Fix quitterait Hong Kong
20 en même temps qu'eux, et probablement sur le même paquebot.

Passepartout eût réfléchi pendant un siècle, qu'il n'aurait jamais deviné de quelle mission l'agent avait été chargé.

Jamais il n'eût imaginé que Phileas Fogg fût « filé », à la
25 façon d'un voleur, autour du globe terrestre. Mais comme il
est dans la nature humaine de donner une explication à toute
chose, voici comment Passepartout, soudainement illuminé,
interpréta la présence permanente de Fix, et, vraiment, son
interprétation était fort plausible. En effet, suivant lui, Fix
30 n'était et ne pouvait être qu'un agent lancé sur les traces de
Mr. Fogg par ses collègues du Reform-Club, afin de constater
que ce voyage s'accomplissait régulièrement autour du
monde, suivant l'itinéraire convenu.

« C'est évident ! c'est évident ! se répétait l'honnête garçon,
35 tout fier de sa perspicacité. C'est un espion que ces gentlemen
ont mis à nos trousses ! Voilà qui n'est pas digne ! Mr. Fogg
si probe, si honorable ! Le faire épier par un agent ! Ah !
messieurs du Reform-Club, cela vous coûtera cher ! »

Passepartout, enchanté de sa découverte, résolut cependant
40 de n'en rien dire à son maître, craignant que celui-ci ne fût
justement blessé de cette défiance que lui montraient ses
adversaires. Mais il se promit bien de gouailler Fix à l'occasion, à mots couverts et sans se compromettre.

Le mercredi 30 octobre, dans l'après-midi, le *Rangoon*
45 embouquait[1] le détroit de Malacca, qui sépare la presqu'île
de ce nom des terres de Sumatra. Des îlots montagneux très
escarpés, très pittoresques, dérobaient aux passagers la vue
de la grande île.

Le lendemain, à quatre heures du matin, le *Rangoon*, ayant
50 gagné une demi-journée sur sa traversée réglementaire, relâ-
chait à Singapore, afin d'y renouveler sa provision de
charbon.

Phileas Fogg inscrivit cette avance à la colonne des gains,
et, cette fois, il descendit à terre, accompagnant Mrs. Aouda,
55 qui avait manifesté le désir de se promener pendant quelques
heures.

---

1. **Embouquait** : s'engageait dans un détroit ou un canal.

Fix, à qui toute action de Fogg paraissait suspecte, le suivit sans se laisser apercevoir. Quant à Passepartout, qui riait *in petto* à voir la manœuvre de Fix, il alla faire ses emplettes
60 ordinaires.

L'île de Singapore n'est ni grande ni imposante d'aspect. Les montagnes, c'est-à-dire les profils, lui manquent. Toutefois, elle est charmante dans sa maigreur. C'est un parc coupé de belles routes. Un joli équipage, attelé de ces chevaux élé-
65 gants qui ont été importés de la Nouvelle-Hollande, transporta Mrs. Aouda et Phileas Fogg au milieu des massifs de palmiers à l'éclatant feuillage, et de girofliers dont les clous sont formés du bouton même de la fleur entrouverte. Là, les buissons de poivriers remplaçaient les haies épineuses des
70 campagnes européennes ; des sagoutiers[1], de grandes fougères avec leur ramure superbe, variaient l'aspect de cette région tropicale ; des muscadiers au feuillage verni saturaient l'air d'un parfum pénétrant. Les singes, bandes alertes et grimaçantes, ne manquaient pas dans les bois, ni peut-être les
75 tigres dans les jungles. À qui s'étonnerait d'apprendre que dans cette île, si petite relativement, ces terribles carnassiers ne fussent pas détruits jusqu'au dernier, on répondra qu'ils viennent de Malacca, en traversant le détroit à la nage.

Après avoir parcouru la campagne pendant deux heures,
80 Mrs. Aouda et son compagnon – qui regardait un peu sans voir – rentrèrent dans la ville, vaste agglomération de maisons lourdes et écrasées, qu'entourent de charmants jardins où poussent des mangoustes, des ananas et tous les meilleurs fruits du monde.

85 À dix heures, ils revenaient au paquebot, après avoir été suivis, sans s'en douter, par l'inspecteur, qui avait dû lui aussi se mettre en frais d'équipage.

Passepartout les attendait sur le pont du *Rangoon*. Le brave garçon avait acheté quelques douzaines de mangoustes,

---

1. **Sagoutiers** : variété de palmiers de l'Asie du Sud-Est.

90 grosses comme des pommes moyennes, d'un brun foncé au-dehors, d'un rouge éclatant au-dedans, et dont le fruit blanc, en fondant entre les lèvres, procure aux vrais gourmets une jouissance sans pareille. Passepartout fut trop heureux de les offrir à Mrs. Aouda, qui le remercia avec beaucoup de grâce.

95 À onze heures, le *Rangoon*, ayant son plein de charbon, larguait ses amarres, et, quelques heures plus tard, les passagers perdaient de vue ces hautes montagnes de Malacca, dont les forêts abritent les plus beaux tigres de la terre.

Treize cents milles environ séparent Singapore de l'île de
100 Hong Kong, petit territoire anglais détaché de la côte chinoise. Phileas Fogg avait intérêt à les franchir en six jours au plus, afin de prendre à Hong Kong le bateau qui devait partir le 6 novembre pour Yokohama, l'un des principaux ports du Japon.

105 Le *Rangoon* était fort chargé. De nombreux passagers s'étaient embarqués à Singapore, des Indous, des Ceylandais, des Chinois, des Malais, des Portugais, qui, pour la plupart, occupaient les secondes places.

Le temps, assez beau jusqu'alors, changea avec le dernier
110 quartier de la lune. Il y eut grosse mer. Le vent souffla quelquefois en grande brise, mais très heureusement de la partie du sud-est, ce qui favorisait la marche du steamer. Quand il était maniable, le capitaine faisait établir la voilure. Le *Rangoon*, gréé en brick[1], navigua souvent avec ses deux huniers
115 et sa misaine, et sa rapidité s'accrut sous la double action de la vapeur et du vent. C'est ainsi que l'on prolongea, sur une lame courte et parfois très fatigante, les côtes d'Annam et de Cochinchine.

Mais la faute en était plutôt au *Rangoon* qu'à la mer, et
120 c'est à ce paquebot que les passagers, dont la plupart furent malades, durent s'en prendre de cette fatigue.

---

1. **Gréé en brick** : gréé à la façon du brick, c'est-à-dire avec des voiles carrées, les huniers, envergués sur une plate-forme en haut du mât de misaine, et la misaine, juste au-dessous ; voir le « Petit lexique de la navigation », p. 362.

En effet, les navires de la Compagnie péninsulaire, qui font le service des mers de Chine, ont un sérieux défaut de construction. Le rapport de leur tirant d'eau en charge avec
125 leur creux a été mal calculé, et, par suite, ils n'offrent qu'une faible résistance à la mer. Leur volume, clos, impénétrable à l'eau, est insuffisant. Ils sont « noyés », pour employer l'expression maritime, et, en conséquence de cette disposition, il ne faut que quelques paquets de mer, jetés à bord, pour modi-
130 fier leur allure. Ces navires sont donc très inférieurs – sinon par le moteur et l'appareil évaporatoire, du moins par la construction –, aux types des Messageries françaises, tels que l'*Impératrice* et le *Cambodge*. Tandis que, suivant les calculs des ingénieurs, ceux-ci peuvent embarquer un poids d'eau
135 égal à leur propre poids avant de sombrer, les bateaux de la Compagnie péninsulaire, le *Golgonda*, le *Corea*, et enfin le *Rangoon*, ne pourraient pas embarquer le sixième de leur poids sans couler par le fond.

Donc, par le mauvais temps, il convenait de prendre de
140 grandes précautions. Il fallait quelquefois mettre à la cape[1] sous petite vapeur. C'était une perte de temps qui ne paraissait affecter Phileas Fogg en aucune façon, mais dont Passepartout se montrait extrêmement irrité. Il accusait alors le capitaine, le mécanicien, la Compagnie, et envoyait au diable
145 tous ceux qui se mêlent de transporter des voyageurs. Peutêtre aussi la pensée de ce bec de gaz qui continuait de brûler à son compte dans la maison de Saville-row entrait-elle pour beaucoup dans son impatience.

« Mais vous êtes donc bien pressé d'arriver à Hong Kong ?
150 lui demanda un jour le détective.

– Très pressé ! répondit Passepartout.

– Vous pensez que Mr. Fogg a hâte de prendre le paquebot de Yokohama ?

– Une hâte effroyable.

---

1. **Mettre à la cape** : réduire la vitesse à l'allure minimale.

155   – Vous croyez donc maintenant à ce singulier voyage autour du monde ?

    – Absolument. Et vous, monsieur Fix ?

    – Moi ? je n'y crois pas !

    – Farceur ! » répondit Passepartout en clignant de l'œil.

160   Ce mot laissa l'agent rêveur. Ce qualificatif l'inquiéta, sans qu'il sût trop pourquoi. Le Français l'avait-il deviné ? Il ne savait trop que penser. Mais sa qualité de détective, dont seul il avait le secret, comment Passepartout aurait-il pu la reconnaître ? Et cependant, en lui parlant ainsi, Passepartout avait 165 certainement eu une arrière-pensée.

   Il arriva même que le brave garçon alla plus loin, un autre jour, mais c'était plus fort que lui. Il ne pouvait tenir sa langue.

   « Voyons, monsieur Fix, demanda-t-il à son compagnon 170 d'un ton malicieux, est-ce que, une fois arrivés à Hong Kong, nous aurons le malheur de vous y laisser ?

    – Mais, répondit Fix assez embarrassé, je ne sais !... Peut-être que...

    – Ah ! dit Passepartout, si vous nous accompagniez, ce 175 serait un bonheur pour moi ! Voyons ! un agent de la Compagnie péninsulaire ne saurait s'arrêter en route ! Vous n'alliez qu'à Bombay, et vous voici bientôt en Chine ! L'Amérique n'est pas loin, et de l'Amérique à l'Europe il n'y a qu'un pas ! »

180   Fix regardait attentivement son interlocuteur, qui lui montrait la figure la plus aimable du monde, et il prit le parti de rire avec lui. Mais celui-ci, qui était en veine, lui demanda si « ça lui rapportait beaucoup, ce métier-là » ?

   « Oui et non, répondit Fix sans sourciller. Il y a de bonnes 185 et de mauvaises affaires. Mais vous comprenez bien que je ne voyage pas à mes frais !

    – Oh ! pour cela, j'en suis sûr ! » s'écria Passepartout, riant de plus belle.

La conversation finie, Fix rentra dans sa cabine et se mit
190 à réfléchir. Il était évidemment deviné. D'une façon ou d'une
autre, le Français avait reconnu sa qualité de détective. Mais
avait-il prévenu son maître ? Quel rôle jouait-il dans tout
ceci ? Était-il complice ou non ? L'affaire était-elle éventée, et
par conséquent manquée ? L'agent passa là quelques heures
195 difficiles, tantôt croyant tout perdu, tantôt espérant que Fogg
ignorait la situation, enfin ne sachant quel parti prendre.

Cependant le calme se rétablit dans son cerveau, et il résolut d'agir franchement avec Passepartout. S'il ne se trouvait
pas dans les conditions voulues pour arrêter Fogg à Hong
200 Kong, et si Fogg se préparait à quitter définitivement cette
fois le territoire anglais, lui, Fix, dirait tout à Passepartout.
Ou le domestique était le complice de son maître – et celui-
ci savait tout, et dans ce cas l'affaire était définitivement
compromise – ou le domestique n'était pour rien dans le vol,
205 et alors son intérêt serait d'abandonner le voleur.

Telle était donc la situation respective de ces deux hommes,
et au-dessus d'eux Phileas Fogg planait dans sa majestueuse
indifférence. Il accomplissait rationnellement son orbite
autour du monde, sans s'inquiéter des astéroïdes qui gravi-
210 taient autour de lui.

Et cependant, dans le voisinage, il y avait – suivant l'expression des astronomes – un astre troublant qui aurait dû
produire certaines perturbations sur le cœur de ce gentleman.
Mais non ! Le charme de Mrs. Aouda n'agissait point, à la
215 grande surprise de Passepartout, et les perturbations, si elles
existaient, eussent été plus difficiles à calculer que celles
d'Uranus qui ont amené la découverte de Neptune.

Oui ! c'était un étonnement de tous les jours pour Passepartout, qui lisait tant de reconnaissance envers son maître
220 dans les yeux de la jeune femme ! Décidément Phileas Fogg
n'avait de cœur que ce qu'il en fallait pour se conduire héroïquement, mais amoureusement, non ! Quant aux préoccu-
pations que les chances de ce voyage pouvaient faire naître
en lui, il n'y en avait pas trace. Mais Passepartout, lui, vivait

225 dans des transes continuelles. Un jour, appuyé sur la rambarde de l'« engine-room », il regardait la puissante machine qui s'emportait parfois, quand, dans un violent mouvement de tangage, l'hélice s'affolait hors des flots. La vapeur fusait alors par les soupapes, ce qui provoqua la colère du digne
230 garçon.

« Elles ne sont pas assez chargées, ces soupapes ! s'écriat-il. On ne marche pas ! Voilà bien ces Anglais ! Ah ! si c'était un navire américain, on sauterait peut-être, mais on irait plus vite ! »

CHAPITRE XVIII

Dans lequel Phileas Fogg, Passepartout, Fix,
chacun de son côté, va à ses affaires

PENDANT les derniers jours de la traversée, le temps fut assez
mauvais. Le vent devint très fort. Fixé dans la partie du nord-
ouest, il contraria la marche du paquebot. Le *Rangoon*, trop
instable, roula considérablement, et les passagers furent en
5 droit de garder rancune à ces longues lames affadissantes que
le vent soulevait du large.

Pendant les journées du 3 et du 4 novembre, ce fut une
sorte de tempête. La bourrasque battit la mer avec véhé-
mence. Le *Rangoon* dut mettre à la cape pendant un demi-
10 jour, se maintenant avec dix tours d'hélice seulement, de
manière à biaiser avec les lames. Toutes les voiles avaient été
serrées, et c'était encore trop de ces agrès[1] qui sifflaient au
milieu des rafales.

La vitesse du paquebot, on le conçoit, fut notablement
15 diminuée, et l'on put estimer qu'il arriverait à Hong Kong
avec vingt heures de retard sur l'heure réglementaire, et même
plus, si la tempête ne cessait pas.

Phileas Fogg assistait à ce spectacle d'une mer furieuse, qui
semblait lutter directement contre lui, avec son habituelle

---

1. **Agrès** : terme qui désigne l'ensemble de la mâture d'un navire (poulies,
vergues, cordages, etc.) ; voir le « Petit lexique de la navigation », p. 362.

20 impassibilité. Son front ne s'assombrit pas un instant, et, cependant, un retard de vingt heures pouvait compromettre son voyage en lui faisant manquer le départ du paquebot de Yokohama. Mais cet homme sans nerfs ne ressentait ni impatience ni ennui. Il semblait vraiment que cette tempête rentrât 25 dans son programme, qu'elle fût prévue. Mrs. Aouda, qui s'entretint avec son compagnon de ce contretemps, le trouva aussi calme que par le passé.

Fix, lui, ne voyait pas ces choses du même œil. Bien au contraire. Cette tempête lui plaisait. Sa satisfaction aurait 30 même été sans bornes, si le *Rangoon* eût été obligé de fuir devant la tourmente. Tous ces retards lui allaient, car ils obligeraient le sieur Fogg à rester quelques jours à Hong Kong. Enfin, le ciel, avec ses rafales et ses bourrasques, entrait dans son jeu. Il était bien un peu malade, mais qu'importe ! Il ne 35 comptait pas ses nausées, et, quand son corps se tordait sous le mal de mer, son esprit s'ébaudissait d'une immense satisfaction.

Quant à Passepartout, on devine dans quelle colère peu dissimulée il passa ce temps d'épreuve. Jusqu'alors tout avait 40 si bien marché ! La terre et l'eau semblaient être à la dévotion de son maître. Steamers et railways lui obéissaient. Le vent et la vapeur s'unissaient pour favoriser son voyage. L'heure des mécomptes avait-elle donc enfin sonné ? Passepartout, comme si les vingt mille livres du pari eussent dû sortir de sa 45 bourse, ne vivait plus. Cette tempête l'exaspérait, cette rafale le mettait en fureur, et il eût volontiers fouetté cette mer désobéissante ! Pauvre garçon ! Fix lui cacha soigneusement sa satisfaction personnelle, et il fit bien, car si Passepartout eût deviné le secret contentement de Fix, Fix eût passé un mau- 50 vais quart d'heure.

Passepartout, pendant toute la durée de la bourrasque, demeura sur le pont du *Rangoon*. Il n'aurait pu rester en bas ; il grimpait dans la mâture ; il étonnait l'équipage et aidait à tout avec une adresse de singe. Cent fois il interrogea le capi- 55 taine, les officiers, les matelots, qui ne pouvaient s'empêcher de rire en voyant un garçon si décontenancé. Passepartout voulait absolument savoir combien de temps durerait la tempête. On le renvoyait alors au baromètre, qui ne se décidait pas à remonter. Passepartout secouait le baromètre, mais rien n'y faisait, ni les secousses, ni les injures dont il accablait l'irresponsable instrument.

Enfin la tourmente s'apaisa. L'état de la mer se modifia dans la journée du 4 novembre. Le vent sauta de deux quarts dans le sud et redevint favorable.

Passepartout se rasséréna avec le temps. Les huniers et les basses voiles purent être établis, et le *Rangoon* reprit sa route avec une merveilleuse vitesse.

Mais on ne pouvait regagner tout le temps perdu. Il fallait bien en prendre son parti, et la terre ne fut signalée que le 6, à cinq heures du matin. L'itinéraire de Phileas Fogg portait l'arrivée du paquebot au 5. Or, il n'arrivait que le 6. C'était donc vingt-quatre heures de retard, et le départ pour Yokohama serait nécessairement manqué.

À six heures, le pilote monta à bord du *Rangoon* et prit place sur la passerelle, afin de diriger le navire à travers les passes jusqu'au port de Hong Kong.

Passepartout mourait du désir d'interroger cet homme, de lui demander si le paquebot de Yokohama avait quitté Hong Kong. Mais il n'osait pas, aimant mieux conserver un peu d'espoir jusqu'au dernier instant. Il avait confié ses inquiétudes à Fix, qui – le fin renard – essayait de le consoler, en lui disant que Mr. Fogg en serait quitte pour prendre le prochain paquebot. Ce qui mettait Passepartout dans une colère bleue.

Mais si Passepartout ne se hasarda pas à interroger le pilote, Mr. Fogg, après avoir consulté son *Bradshaw*, demanda de son air tranquille au dit pilote s'il savait quand il partirait un bateau de Hong Kong pour Yokohama.

« Demain, à la marée du matin, répondit le pilote.

– Ah ! » fit Mr. Fogg, sans manifester aucun étonnement.

Passepartout, qui était présent, eût volontiers embrassé le pilote, auquel Fix aurait voulu tordre le cou.

« Quel est le nom de ce steamer ? demanda Mr. Fogg.

– Le *Carnatic*, répondit le pilote.

95 – N'était-ce pas hier qu'il devait partir ?

– Oui, monsieur, mais on a dû réparer une de ses chaudières, et son départ a été remis à demain.

– Je vous remercie », répondit Mr. Fogg, qui de son pas automatique redescendit dans le salon du *Rangoon*.

100 Quant à Passepartout, il saisit la main du pilote et l'étreignit vigoureusement en disant :

« Vous, pilote, vous êtes un brave homme ! »

Le pilote ne sut jamais, sans doute, pourquoi ses réponses lui valurent cette amicale expansion. À un coup de sifflet, il 105 remonta sur la passerelle et dirigea le paquebot au milieu de cette flottille de jonques, de tankas, de bateaux-pêcheurs, de navires de toutes sortes, qui encombraient les pertuis de Hong Kong.

À une heure, le *Rangoon* était à quai, et les passagers 110 débarquaient.

En cette circonstance, le hasard avait singulièrement servi Phileas Fogg, il faut en convenir. Sans cette nécessité de réparer ses chaudières, le *Carnatic* fût parti à la date du 5 novembre, et les voyageurs pour le Japon auraient dû 115 attendre pendant huit jours le départ du paquebot suivant. Mr. Fogg, il est vrai, était en retard de vingt-quatre heures, mais ce retard ne pouvait avoir de conséquences fâcheuses pour le reste du voyage.

En effet, le steamer qui fait de Yokohama à San Francisco 120 la traversée du Pacifique était en correspondance directe avec le paquebot de Hong Kong, et il ne pouvait partir avant que celui-ci fût arrivé. Évidemment il y aurait vingt-quatre heures de retard à Yokohama, mais, pendant les vingt-deux jours que dure la traversée du Pacifique, il serait facile de les rega-125 gner. Phileas Fogg se trouvait donc, à vingt-quatre heures près, dans les conditions de son programme, trente-cinq jours après avoir quitté Londres.

Le *Carnatic* ne devant partir que le lendemain matin à cinq heures, Mr. Fogg avait devant lui seize heures pour s'occuper
130 de ses affaires, c'est-à-dire de celles qui concernaient Mrs. Aouda. Au débarqué du bateau, il offrit son bras à la jeune femme et la conduisit vers un palanquin. Il demanda aux porteurs de lui indiquer un hôtel, et ceux-ci lui désignè-rent l'*Hôtel du Club*. Le palanquin se mit en route, suivi de
135 Passepartout, et vingt minutes après il arrivait à destination.

Un appartement fut retenu pour la jeune femme et Phileas Fogg veilla à ce qu'elle ne manquât de rien. Puis il dit à Mrs. Aouda qu'il allait immédiatement se mettre à la recherche de ce parent aux soins duquel il devait la laisser à
140 Hong Kong. En même temps il donnait à Passepartout l'ordre de demeurer à l'hôtel jusqu'à son retour, afin que la jeune femme n'y restât pas seule.

Le gentleman se fit conduire à la Bourse. Là, on connaîtrait immanquablement un personnage tel que l'honorable Jejeeh,
145 qui comptait parmi les plus riches commerçants de la ville.

Le courtier auquel s'adressa Mr. Fogg connaissait en effet le négociant parsi. Mais, depuis deux ans, celui-ci n'habitait plus la Chine. Sa fortune faite, il s'était établi en Europe – en Hollande, croyait-on –, ce qui s'expliquait par suite de nom-
150 breuses relations qu'il avait eues avec ce pays pendant son existence commerciale.

Phileas Fogg revint à l'*Hôtel du Club*. Aussitôt il fit deman-der à Mrs. Aouda la permission de se présenter devant elle, et, sans autre préambule, il lui apprit que l'honorable Jejeeh
155 ne résidait plus à Hong Kong, et qu'il habitait vraisembla-blement la Hollande.

À cela, Mrs. Aouda ne répondit rien d'abord. Elle passa sa main sur son front, et resta quelques instants à réfléchir. Puis, de sa douce voix :

160 « Que dois-je faire, monsieur Fogg ? dit-elle.

    – C'est très simple, répondit le gentleman. Revenir en Europe.

    – Mais je ne puis abuser...

    – Vous n'abusez pas, et votre présence ne gêne en rien mon
165 programme... Passepartout ?

    – Monsieur ? répondit Passepartout.

    – Allez au *Carnatic*, et retenez trois cabines. »

    Passepartout, enchanté de continuer son voyage dans la compagnie de la jeune femme, qui était fort gracieuse pour
170 lui, quitta aussitôt l'*Hôtel du Club*.

CHAPITRE XIX

Où Passepartout prend un trop vif intérêt à son maître, et ce qui s'ensuit

HONG KONG n'est qu'un îlot, dont le traité de Nanking[1], après la guerre de 1842, assura la possession à l'Angleterre. En quelques années, le génie colonisateur de la Grande-Bretagne y avait fondé une ville importante et créé un port, 5 le port Victoria. Cette île est située à l'embouchure de la rivière de Canton, et soixante milles la séparent de la cité portugaise de Macao, bâtie sur l'autre rive. Hong Kong devait nécessairement vaincre Macao dans une lutte commerciale, et maintenant la plus grande partie du transit chinois 10 s'opère par la ville anglaise. Des docks, des hôpitaux, des wharfs, des entrepôts, une cathédrale gothique, un « government-house », des rues macadamisées, tout ferait croire qu'une des cités commerçantes des comtés de Kent ou de Surrey, traversant le sphéroïde terrestre, est venue ressortir en 15 ce point de la Chine, presque à ses antipodes.

Passepartout, les mains dans les poches, se rendit donc vers le port Victoria, regardant les palanquins, les brouettes à voile, encore en faveur dans le Céleste Empire, et toute cette foule de Chinois, de Japonais et d'Européens, qui se pressait

---

1. **Nanking** : ce traité, signé le 29 août 1842, marquait la victoire sur la Chine de l'Angleterre, qui convoitait Hong Kong et les débouchés commerciaux de ses ports.

20 dans les rues. À peu de choses près, c'était encore Bombay, Calcutta ou Singapore, que le digne garçon retrouvait sur son parcours. Il y a ainsi comme une traînée de villes anglaises tout autour du monde.

Passepartout arriva au port Victoria. Là, à l'embouchure 25 de la rivière de Canton, c'était un fourmillement de navires de toutes nations, des anglais, des français, des américains, des hollandais, bâtiments de guerre et de commerce, des embarcations japonaises ou chinoises, des jonques, des sempans, des tankas, et même des bateaux-fleurs qui formaient 30 autant de parterres flottants sur les eaux. En se promenant, Passepartout remarqua un certain nombre d'indigènes vêtus de jaune, tous très avancés en âge. Étant entré chez un barbier chinois pour se faire raser « à la chinoise », il apprit par le Figaro[1] de l'endroit, qui parlait un assez bon anglais, que 35 ces vieillards avaient tous quatre-vingts ans au moins, et qu'à cet âge, ils avaient le privilège de porter la couleur jaune, qui est la couleur impériale. Passepartout trouva cela fort drôle, sans trop savoir pourquoi.

Sa barbe faite, il se rendit au quai d'embarquement du 40 *Carnatic*, et là il aperçut Fix qui se promenait de long en large, ce dont il ne fut point étonné. Mais l'inspecteur de police laissait voir sur son visage les marques d'un vif désappointement.

« Bon ! se dit Passepartout, cela va mal pour les gentlemen 45 du Reform-Club ! »

Et il accosta Fix avec son joyeux sourire, sans vouloir remarquer l'air vexé de son compagnon.

Or, l'agent avait de bonnes raisons pour pester contre l'infernale chance qui le poursuivait. Pas de mandat ! Il était 50 évident que le mandat courait après lui, et ne pourrait l'atteindre que s'il séjournait quelques jours en cette ville. Or, Hong Kong étant la dernière terre anglaise du parcours, le

---

1. **Figaro** : personnage principal du théâtre de Beaumarchais, Figaro est barbier de profession, et en sait souvent plus que ses maîtres.

« Passepartout remarqua un certain nombre d'indigènes... »
Gravure de L. Benett pour l'édition Hetzel.

sieur Fogg allait lui échapper définitivement, s'il ne parvenait pas à l'y retenir.

55 « Eh bien, monsieur Fix, êtes-vous décidé à venir avec nous jusqu'en Amérique ? demanda Passepartout.

– Oui, répondit Fix les dents serrées.

– Allons donc ! s'écria Passepartout en faisant entendre un retentissant éclat de rire ! Je savais bien que vous ne pourriez
60 pas vous séparer de nous. Venez retenir votre place, venez ! »

Et tous deux entrèrent au bureau des transports maritimes et arrêtèrent des cabines pour quatre personnes. Mais l'employé leur fit observer que les réparations du *Carnatic* étant terminées, le paquebot partirait le soir même à huit heures,
65 et non le lendemain matin, comme il avait été annoncé.

« Très bien ! répondit Passepartout, cela arrangera mon maître. Je vais le prévenir. »

À ce moment, Fix prit un parti extrême. Il résolut de tout dire à Passepartout. C'était le seul moyen peut-être qu'il eût
70 de retenir Phileas Fogg pendant quelques jours à Hong Kong.

En quittant le bureau, Fix offrit à son compagnon de se rafraîchir dans une taverne. Passepartout avait le temps. Il accepta l'invitation de Fix.

Une taverne s'ouvrait sur le quai. Elle avait un aspect enga-
75 geant. Tous deux y entrèrent. C'était une vaste salle bien décorée, au fond de laquelle s'étendait un lit de camp, garni de coussins. Sur ce lit étaient rangés un certain nombre de dormeurs.

Une trentaine de consommateurs occupaient dans la
80 grande salle de petites tables en jonc tressé. Quelques-uns vidaient des pintes de bière anglaise, ale ou porter, d'autres, des brocs de liqueurs alcooliques, gin ou brandy. En outre, la plupart fumaient de longues pipes de terre rouge, bourrées de petites boulettes d'opium mélangé d'essence de rose. Puis,
85 de temps en temps, quelque fumeur énervé glissait sous la table, et les garçons de l'établissement, le prenant par les pieds et par la tête, le portaient sur le lit de camp près d'un

confrère. Une vingtaine de ces ivrognes étaient ainsi rangés côte à côte, dans le dernier degré d'abrutissement.

90 Fix et Passepartout comprirent qu'ils étaient entrés dans une tabagie hantée de ces misérables, hébétés, amaigris, idiots, auxquels la mercantile Angleterre vend annuellement pour deux cent soixante millions de francs de cette funeste drogue qui s'appelle l'opium ! Tristes millions que ceux-là, 95 prélevés sur un des plus funestes vices de la nature humaine.

Le gouvernement chinois a bien essayé de remédier à un tel abus par des lois sévères, mais en vain. De la classe riche, à laquelle l'usage de l'opium était d'abord formellement réservé, cet usage descendit jusqu'aux classes inférieures, et 100 les ravages ne purent plus être arrêtés. On fume l'opium partout et toujours dans l'empire du Milieu. Hommes et femmes s'adonnent à cette passion déplorable, et lorsqu'ils sont accoutumés à cette inhalation, ils ne peuvent plus s'en passer, à moins d'éprouver d'horribles contractions de l'estomac. Un 105 grand fumeur peut fumer jusqu'à huit pipes par jour, mais il meurt en cinq ans.

Or, c'était dans une des nombreuses tabagies de ce genre, qui pullulent, même à Hong Kong, que Fix et Passepartout étaient entrés avec l'intention de se rafraîchir. Passepartout 110 n'avait pas d'argent, mais il accepta volontiers la « politesse » de son compagnon, quitte à la lui rendre en temps et lieu.

On demanda deux bouteilles de porto, auxquelles le Français fit largement honneur, tandis que Fix, plus réservé, observait son compagnon avec une extrême attention. On 115 causa de choses et d'autres, et surtout de cette excellente idée qu'avait eue Fix de prendre passage sur le *Carnatic*. Et à propos de ce steamer, dont le départ se trouvait avancé de quelques heures, Passepartout, les bouteilles étant vides, se leva, afin d'aller prévenir son maître.

120 Fix le retint.

« Un instant, dit-il.

– Que voulez-vous, monsieur Fix ?

– J'ai à vous parler de choses sérieuses.

– De choses sérieuses ! s'écria Passepartout en vidant
125 quelques gouttes de vin restées au fond de son verre. Eh bien,
nous en parlerons demain. Je n'ai pas le temps aujourd'hui.

– Restez, répondit Fix. Il s'agit de votre maître ! »

Passepartout, à ce mot, regarda attentivement son interlocuteur.
L'expression du visage de Fix lui parut singulière. Il se
130 rassit.

« Qu'est-ce donc que vous avez à me dire ? » demanda-t-il.

Fix appuya sa main sur le bras de son compagnon, et,
baissant la voix :

« Vous avez deviné qui j'étais ? lui demanda-t-il.
135 – Parbleu ! dit Passepartout en souriant.

– Alors je vais tout vous avouer...

– Maintenant que je sais tout, mon compère ! Ah ! voilà
qui n'est pas fort ! Enfin, allez toujours. Mais auparavant,
laissez-moi vous dire que ces gentlemen se sont mis en frais
140 bien inutilement !

– Inutilement ! dit Fix. Vous en parlez à votre aise ! On
voit bien que vous ne connaissez pas l'importance de la
somme !

– Mais si, je la connais, répondit Passepartout. Vingt mille
145 livres !

– Cinquante-cinq mille ! reprit Fix, en serrant la main du
Français.

– Quoi ! s'écria Passepartout, Mr. Fogg aurait osé !... Cinquante-cinq mille livres !... Eh bien ! raison de plus pour ne
150 pas perdre un instant, ajouta-t-il en se levant de nouveau.

– Cinquante-cinq mille livres ! reprit Fix, qui força Passepartout à se rasseoir, après avoir fait apporter un flacon de
brandy – et si je réussis, je gagne une prime de deux mille
livres. En voulez-vous cinq cents (12 500 F) à la condition de
155 m'aider ?

– Vous aider ? s'écria Passepartout, dont les yeux étaient
démesurément ouverts.

– Oui, m'aider à retenir le sieur Fogg pendant quelques
jours à Hong Kong !

160   – Hein ! fit Passepartout, que dites-vous là ? Comment ! non content de faire suivre mon maître, de suspecter sa loyauté, ces gentlemen veulent encore lui susciter des obstacles ! J'en suis honteux pour eux !

    – Ah çà ! que voulez-vous dire ? demanda Fix.

165   – Je veux dire que c'est de la pure indélicatesse. Autant dépouiller Mr. Fogg, et lui prendre l'argent dans la poche !

    – Eh ! c'est bien à cela que nous comptons arriver !

    – Mais c'est un guet-apens ! s'écria Passepartout – qui s'animait alors sous l'influence du brandy que lui servait Fix,
170 et qu'il buvait sans s'en apercevoir –, un guet-apens véritable ! Des gentlemen ! des collègues ! »

    Fix commençait à ne plus comprendre.

    « Des collègues ! s'écria Passepartout, des membres du Reform-Club ! Sachez, monsieur Fix, que mon maître est un
175 honnête homme, et que, quand il a fait un pari, c'est loyalement qu'il prétend le gagner.

    – Mais qui croyez-vous donc que je sois ? demanda Fix, en fixant son regard sur Passepartout.

    – Parbleu ! un agent des membres du Reform-Club, qui a
180 mission de contrôler l'itinéraire de mon maître, ce qui est singulièrement humiliant ! Aussi, bien que, depuis quelque temps déjà, j'aie deviné votre qualité, je me suis bien gardé de la révéler à Mr. Fogg.

    – Il ne sait rien ?... demanda vivement Fix.

185   – Rien », répondit Passepartout en vidant encore une fois son verre.

    L'inspecteur de police passa sa main sur son front. Il hésitait avant de reprendre la parole. Que devait-il faire ? L'erreur de Passepartout semblait sincère, mais elle rendait son projet
190 plus difficile. Il était évident que ce garçon parlait avec une absolue bonne foi, et qu'il n'était point le complice de son maître – ce que Fix aurait pu craindre.

    « Eh bien, se dit-il, puisqu'il n'est pas son complice, il m'aidera. »

195   Le détective avait une seconde fois pris son parti. D'ail-

leurs, il n'avait plus le temps d'attendre. À tout prix, il fallait arrêter Fogg à Hong Kong.

« Écoutez, dit Fix d'une voix brève, écoutez-moi bien. Je ne suis pas ce que vous croyez, c'est-à-dire un agent des
200 membres du Reform-Club...

— Bah ! dit Passepartout en le regardant d'un air goguenard.

— Je suis un inspecteur de police, chargé d'une mission par l'administration métropolitaine...
205 — Vous... inspecteur de police !...

— Oui, et je le prouve, reprit Fix. Voici ma commission. »

Et l'agent, tirant un papier de son portefeuille, montra à son compagnon une commission signée du directeur de la police centrale. Passepartout, abasourdi, regardait Fix, sans
210 pouvoir articuler une parole.

« Le pari du sieur Fogg, reprit Fix, n'est qu'un prétexte dont vous êtes dupes, vous et ses collègues du Reform-Club, car il avait intérêt à s'assurer votre inconsciente complicité.

— Mais pourquoi ?... s'écria Passepartout.
215 — Écoutez. Le 28 septembre dernier, un vol de cinquante-cinq mille livres a été commis à la Banque d'Angleterre par un individu dont le signalement a pu être relevé. Or, voici ce signalement, et c'est trait pour trait celui du sieur Fogg.

— Allons donc ! s'écria Passepartout en frappant la table
220 de son robuste poing. Mon maître est le plus honnête homme du monde !

— Qu'en savez-vous ? répondit Fix. Vous ne le connaissez même pas ! Vous êtes entré à son service le jour de son départ, et il est parti précipitamment sous un prétexte insensé, sans
225 malles, emportant une grosse somme en bank-notes ! Et vous osez soutenir que c'est un honnête homme !

— Oui ! oui ! répétait machinalement le pauvre garçon.

— Voulez-vous donc être arrêté comme son complice ? »

Passepartout avait pris sa tête à deux mains. Il n'était plus
230 reconnaissable. Il n'osait regarder l'inspecteur de police. Phileas Fogg un voleur, lui, le sauveur d'Aouda, l'homme

généreux et brave ! Et pourtant que de présomptions relevées contre lui ! Passepartout essayait de repousser les soupçons qui se glissaient dans son esprit. Il ne voulait pas croire à la
235 culpabilité de son maître.

« Enfin, que voulez-vous de moi ? dit-il à l'agent de police, en se contenant par un suprême effort.

– Voici, répondit Fix. J'ai filé le sieur Fogg jusqu'ici, mais je n'ai pas encore reçu le mandat d'arrestation, que j'ai
240 demandé à Londres. Il faut donc que vous m'aidiez à retenir à Hong Kong...

– Moi ! que je...

– Et je partage avec vous la prime de deux mille livres promise par la Banque d'Angleterre !
245 – Jamais ! » répondit Passepartout, qui voulut se lever et retomba, sentant sa raison et ses forces lui échapper à la fois.

« Monsieur Fix, dit-il en balbutiant, quand bien même tout ce que vous m'avez dit serait vrai... quand mon maître serait le voleur que vous cherchez... ce que je nie... j'ai été... je suis
250 à son service... je l'ai vu bon et généreux... Le trahir... jamais... non, pour tout l'or du monde... Je suis d'un village où l'on ne mange pas de ce pain-là !...

– Vous refusez ?

– Je refuse.
255 – Mettons que je n'ai rien dit, répondit Fix, et buvons.

– Oui, buvons ! »

Passepartout se sentait de plus en plus envahir par l'ivresse. Fix, comprenant qu'il fallait à tout prix le séparer de son maître, voulut l'achever. Sur la table se trouvaient quelques
260 pipes chargées d'opium. Fix en glissa une dans la main de Passepartout, qui la prit, la porta à ses lèvres, l'alluma, respira quelques bouffées, et retomba, la tête alourdie sous l'influence du narcotique.

« Enfin, dit Fix en voyant Passepartout anéanti, le sieur
265 Fogg ne sera pas prévenu à temps du départ du *Carnatic*, et s'il part, du moins partira-t-il sans ce maudit Français ! »

Puis il sortit, après avoir payé la dépense.

REPÈRES

1. Il s'agit là encore d'un chapitre d'étape consacré à Passepartout : à quel autre chapitre fait-il pendant ?
2. Situez chronologiquement cette étape dans le parcours de Phileas Fogg ; est-il en retard ou en avance ? Justifiez votre réponse en vous appuyant sur les chapitres précédents.

OBSERVATION

3. Quels traits font de Passepartout un véritable touriste ?
4. Le jugement du narrateur sur les tabagies ne fait pas de doute ; relevez les procédés qu'il emploie pour convaincre ses lecteurs.
5. Dégagez la structure du dialogue entre les deux personnages. À quel dilemme Fix est-il par deux fois confronté ?
6. Relevez les indices du trouble de Passepartout ; quelles en sont les causes ?
7. Quels sont les arguments employés par Fix pour persuader Passepartout de l'aider ? Classez-les selon leur nature et commentez vos résultats.

INTERPRÉTATIONS

8. Dans la série des péripéties déjà vécues par les voyageurs, celle-ci n'est-elle pas particulière ? Quelle tournure prend le récit ?
9. Que pensez-vous des méthodes employées par Fix ?
10. Nous sommes à la moitié du roman ; en quoi ce chapitre constitue-t-il un tournant important ?

DE LA LECTURE À L'ÉCRITURE

11. Imaginez une suite immédiate à ce chapitre : qu'arrive-t-il à Passepartout ?

Fix et la loi

Symbole de la puissance anglaise, le mandat de Fix fait loi de Londres à Hong Kong ; à l'image de Fix, la police ne recule devant rien, associe la rigueur à l'audace et, dans ce portrait du justicier prêt à tout, on reconnaît à la fois Javert (le célèbre policier des *Misérables* de Victor Hugo) et nos policiers modernes, sans attache et tout entiers dévoués à leur cause.

Ainsi, malgré l'erreur de jugement qu'il commet au départ, les méthodes de Fix paraissent exemplaires de détermination et d'intelligence : prudent, il sait attirer la sympathie de Passepartout ; offensif dès que l'occasion s'en présente (chap. X, XV à XIX), observateur et intuitif, le policier est un personnage complexe, loin du simple « méchant » de certains romans d'aventures. Outre l'idée d'un « *samedi en plus* », Jules Verne a peut-être pris à Edgar Poe l'idée du détective : n'oublions pas que Dupin (*Double Assassinat dans la rue Morgue*) observe et analyse les indices à la manière d'un joueur de whist…

Le roman policier

Personnage central de nombreux chapitres, Fix insuffle au *Tour du monde en quatre-vingts jours* une dynamique entraînante, introduisant dans cet itinéraire trop bien réglé la part de suspense réclamée par l'aventure. Entre lui et Phileas Fogg se joue une partie sévère, où le sang-froid, la rapidité, l'intuition sont les atouts. Mais le jeu reste un jeu, et le coup de poing final a un goût de comédie bien senti par Passepartout. Javert est loin, la loi ne renvoie ici à aucune métaphysique, mais seulement au règne de l'ordre et de la rationalité dont Fix et Phileas Fogg sont également les champions.

L'enquête de Fix est une métaphore de toutes les spéculations que les voyageurs et les parieurs sont amenés à faire pour tenter de percer le secret du voyage de Phileas Fogg ; la question des méridiens est posée par le romancier comme l'énigme à résoudre de ce « *roman de la science* ». L'association de l'exactitude mathématique symbolisée par Phileas Fogg à la figure du policier annonce le célèbre personnage de Conan Doyle, Sherlock Holmes, mais la poésie de la géographie reste inimitée.

CHAPITRE XX

Dans lequel Fix entre directement en relation
avec Phileas Fogg

PENDANT cette scène qui allait peut-être compromettre si gravement son avenir, Mr. Fogg, accompagnant Mrs. Aouda, se promenait dans les rues de la ville anglaise. Depuis que Mrs. Aouda avait accepté son offre de la conduire jusqu'en
5 Europe, il avait dû songer à tous les détails que comporte un aussi long voyage. Qu'un Anglais comme lui fît le tour du monde un sac à la main, passe encore ; mais une femme ne pouvait entreprendre une pareille traversée dans ces conditions. De là, nécessité d'acheter les vêtements et objets néces
10 saires au voyage. Mr. Fogg s'acquitta de sa tâche avec le calme qui le caractérisait, et à toutes les excuses ou objections de la jeune veuve, confuse de tant de complaisance :

« C'est dans l'intérêt de mon voyage, c'est dans mon programme », répondait-il invariablement.
15 Les acquisitions faites, Mr. Fogg et la jeune femme rentrèrent à l'hôtel et dînèrent à la table d'hôte, qui était somptueusement servie. Puis Mrs. Aouda, un peu fatiguée, remonta dans son appartement, après avoir « à l'anglaise » serré la main de son imperturbable sauveur.
20 L'honorable gentleman, lui, s'absorba pendant toute la soirée dans la lecture du *Times* et de l'*Illustrated London News*.

S'il avait été homme à s'étonner de quelque chose, c'eût été de ne point voir apparaître son domestique à l'heure du

coucher. Mais, sachant que le paquebot de Yokohama ne
25 devait pas quitter Hong Kong avant le lendemain matin, il
ne s'en préoccupa pas autrement. Le lendemain, Passepartout
ne vint point au coup de sonnette de Mr. Fogg.

Ce que pensa l'honorable gentleman en apprenant que son
domestique n'était pas rentré à l'hôtel, nul n'aurait pu le dire.
30 Mr. Fogg se contenta de prendre son sac, fit prévenir
Mrs. Aouda, et envoya chercher un palanquin.

Il était alors huit heures, et la pleine mer, dont le *Carnatic*
devait profiter pour sortir des passes, était indiquée pour neuf
heures et demie.

35 Lorsque le palanquin fut arrivé à la porte de l'hôtel,
Mr. Fogg et Mrs. Aouda montèrent dans ce confortable véhicule, et les bagages suivirent derrière sur une brouette.

Une demi-heure plus tard, les voyageurs descendaient sur
le quai d'embarquement, et là Mr. Fogg apprenait que le
40 *Carnatic* était parti depuis la veille.

Mr. Fogg, qui comptait trouver, à la fois, et le paquebot
et son domestique, en était réduit à se passer de l'un et de
l'autre. Mais aucune marque de désappointement ne parut
sur son visage, et comme Mrs. Aouda le regardait avec
45 inquiétude, il se contenta de répondre :

« C'est un incident, madame, rien de plus. »

En ce moment, un personnage qui l'observait avec attention s'approcha de lui. C'était l'inspecteur Fix, qui le salua et
lui dit :

50 « N'êtes-vous pas comme moi, monsieur, un des passagers
du *Rangoon*, arrivé hier ?

– Oui, monsieur, répondit froidement Mr. Fogg, mais je
n'ai pas l'honneur...

– Pardonnez-moi, mais je croyais trouver ici votre
55 domestique.

– Savez-vous où il est, monsieur ? demanda vivement la
jeune femme.

– Quoi ! répondit Fix, feignant la surprise, n'est-il pas
avec vous ?

60 – Non, répondit Mrs. Aouda. Depuis hier, il n'a pas reparu. Se serait-il embarqué sans nous à bord du *Carnatic* ?
    – Sans vous, madame ?... répondit l'agent. Mais, excusez ma question, vous comptiez donc partir sur ce paquebot ?
    – Oui, monsieur.
65 – Moi aussi, madame, et vous me voyez très désappointé. Le *Carnatic*, ayant terminé ses réparations, a quitté Hong Kong douze heures plus tôt sans prévenir personne, et maintenant il faudra attendre huit jours le prochain départ ! »
70 En prononçant ces mots : « huit jours », Fix sentait son cœur bondir de joie. Huit jours ! Fogg retenu huit jours à Hong Kong ! On aurait le temps de recevoir le mandat d'arrêt. Enfin, la chance se déclarait pour le représentant de la loi.
75 Que l'on juge donc du coup d'assommoir qu'il reçut, quand il entendit Phileas Fogg dire de sa voix calme :
    « Mais il y a d'autres navires que le *Carnatic*, il me semble, dans le port de Hong Kong. »
    Et Mr. Fogg, offrant son bras à Mrs. Aouda, se dirigea
80 vers les docks à la recherche d'un navire en partance.
    Fix, abasourdi, suivait. On eût dit qu'un fil le rattachait à cet homme.
    Toutefois, la chance sembla véritablement abandonner celui qu'elle avait si bien servi jusqu'alors. Phileas Fogg, pen-
85 dant trois heures, parcourut le port en tous sens, décidé, s'il le fallait, à fréter[1] un bâtiment pour le transporter à Yokohama ; mais il ne vit que des navires en chargement ou en déchargement, et qui, par conséquent, ne pouvaient appareiller. Fix se reprit à espérer.
90 Cependant Mr. Fogg ne se déconcertait pas, et il allait continuer ses recherches, dût-il pousser jusqu'à Macao, quand il fut accosté par un marin sur l'avant-port.

---

1. **Fréter** : prendre ou donner un bateau en location ; pour le vocabulaire maritime, voir le « Petit lexique de la navigation », p. 362.

« Votre Honneur cherche un bateau ? lui dit le marin en se découvrant.

95 — Vous avez un bateau prêt à partir ? demanda Mr. Fogg.

— Oui, Votre Honneur, un bateau-pilote, n° 43, le meilleur de la flottille.

— Il marche bien ?

— Entre huit et neuf milles, au plus près. Voulez-vous le 100 voir ?

— Oui.

— Votre Honneur sera satisfait. Il s'agit d'une promenade en mer ?

— Non. D'un voyage.

105 — Un voyage ?

— Vous chargez-vous de me conduire à Yokohama ? »

Le marin, à ces mots, demeura les bras ballants, les yeux écarquillés.

« Votre Honneur veut rire ? dit-il.

110 — Non ! j'ai manqué le départ du *Carnatic*, et il faut que je sois le 14, au plus tard, à Yokohama, pour prendre le paquebot de San Francisco.

— Je le regrette, répondit le pilote, mais c'est impossible.

— Je vous offre cent livres (2 500 F) par jour, et une prime 115 de deux cents livres si j'arrive à temps.

— C'est sérieux ? demanda le pilote.

— Très sérieux », répondit Mr. Fogg.

Le pilote s'était retiré à l'écart. Il regardait la mer, évidemment combattu entre le désir de gagner une somme énorme 120 et la crainte de s'aventurer si loin. Fix était dans des transes mortelles.

Pendant ce temps, Mr. Fogg s'était retourné vers Mrs. Aouda.

« Vous n'aurez pas peur, madame ? lui demanda-t-il.

125 — Avec vous, non, monsieur Fogg », répondit la jeune femme.

Le pilote s'était de nouveau avancé vers le gentleman, et tournait son chapeau entre ses mains.

« Eh bien, pilote ? dit Mr. Fogg.

130 — Eh bien, Votre Honneur, répondit le pilote, je ne puis risquer ni mes hommes, ni moi, ni vous-même, dans une si longue traversée sur un bateau de vingt tonneaux à peine, et à cette époque de l'année. D'ailleurs, nous n'arriverions pas à temps, car il y a seize cent cinquante milles de Hong Kong 135 à Yokohama.

— Seize cents seulement, dit Mr. Fogg.

— C'est la même chose. »

Fix respira un bon coup d'air.

« Mais, ajouta le pilote, il y aurait peut-être moyen de 140 s'arranger autrement. »

Fix ne respira plus.

« Comment ? demanda Phileas Fogg.

— En allant à Nagasaki, à l'extrémité sud du Japon, onze cents milles, ou seulement à Shangaï, à huit cents milles de 145 Hong Kong. Dans cette dernière traversée, on ne s'éloignerait pas de la côte chinoise, ce qui serait un grand avantage, d'autant plus que les courants y portent au nord.

— Pilote, répondit Phileas Fogg, c'est à Yokohama que je dois prendre la malle américaine, et non à Shangaï ou à 150 Nagasaki.

— Pourquoi pas ? répondit le pilote. Le paquebot de San Francisco ne part pas de Yokohama. Il fait escale à Yokohama et à Nagasaki, mais son port de départ est Shangaï.

— Vous êtes certain de ce que vous dites ?

155 — Certain.

— Et quand le paquebot quitte-t-il Shangaï ?

— Le 11, à sept heures du soir. Nous avons donc quatre jours devant nous. Quatre jours, c'est quatre-vingt-seize heures, et avec une moyenne de huit milles à l'heure, si nous 160 sommes bien servis, si le vent tient au sud-est, si la mer est calme, nous pouvons enlever les huit cents milles qui nous séparent de Shangaï.

— Et vous pourriez partir ?...

– Dans une heure. Le temps d'acheter des vivres et
165 d'appareiller.

– Affaire convenue... Vous êtes le patron du bateau ?

– Oui, John Bunsby, patron de la *Tankadère*.

– Voulez-vous des arrhes ?

– Si cela ne désoblige pas Votre Honneur.

170 – Voici deux cents livres à compte... Monsieur, ajouta Phileas Fogg en se retournant vers Fix, si vous voulez profiter...

– Monsieur, répondit résolument Fix, j'allais vous demander cette faveur.

– Bien. Dans une demi-heure nous serons à bord.

175 – Mais ce pauvre garçon... dit Mrs. Aouda, que la disparition de Passepartout préoccupait extrêmement.

– Je vais faire pour lui tout ce que je puis faire », répondit
Phileas Fogg.

Et, tandis que Fix, nerveux, fiévreux, rageant, se rendait
180 au bateau-pilote, tous deux se dirigèrent vers les bureaux de
la police de Hong Kong. Là, Phileas Fogg donna le signalement de Passepartout, et laissa une somme suffisante pour le
rapatrier. Même formalité fut remplie chez l'agent consulaire
français, et le palanquin, après avoir touché à l'hôtel, où les
185 bagages furent pris, ramena les voyageurs à l'avant-port.

Trois heures sonnaient. Le bateau-pilote n° 43, son équipage à bord, ses vivres embarqués, était prêt à appareiller.

C'était une charmante petite goélette de vingt tonneaux
que la *Tankadère*, bien pincée de l'avant, très dégagée dans
190 ses façons, très allongée dans ses lignes d'eau. On eût dit un
yacht de course. Ses cuivres brillants, ses ferrures galvanisées,
son pont blanc comme de l'ivoire, indiquaient que le patron
John Bunsby s'entendait à la tenir en bon état. Ses deux mâts
s'inclinaient un peu sur l'arrière. Elle portait brigantine,
195 misaine, trinquette, focs, flèches, et pouvait gréer une fortune
pour le vent arrière. Elle devait merveilleusement marcher, et,
de fait, elle avait déjà gagné plusieurs prix dans les
« matches » de bateaux-pilotes.

L'équipage de la *Tankadère* se composait du patron John
200 Bunsby et de quatre hommes. C'étaient de ces hardis marins
qui, par tous les temps, s'aventurent à la recherche des
navires, et connaissent admirablement ces mers. John
Bunsby, un homme de quarante-cinq ans environ, vigoureux,
noir de hâle, le regard vif, la figure énergique, bien d'aplomb,
205 bien à son affaire, eût inspiré confiance aux plus craintifs.

Phileas Fogg et Mrs. Aouda passèrent à bord. Fix s'y trouvait déjà. Par le capot d'arrière de la goélette, on descendait
dans une chambre carrée, dont les parois s'évidaient en forme
de cadres, au-dessus d'un divan circulaire. Au milieu, une
210 table éclairée par une lampe de roulis. C'était petit, mais
propre.

« Je regrette de n'avoir pas mieux à vous offrir », dit
Mr. Fogg à Fix, qui s'inclina sans répondre.

L'inspecteur de police éprouvait comme une sorte d'hu-
215 miliation à profiter ainsi des obligeances du sieur Fogg.

« À coup sûr, pensait-il, c'est un coquin fort poli, mais c'est
un coquin ! »

À trois heures dix minutes, les voiles furent hissées. Le
pavillon d'Angleterre battait à la corne de la goélette. Les
220 passagers étaient assis sur le pont. Mr. Fogg et Mrs. Aouda
jetèrent un dernier regard sur le quai, afin de voir si Passepartout n'apparaîtrait pas.

Fix n'était pas sans appréhension, car le hasard aurait pu
conduire en cet endroit même le malheureux garçon qu'il
225 avait si indignement traité, et alors une explication eût éclaté,
dont le détective ne se fût pas tiré à son avantage. Mais le
Français ne se montra pas, et, sans doute, l'abrutissant narcotique le tenait encore sous son influence.

Enfin, le patron John Bunsby passa au large, et la *Tan-*
230 *kadère*, prenant le vent sous sa brigantine, sa misaine et ses
focs, s'élança en bondissant sur les flots.

Chapitre XXI

Où le patron de la *Tankadère* risque fort
de perdre une prime de deux cents livres

C'ÉTAIT une aventureuse expédition que cette navigation de
huit cents milles, sur une embarcation de vingt tonneaux, et
surtout à cette époque de l'année. Elles sont généralement
mauvaises, ces mers de la Chine, exposées à des coups de
5 vent terribles, principalement pendant les équinoxes, et on
était encore aux premiers jours de novembre.

C'eût été, bien évidemment, l'avantage du pilote de
conduire ses passagers jusqu'à Yokohama, puisqu'il était
payé tant par jour. Mais son imprudence aurait été grande
10 de tenter une telle traversée dans ces conditions, et c'était déjà
faire acte d'audace, sinon de témérité, que de remonter jusqu'à Shangaï. Mais John Bunsby avait confiance en sa *Tankadère*, qui s'élevait à la lame comme une mauve[1], et peut-
être n'avait-il pas tort.

15 Pendant les dernières heures de cette journée, la *Tankadère*
navigua dans les passes capricieuses de Hong Kong, et sous
toutes les allures, au plus près ou vent arrière, elle se
comporta admirablement.

« Je n'ai pas besoin, pilote, dit Phileas Fogg au moment où

---

1. **Mauve** : nom régional de la mouette (Haute-Bretagne), sans doute
emprunté au vieil anglais *maew*.

20 la goélette donnait en pleine mer, de vous recommander toute la diligence possible.

– Que Votre Honneur s'en rapporte à moi, répondit John Bunsby. En fait de voiles, nous portons tout ce que le vent permet de porter. Nos flèches n'y ajouteraient rien, et ne ser-25 viraient qu'à assommer l'embarcation en nuisant à sa marche.

– C'est votre métier, et non le mien, pilote, et je me fie à vous. »

Phileas Fogg, le corps droit, les jambes écartées, d'aplomb 30 comme un marin, regardait sans broncher la mer houleuse. La jeune femme, assise à l'arrière, se sentait émue en contemplant cet océan, assombri déjà par le crépuscule, qu'elle bravait sur une frêle embarcation. Au-dessus de sa tête se déployaient les voiles blanches, qui l'emportaient dans l'es-35 pace comme de grandes ailes. La goélette, soulevée par le vent, semblait voler dans l'air.

La nuit vint. La lune entrait dans son premier quartier, et son insuffisante lumière devait s'éteindre bientôt dans les brumes de l'horizon. Des nuages chassaient de l'est et enva-40 hissaient déjà une partie du ciel.

Le pilote avait disposé ses feux de position, – précaution indispensable à prendre dans ces mers très fréquentées aux approches des atterrages. Les rencontres de navires n'y étaient pas rares, et, avec la vitesse dont elle était animée, la 45 goélette se fût brisée au moindre choc.

Fix rêvait à l'avant de l'embarcation. Il se tenait à l'écart, sachant Fogg d'un naturel peu causeur. D'ailleurs, il lui répugnait de parler à cet homme, dont il acceptait les services. Il songeait aussi à l'avenir. Cela lui paraissait certain que le 50 sieur Fogg ne s'arrêterait pas à Yokohama, qu'il prendrait immédiatement le paquebot de San Francisco afin d'atteindre l'Amérique, dont la vaste étendue lui assurerait l'impunité avec la sécurité. Le plan de Phileas Fogg lui semblait on ne peut plus simple.

55 Au lieu de s'embarquer en Angleterre pour les États-Unis,

comme un coquin vulgaire, ce Fogg avait fait le grand tour et traversé les trois quarts du globe, afin de gagner plus sûrement le continent américain, où il mangerait tranquillement le million de la Banque, après avoir dépisté la police. Mais une fois sur la terre de l'Union, que ferait Fix ? Abandonnerait-il cet homme ? Non, cent fois non ! et jusqu'à ce qu'il eût obtenu un acte d'extradition, il ne le quitterait pas d'une semelle. C'était son devoir, et il l'accomplirait jusqu'au bout. En tout cas, une circonstance heureuse s'était produite : Passepartout n'était plus auprès de son maître, et surtout, après les confidences de Fix, il était important que le maître et le serviteur ne se revissent jamais.

Phileas Fogg, lui, n'était pas non plus sans songer à son domestique, si singulièrement disparu. Toutes réflexions faites, il ne lui sembla pas impossible que, par suite d'un malentendu, le pauvre garçon ne se fût embarqué sur le *Carnatic*, au dernier moment. C'était aussi l'opinion de Mrs. Aouda, qui regrettait profondément cet honnête serviteur, auquel elle devait tant. Il pouvait donc se faire qu'on le retrouvât à Yokohama, et, si le *Carnatic* l'y avait transporté, il serait aisé de le savoir.

Vers dix heures, la brise vint à fraîchir. Peut-être eût-il été prudent de prendre un ris, mais le pilote, après avoir soigneusement observé l'état du ciel, laissa la voilure telle qu'elle était établie. D'ailleurs, la *Tankadère* portait admirablement la toile, ayant un grand tirant d'eau, et tout était paré à amener rapidement, en cas de grain.

À minuit, Phileas Fogg et Mrs. Aouda descendirent dans la cabine. Fix les y avait précédés, et s'était étendu sur l'un des cadres. Quant au pilote et à ses hommes, ils demeurèrent toute la nuit sur le pont.

Le lendemain, 8 novembre, au lever du soleil, la goélette avait fait plus de cent milles. Le loch, souvent jeté, indiquait que la moyenne de sa vitesse était entre huit et neuf milles. La *Tankadère* avait du largue dans ses voiles qui portaient toutes, et elle obtenait, sous cette allure, son maximum de rapidité. Si le vent tenait dans ces conditions, les chances étaient pour elles.

La *Tankadère*, pendant toute cette journée, ne s'éloigna 95 pas sensiblement de la côte, dont les courants lui étaient favorables. Elle l'avait à cinq milles au plus par sa hanche de bâbord, et cette côte, irrégulièrement profilée, apparaissait parfois à travers quelques éclaircies. Le vent venant de terre, la mer était moins forte par là même : circonstance heureuse 100 pour la goélette, car les embarcations d'un petit tonnage souffrent surtout de la houle qui rompt leur vitesse, qui « les tue », pour employer l'expression maritime.

Vers midi, la brise mollit un peu et hâta le sud-est. Le pilote fit établir les flèches ; mais au bout de deux heures, il fallut 105 les amener, car le vent fraîchissait à nouveau.

Mr. Fogg et la jeune femme, fort heureusement réfractaires au mal de mer, mangèrent avec appétit les conserves et le biscuit du bord. Fix fut invité à partager leur repas et dut accepter, sachant bien qu'il est aussi nécessaire de lester les 110 estomacs que les bateaux, mais cela le vexait ! Voyager aux frais de cet homme, se nourrir de ses propres vivres, il trouvait à cela quelque chose de peu loyal. Il mangea cependant – sur le pouce, il est vrai –, mais enfin il mangea.

Toutefois, ce repas terminé, il crut devoir prendre le sieur 115 Fogg à part, et il lui dit :

« Monsieur... »

Ce « monsieur » lui écorchait les lèvres, et il se retenait pour ne pas mettre la main au collet de ce « monsieur » !

« Monsieur, vous avez été fort obligeant en m'offrant pas- 120 sage à votre bord. Mais, bien que mes ressources ne me permettent pas d'agir aussi largement que vous, j'entends payer ma part...

– Ne parlons pas de cela, monsieur, répondit Mr. Fogg.

– Mais si, je tiens...

125 – Non, monsieur, répéta Fogg d'un ton qui n'admettait pas de réplique. Cela entre dans les frais généraux ! »

Fix s'inclina, il étouffait, et, allant s'étendre sur l'avant de la goélette, il ne dit plus un mot de la journée.

Cependant on filait rapidement. John Bunsby avait bon 130 espoir. Plusieurs fois il dit à Mr. Fogg qu'on arriverait en temps voulu à Shangaï. Mr. Fogg répondit simplement qu'il y comptait. D'ailleurs, tout l'équipage de la petite goélette y mettait du zèle. La prime affriolait ces braves gens. Aussi, pas une écoute qui ne fût consciencieusement raidie ! Pas une 135 voile qui ne fût vigoureusement étarquée ! Pas une embardée que l'on pût reprocher à l'homme de barre ! On n'eût pas manœuvré plus sévèrement dans une régate du Royal-Yacht-Club.

Le soir, le pilote avait relevé au loch un parcours de 140 deux cent vingt milles depuis Hong Kong, et Phileas Fogg pouvait espérer qu'en arrivant à Yokohama, il n'aurait aucun retard à inscrire à son programme. Ainsi donc, le premier contretemps sérieux qu'il eût éprouvé depuis son départ de Londres ne lui causerait probablement aucun 145 préjudice.

Pendant la nuit, vers les premières heures du matin, la *Tankadère* entrait franchement dans le détroit de Fo-Kien, qui sépare la grande île Formose de la côte chinoise, et elle coupait le tropique du Cancer. La mer était très dure dans 150 ce détroit, plein de remous formés par les contre-courants. La goélette fatigua beaucoup. Les lames courtes brisaient sa marche. Il devint très difficile de se tenir debout sur le pont.

Avec le lever du jour, le vent fraîchit encore. Il y avait 155 dans le ciel l'apparence d'un coup de vent. Du reste, le baromètre annonçait un changement prochain de l'atmosphère ; sa marche diurne était irrégulière, et le mercure oscillait capricieusement. On voyait aussi la mer se soulever vers le sud-est en longues houles « qui sentaient la 160 tempête ». La veille, le soleil s'était couché dans une brume rouge, au milieu des scintillations phosphorescentes de l'océan.

Le pilote examina longtemps ce mauvais aspect du ciel et murmura entre ses dents des choses peu intelligibles. À un
165 certain moment, se trouvant près de son passager :

« On peut tout dire à Votre Honneur ? dit-il à voix basse.

– Tout, répondit Phileas Fogg.

– Eh bien, nous allons avoir un coup de vent.

170 – Viendra-t-il du nord ou du sud ? demanda simplement Mr. Fogg.

– Du sud. Voyez. C'est un typhon qui se prépare !

– Va pour le typhon du sud, puisqu'il nous poussera du bon côté, répondit Mr. Fogg.

175 – Si vous le prenez comme cela, répliqua le pilote, je n'ai plus rien à dire ! »

Les pressentiments de John Bunsby ne le trompaient pas. À une époque moins avancée de l'année, le typhon, suivant l'expression d'un célèbre météorologiste, se fût écoulé comme
180 une cascade lumineuse de flammes électriques, mais en équinoxe d'hiver, il était à craindre qu'il ne se déchaînât avec violence.

Le pilote prit ses précautions par avance. Il fit serrer toutes les voiles de la goélette et amener les vergues sur le pont. Les
185 mâts de flèche furent dépassés. On rentra le bout-dehors. Les panneaux furent condamnés avec soin. Pas une goutte d'eau ne pouvait, dès lors, pénétrer dans la coque de l'embarcation. Une seule voile triangulaire, un tourmentin de forte toile, fut hissé en guise de trinquette, de manière à maintenir la goélette
190 vent arrière. Et on attendit.

John Bunsby avait engagé ses passagers à descendre dans la cabine ; mais, dans un étroit espace, à peu près privé d'air, et par les secousses de la houle, cet emprisonnement n'avait rien d'agréable. Ni Mr. Fogg, ni Mrs. Aouda, ni Fix lui-même
195 ne consentirent à quitter le pont.

Vers huit heures, la bourrasque de pluie et de rafale tomba à bord. Rien qu'avec son petit morceau de toile, la *Tankadère* fut enlevée comme une plume par ce vent dont on ne saurait

donner une idée exacte, quand il souffle en tempête. Compa-
200 rer sa vitesse à la quadruple vitesse d'une locomotive lancée
à toute vapeur, ce serait rester au-dessous de la vérité.

Pendant toute la journée, l'embarcation courut ainsi vers
le nord, emportée par les lames monstrueuses, en conservant
heureusement une rapidité égale à la leur. Vingt fois elle faillit
205 être coiffée par une de ces montagnes d'eau qui se dressaient
à l'arrière ; mais un adroit coup de barre, donné par le pilote,
parait la catastrophe. Les passagers étaient quelquefois couverts en grand par les embruns qu'ils recevaient philosophiquement. Fix maugréait sans doute, mais l'intrépide Aouda,
210 les yeux fixés sur son compagnon, dont elle ne pouvait qu'admirer le sang-froid, se montrait digne de lui et bravait la tourmente à ses côtés. Quant à Phileas Fogg, il semblait que ce
typhon fît partie de son programme.

Jusqu'alors la *Tankadère* avait toujours fait route au nord ;
215 mais vers le soir, comme on pouvait le craindre, le vent, tournant de trois quarts, hâla le nord-ouest. La goélette, prêtant
alors le flanc à la lame, fut effroyablement secouée. La mer
la frappait avec une violence bien faite pour effrayer, quand
on ne sait pas avec quelle solidité toutes les parties d'un bâti-
220 ment sont reliées entre elles.

Avec la nuit, la tempête s'accentua encore. En voyant
l'obscurité se faire, et avec l'obscurité s'accroître la tourmente, John Bunsby ressentit de vives inquiétudes. Il se
demanda s'il ne serait pas temps de relâcher, et il consulta
225 son équipage.

Ses hommes consultés, John Bunsby s'approcha de
Mr. Fogg, et lui dit :

« Je crois, Votre Honneur, que nous ferions bien de gagner
un des ports de la côte.

230 — Je le crois aussi, répondit Phileas Fogg.

— Ah ! fit le pilote, mais lequel ?

— Je n'en connais qu'un, répondit tranquillement
Mr. Fogg.

— Et c'est !...

« *La* Tankadère *fut enlevée comme une plume...* »
Gravure de L. Benett pour l'édition Hetzel.

235 – Shangaï. »

Cette réponse, le pilote fut d'abord quelques instants sans comprendre ce qu'elle signifiait, ce qu'elle renfermait d'obstination et de ténacité. Puis il s'écria :

« Eh bien, oui ! Votre Honneur a raison. À Shangaï ! »

240 Et la direction de la *Tankadère* fut imperturbablement maintenue vers le nord.

Nuit vraiment terrible ! Ce fut un miracle si la petite goélette ne chavira pas. Deux fois elle fut engagée, et tout aurait été enlevé à bord, si les saisines eussent manqué. Mrs. Aouda

245 était brisée, mais elle ne fit pas entendre une plainte. Plus d'une fois, Mr. Fogg dut se précipiter vers elle pour la protéger contre la violence des lames.

Le jour reparut. La tempête se déchaînait encore avec une extrême fureur. Toutefois, le vent retomba dans le sud-est.

250 C'était une modification favorable, et la *Tankadère* fit de nouveau route sur cette mer démontée, dont les lames se heurtaient alors à celles que provoquait la nouvelle aire du vent. De là un choc de contre-houles qui eût écrasé une embarcation moins solidement construite.

255 De temps en temps on apercevait la côte à travers les brumes déchirées, mais pas un navire en vue. La *Tankadère* était seule à tenir la mer.

À midi, il y eut quelques symptômes d'accalmie, qui, avec l'abaissement du soleil sur l'horizon, se prononcèrent plus

260 nettement.

Le peu de durée de la tempête tenait à sa violence même. Les passagers, absolument brisés, purent manger un peu et prendre quelque repos.

La nuit fut relativement paisible. Le pilote fit rétablir ses

265 voiles au bas ris. La vitesse de l'embarcation fut considérable. Le lendemain, 11, au lever du jour, reconnaissance faite de la côte, John Bunsby put affirmer qu'on n'était pas à cent milles de Shangaï.

Cent milles, et il ne restait plus que cette journée pour les

270 faire ! C'était le soir même que Mr. Fogg devait arriver à

Shangaï, s'il ne voulait pas manquer le départ du paquebot de Yokohama. Sans cette tempête, pendant laquelle il perdit plusieurs heures, il n'eût pas été en ce moment à trente milles du port.

275 La brise mollissait sensiblement, mais heureusement la mer tombait avec elle. La goélette se couvrit de toile. Flèches, voiles d'étais, contre-foc, tout portait, et la mer écumait sous l'étrave.

À midi, la *Tankadère* n'était pas à plus de quarante-cinq
280 milles de Shangaï. Il lui restait six heures encore pour gagner ce port avant le départ du paquebot de Yokohama.

Les craintes furent vives à bord. On voulait arriver à tout prix. Tous – Phileas Fogg excepté sans doute – sentaient leur cœur battre d'impatience. Il fallait que la petite goélette se
285 maintînt dans une moyenne de neuf milles à l'heure, et le vent mollissait toujours ! C'était une brise irrégulière, des bouffées capricieuses venant de la côte. Elles passaient, et la mer se déridait aussitôt après leur passage.

Cependant l'embarcation était si légère, ses voiles hautes,
290 d'un fin tissu, ramassaient si bien les folles brises, que, le courant aidant, à six heures, John Bunsby ne comptait plus que dix milles jusqu'à la rivière de Shangaï, car la ville elle-même est située à une distance de douze milles au moins au-dessus de l'embouchure.

295 À sept heures, on était encore à trois milles de Shangaï. Un formidable juron s'échappa des lèvres du pilote... La prime de deux cents livres allait évidemment lui échapper. Il regarda Mr. Fogg. Mr. Fogg était impassible, et cependant sa fortune entière se jouait à ce moment...

300 À ce moment aussi, un long fuseau noir, couronné d'un panache de fumée, apparut au ras de l'eau. C'était le paquebot américain, qui sortait à l'heure réglementaire.

« Malédiction ! s'écria John Bunsby, qui repoussa la barre d'un bras désespéré.

305 – Des signaux ! » dit simplement Phileas Fogg.

Un petit canon de bronze s'allongeait à l'avant de la *Tankadère*. Il servait à faire des signaux par les temps de brume.

Le canon fut chargé jusqu'à la gueule, mais au moment, où le pilote allait appliquer un charbon ardent sur la
310 lumière :

« Le pavillon en berne », dit Mr. Fogg.

Le pavillon fut amené à mi-mât. C'était un signal de détresse, et l'on pouvait espérer que le paquebot américain, l'apercevant, modifierait un instant sa route pour rallier
315 l'embarcation.

« Feu ! » dit Mr. Fogg.

Et la détonation du petit canon de bronze éclata dans l'air.

Repères

1. Dans quel autre chapitre Phileas Fogg proposait-il à un étranger de profiter de son moyen de transport ? Les situations sont-elles les mêmes ?

2. Combien devrait coûter ce nouveau moyen de transport ?

Observation

3. Faites le plan du chapitre XXI en relevant tous les indices temporels. À quel moment la tempête se déclare-t-elle ?

4. Décomposez le chapitre XXI en ses étapes dramatiques. Quels sont les outils de dramatisation employés par le narrateur ? À quel moment le suspense est-il le plus fort ?

5. Trouvez dans la biographie de Jules Verne (p. 8) des éléments permettant d'expliquer sa familiarité avec le domaine de la navigation.

6. Analysez l'attitude d'Aouda.

7. Repérez le passage au discours indirect libre consacré à Fix, et analysez-en les effets.

8. En quoi le calme de Phileas Fogg constitue-t-il une fois encore un atout de tout premier ordre ?

Interprétations

9. Analysez l'évolution des relations entre Aouda et Phileas Fogg.

10. Dans quelle mesure ce chapitre met-il en scène un duel entre Phileas Fogg et les éléments naturels ? La nature est-elle contre lui ?

De la lecture à l'écriture

11. En vous aidant des deux premières questions d'observation, résumez le chapitre XXI.

12. Racontez une expérience de navigation (en bateau ou en avion) en développant ses péripéties.

CHAPITRE XXII

Où Passepartout voit bien que, même aux antipodes, il est prudent d'avoir quelque argent dans sa poche

LE *CARNATIC*, ayant quitté Hong Kong, le 7 novembre, à six heures et demie du soir, se dirigeait à toute vapeur vers les terres du Japon. Il emportait un plein chargement de marchandises et de passagers. Deux cabines de l'arrière restaient
5 inoccupées. C'étaient celles qui avait été retenues pour le compte de Mr. Phileas Fogg.

Le lendemain matin, les hommes de l'avant pouvaient voir, non sans quelque surprise, un passager, l'œil à demi hébété, la démarche branlante, la tête ébouriffée, qui sortait du capot
10 des secondes et venait en titubant s'asseoir sur une drome[1].

Ce passager, c'était Passepartout en personne. Voici ce qui était arrivé.

Quelques instants après que Fix eut quitté la tabagie, deux garçons avaient enlevé Passepartout profondément endormi,
15 et l'avaient couché sur le lit réservé aux fumeurs. Mais trois heures plus tard, Passepartout, poursuivi jusque dans ses cauchemars par une idée fixe, se réveillait et luttait contre l'action stupéfiante du narcotique. La pensée du devoir non accompli

---

1. **Drome** : ensemble des espars, pièces de bois ou de métal servant au gréement d'un bateau, emportés en rechange sur un navire à voiles ; voir le « Petit lexique de la navigation », p. 362.

secouait sa torpeur. Il quittait ce lit d'ivrognes, et trébuchant,
20 s'appuyant aux murailles, tombant et se relevant, mais toujours et irrésistiblement poussé par une sorte d'instinct, il sortait de la tabagie, criant comme dans un rêve : « Le *Carnatic* !
le *Carnatic* ! »

Le paquebot était là fumant, prêt à partir. Passepartout
25 n'avait que quelques pas à faire. Il s'élança sur le pont volant,
il franchit la coupée et tomba inanimé à l'avant, au moment
où le *Carnatic* larguait ses amarres.

Quelques matelots, en gens habitués à ces sortes de scènes,
descendirent le pauvre garçon dans une cabine des secondes,
30 et Passepartout ne se réveilla que le lendemain matin, à cent
cinquante milles des terres de la Chine.

Voilà donc pourquoi, ce matin-là, Passepartout se trouvait
sur le pont du *Carnatic*, et venait humer à pleines gorgées les
fraîches brises de la mer. Cet air pur le dégrisa. Il commença
35 à rassembler ses idées et n'y parvint pas sans peine. Mais,
enfin, il se rappela les scènes de la veille, les confidences de
Fix, la tabagie, etc.

« Il est évident, se dit-il, que j'ai été abominablement grisé !
Que va dire Mr. Fogg ? En tout cas, je n'ai pas manqué le
40 bateau, et c'est le principal. »

Puis, songeant à Fix :

« Pour celui-là, se dit-il, j'espère bien que nous en sommes
débarrassés, et qu'il n'a pas osé, après ce qu'il m'a proposé,
nous suivre sur le *Carnatic*. Un inspecteur de police, un détec-
45 tive aux trousses de mon maître, accusé de ce vol commis à
la Banque d'Angleterre ! Allons donc ! Mr. Fogg est un
voleur comme je suis un assassin ! »

Passepartout devait-il raconter ces choses à son maître ?
Convenait-il de lui apprendre le rôle joué par Fix dans cette
50 affaire ? Ne ferait-il pas mieux d'attendre son arrivée à
Londres, pour lui dire qu'un agent de la police métropolitaine
l'avait filé autour du monde, et pour en rire avec lui ? Oui,
sans doute. En tout cas, question à examiner. Le plus pressé,

c'était de rejoindre Mr. Fogg et de lui faire agréer ses excuses
55 pour cette inqualifiable conduite.

Passepartout se leva donc. La mer était houleuse, et le
paquebot roulait fortement. Le digne garçon, aux jambes peu
solides encore, gagna tant bien que mal l'arrière du navire.

Sur le pont, il ne vit personne qui ressemblât ni à son
60 maître, ni à Mrs. Aouda.

« Bon, fit-il, Mrs. Aouda est encore couchée à cette heure.
Quant à Mr. Fogg, il aura trouvé quelque joueur de whist,
et suivant son habitude... »

Ce disant, Passepartout descendit au salon. Mr. Fogg n'y
65 était pas. Passepartout n'avait qu'une chose à faire : c'était
de demander au purser[1] quelle cabine occupait Mr. Fogg. Le
purser lui répondit qu'il ne connaissait aucun passager de ce
nom.

« Pardonnez-moi, dit Passepartout en insistant. Il s'agit
70 d'un gentleman, grand, froid, peu communicatif, accompagné
d'une jeune dame...

– Nous n'avons pas de jeune dame à bord, répondit le
purser. Au surplus, voici la liste des passagers. Vous pouvez
la consulter. »

75 Passepartout consulta la liste... Le nom de son maître n'y
figurait pas.

Il eut comme un éblouissement. Puis une idée lui traversa
le cerveau.

« Ah çà ! je suis bien sur le *Carnatic* ? s'écria-t-il.
80 – Oui, répondit le purser.

– En route pour Yokohama ?

– Parfaitement. »

Passepartout avait eu un instant cette crainte de s'être
trompé de navire ! Mais s'il était sur le *Carnatic*, il était cer-
85 tain que son maître ne s'y trouvait pas.

---

1. **Purser** : mot anglais désignant le commissaire de bord.

Passepartout se laissa tomber sur un fauteuil. C'était un coup de foudre. Et, soudain, la lumière se fit en lui. Il se rappela que l'heure du départ du *Carnatic* avait été avancée, qu'il devait prévenir son maître, et qu'il ne l'avait pas fait !
90 C'était donc sa faute si Mr. Fogg et Mrs. Aouda avaient manqué ce départ !

Sa faute, oui, mais plus encore celle du traître qui, pour le séparer de son maître, pour retenir celui-ci à Hong Kong, l'avait enivré ! Car il comprit enfin la manœuvre de l'inspec-
95 teur de police. Et maintenant, Mr. Fogg, à coup sûr ruiné, son pari perdu, arrêté, emprisonné peut-être !... Passepartout, à cette pensée, s'arracha les cheveux. Ah ! si jamais Fix lui tombait sous la main, quel règlement de comptes !

Enfin, après le premier moment d'accablement, Passepar-
100 tout reprit son sang-froid et étudia la situation. Elle était peu enviable. Le Français se trouvait en route pour le Japon. Certain d'y arriver, comment en reviendrait-il ? Il avait la poche vide. Pas un shilling, pas un penny ! Toutefois, son passage et sa nourriture à bord étaient payés d'avance. Il avait donc
105 cinq ou six jours devant lui pour prendre un parti. S'il mangea ou but pendant cette traversée, cela ne saurait se décrire. Il mangea pour son maître, pour Mrs. Aouda et pour lui-même. Il mangea comme si le Japon, où il allait aborder, eût été un pays désert, dépourvu de toute substance comestible.
110 Le 13, à la marée du matin, le *Carnatic* entrait dans le port de Yokohama.

Ce point est une relâche[1] importante du Pacifique, où font escale tous les steamers employés au service de la poste et des voyageurs entre l'Amérique du Nord, la Chine, le Japon et
115 les îles de la Malaisie. Yokohama est située dans la baie même de Yeddo[2], à peu de distance de cette immense ville, seconde capitale de l'empire japonais, autrefois résidence du taïkoun, du temps que cet empereur civil existait, et rivale de

---

1. **Relâche :** lieu d'étape pour un navire.
2. **Yeddo :** ou Edo, ancien nom pour Tokyo (1868).

Meako, la grande cité qu'habite le mikado, empereur ecclé-
120 siastique, descendant des dieux.

Le *Carnatic* vint se ranger au quai de Yokohama, près des
jetées du port et des magasins de la douane, au milieu de
nombreux navires appartenant à toutes les nations.

Passepartout mit le pied, sans aucun enthousiasme, sur
125 cette terre si curieuse des Fils du Soleil. Il n'avait rien de
mieux à faire que de prendre le hasard pour guide, et d'aller
à l'aventure par les rues de la ville.

Passepartout se trouva d'abord dans une cité absolument
européenne, avec des maisons à basses façades, ornées de
130 vérandas sous lesquelles se développaient d'élégants péri-
styles, et qui couvrait de ses rues, de ses places, de ses docks,
de ses entrepôts, tout l'espace compris depuis le promontoire
du Traité jusqu'à la rivière. Là, comme à Hong Kong, comme
à Calcutta, fourmillait un pêle-mêle de gens de toutes races,
135 Américains, Anglais, Chinois, Hollandais, marchands prêts à
tout vendre et à tout acheter, au milieu desquels le Français
se trouvait aussi étranger que s'il eût été jeté au pays des
Hottentots.

Passepartout avait bien une ressource : c'était de se recom-
140 mander près des agents consulaires français ou anglais établis
à Yokohama ; mais il lui répugnait de raconter son histoire,
si intimement mêlée à celle de son maître, et avant d'en venir
là, il voulait avoir épuisé toutes les autres chances.

Donc, après avoir parcouru la partie européenne de la ville,
145 sans que le hasard l'eût en rien servi, il entra dans la partie
japonaise, décidé, s'il le fallait, à pousser jusqu'à Yeddo.

Cette portion indigène de Yokohama est appelée Benten,
du nom d'une déesse de la mer, adorée sur les îles voisines.
Là se voyaient d'admirables allées de sapins et de cèdres, des
150 portes sacrées d'une architecture étrange, des ponts enfouis
au milieu des bambous et des roseaux, des temples abrités
sous le couvert immense et mélancolique des cèdres sécu-
laires, des bonzeries au fond desquelles végétaient les prêtres
du bouddhisme et les sectateurs de la religion de Confucius,

155 des rues interminables où l'on eût pu recueillir une moisson
d'enfants au teint rose et aux joues rouges, petits bonshommes qu'on eût dit découpés dans quelque paravent indigène, et qui se jouaient au milieu de caniches à jambes courtes
et de chats jaunâtres, sans queue, très paresseux et très
160 caressants.

Dans les rues, ce n'était que fourmillement, va-et-vient
incessant : bonzes passant processionnellement en frappant
leurs tambourins monotones, yakounines, officiers de douane
ou de police, à chapeaux pointus incrustés de laque et portant
165 deux sabres à leur ceinture, soldats vêtus de cotonnades
bleues à raies blanches et armés de fusil à percussion,
hommes d'armes du mikado, ensachés dans leur pourpoint
de soie, avec haubert et cotte de mailles, et nombre d'autres
militaires de toutes conditions, – car, au Japon, la profession
170 de soldat est autant estimée qu'elle est dédaignée en Chine.
Puis, des frères quêteurs, des pèlerins en longues robes, de
simples civils, chevelure lisse et d'un noir d'ébène, tête grosse,
buste long, jambes grêles, taille peu élevée, teint coloré depuis
les sombres nuances du cuivre jusqu'au blanc mat, mais
175 jamais jaune comme celui des Chinois, dont les Japonais dif-
fèrent essentiellement. Enfin, entre les voitures, les palanquins, les chevaux, les porteurs, les brouettes à voile, les
« norimons » à parois de laque, les « cangos » moelleux,
véritables litières en bambou, on voyait circuler, à petits pas
180 de leur petit pied, chaussé de souliers de toile, de sandales de
paille ou de socques en bois ouvragé, quelques femmes peu
jolies, les yeux bridés, la poitrine déprimée, les dents noircies
au goût du jour, mais portant avec élégance le vêtement
national, le « kirimon », sorte de robe de chambre croisée
185 d'une écharpe de soie, dont la large ceinture s'épanouissait
derrière en un nœud extravagant, – que les modernes Pari-
siennes semblent avoir emprunté aux Japonaises.

Passepartout se promena pendant quelques heures au
milieu de cette foule bigarrée, regardant aussi les curieuses et
190 opulentes boutiques, les bazars où s'entasse tout le clinquant

de l'orfèvrerie japonaise, les « restaurations » ornées de banderoles et de bannières, dans lesquelles il lui était interdit d'entrer, et ces maisons de thé où se boit à pleine tasse l'eau chaude odorante, avec le « saki », liqueur tirée du riz en fermentation, et ces confortables tabagies où l'on fume un tabac très fin, et non l'opium, dont l'usage est à peu près inconnu au Japon.

Puis Passepartout se trouva dans les champs, au milieu des immenses rizières. Là s'épanouissaient, avec des fleurs qui jetaient leurs dernières couleurs et leurs derniers parfums, des camélias éclatants, portés non plus sur des arbrisseaux, mais sur des arbres, et, dans les enclos de bambous, des cerisiers, des pruniers, des pommiers, que les indigènes cultivent plutôt pour leurs fleurs que pour leurs fruits, et que des mannequins grimaçants, des tourniquets criards défendent contre le bec des moineaux, des pigeons, des corbeaux et autres volatiles voraces. Pas de cèdre majestueux qui n'abritât quelque grand aigle ; pas de saule pleureur qui ne recouvrît de son feuillage quelque héron, mélancoliquement perché sur une patte ; enfin, partout des corneilles, des canards, des éperviers, des oies sauvages, et grand nombre de ces grues que les Japonais traitent de « Seigneuries », et qui symbolisent pour eux la longévité et le bonheur.

En errant ainsi, Passepartout aperçut quelques violettes entre les herbes :

« Bon ! dit-il, voilà mon souper. »

Mais les ayant senties, il ne leur trouva aucun parfum.

« Pas de chance ! » pensa-t-il.

Certes, l'honnête garçon avait, par prévision, aussi copieusement déjeuné qu'il avait pu avant de quitter le *Carnatic* ; mais après une longue journée de promenade, il se sentit l'estomac très creux. Il avait bien remarqué que moutons, chèvres ou porcs, manquaient absolument aux étalages des bouchers indigènes, et, comme il savait que c'est un sacrilège de tuer les bœufs, uniquement réservés aux besoins de l'agriculture, il en avait conclu que la viande était rare au Japon.

Il ne se trompait pas ; mais à défaut de viande de boucherie, son estomac se fût fort accommodé des quartiers de sangliers ou de daim, des perdrix ou des cailles, de la volaille ou du
230 poisson, dont les Japonais se nourrissent presque exclusivement avec le produit des rizières. Mais il dut faire contre fortune bon cœur, et remit au lendemain le soin de pourvoir à sa nourriture.

La nuit vint. Passepartout rentra dans la ville indigène, et
235 il erra dans les rues au milieu des lanternes multicolores, regardant les groupes de baladins exécuter leurs prestigieux exercices, et les astrologues en plein vent qui amassaient la foule autour de leur lunette. Puis il revit la rade, émaillée des feux de pêcheurs, qui attiraient le poisson à la lueur de résines
240 enflammées.

Enfin les rues se dépeuplèrent. À la foule succédèrent les rondes des yakounines. Ces officiers, dans leurs magnifiques costumes et au milieu de leur suite, ressemblaient à des ambassadeurs, et Passepartout répétait plaisamment, chaque
245 fois qu'il rencontrait quelque patrouille éblouissante :

« Allons, bon ! encore une ambassade japonaise qui part pour l'Europe ! »

Chapitre XXIII

Dans lequel le nez de Passepartout s'allonge démesurément

LE LENDEMAIN, Passepartout, éreinté, affamé, se dit qu'il fallait manger à tout prix, et que le plus tôt serait le mieux. Il avait bien cette ressource de vendre sa montre, mais il fût plutôt mort de faim. C'était alors le cas ou jamais, pour ce brave homme, d'utiliser la voix forte, sinon mélodieuse, dont la nature l'avait gratifié.

Il savait quelques refrains de France et d'Angleterre, et il résolut de les essayer. Les Japonais devaient certainement être amateurs de musique, puisque tout se fait chez eux aux sons des cymbales, du tam-tam et des tambours, et ils ne pouvaient qu'apprécier les talents d'un virtuose européen.

Mais peut-être était-il un peu matin pour organiser un concert, et les dilettanti[1], inopinément réveillés, n'auraient peut-être pas payé le chanteur en monnaie à l'effigie du mikado.

Passepartout se décida donc à attendre quelques heures ; mais, tout en cheminant, il fit cette réflexion qu'il semblerait trop bien vêtu pour un artiste ambulant, et l'idée lui vint alors d'échanger ses vêtements contre une défroque plus en harmonie avec sa position. Cet échange devait, d'ailleurs, pro-

---

1. **Dilettanti** : origine italienne de « dilettantes ».

duire une soulte[1], qu'il pourrait immédiatement appliquer à satisfaire son appétit.

Cette résolution prise, restait à l'exécuter. Ce ne fut qu'après de longues recherches que Passepartout découvrit un
25 brocanteur indigène, auquel il exposa sa demande. L'habit européen plut au brocanteur, et bientôt Passepartout sortait affublé d'une vieille robe japonaise et coiffé d'une sorte de turban à côtes, décoloré sous l'action du temps. Mais, en retour, quelques piécettes d'argent résonnaient dans sa poche.
30 « Bon, pensa-t-il, je me figurerai que nous sommes en carnaval ! »

Le premier soin de Passepartout, ainsi « japonaisé », fut d'entrer dans une « tea-house » de modeste apparence, et là, d'un reste de volaille et de quelques poignées de riz, il déjeuna
35 en homme pour qui le dîner serait encore un problème à résoudre.

« Maintenant, se dit-il quand il fut copieusement restauré, il s'agit de ne pas perdre la tête. Je n'ai plus la ressource de vendre cette défroque contre une autre encore plus japonaise.
40 Il faut donc aviser au moyen de quitter le plus promptement possible ce pays du Soleil, dont je ne garderai qu'un lamentable souvenir ! »

Passepartout songea alors à visiter les paquebots en partance pour l'Amérique. Il comptait s'offrir en qualité de cui-
45 sinier ou de domestique, ne demandant pour toute rétribution que le passage et la nourriture. Une fois à San Francisco, il verrait à se tirer d'affaire. L'important, c'était de traverser ces quatre mille sept cents milles du Pacifique qui s'étendent entre le Japon et le Nouveau Monde.
50 Passepartout, n'étant point homme à laisser languir une idée, se dirigea vers le port de Yokohama. Mais à mesure qu'il s'approchait des docks, son projet, qui lui avait paru si simple au moment où il avait eu l'idée, lui semblait de plus

---

1. **Soulte** : somme d'argent qui compense dans un échange l'inégalité de valeur de biens.

en plus inexécutable. Pourquoi aurait-on besoin d'un cuisi-
55 nier ou d'un domestique à bord d'un paquebot américain, et
quelle confiance inspirerait-il, affublé de la sorte ? Quelles
recommandations faire valoir ? Quelles références indiquer ?

Comme il réfléchissait ainsi, ses regards tombèrent sur une
immense affiche qu'une sorte de clown promenait dans les
60 rues de Yokohama. Cette affiche était ainsi libellée en
anglais :

TROUPE JAPONAISE ACROBATIQUE

DE

L'HONORABLE WILLIAM BATULCAR

––––––––

DERNIÈRES REPRÉSENTATIONS

Avant leur départ pour les États-Unis d'Amérique

DES

LONGS-NEZ-LONGS-NEZ

SOUS L'INVOCATION DIRECTE DU DIEU TINGOU

Grande Attraction !

« Les États-Unis d'Amérique ! s'écria Passepartout, voilà
justement mon affaire !... »

Il suivit l'homme-affiche, et, à sa suite, il rentra bientôt
65 dans la ville japonaise. Un quart d'heure plus tard, il s'arrêtait
devant une vaste case, que couronnaient plusieurs faisceaux
de banderoles, et dont les parois extérieures représentaient,
sans perspective, mais en couleurs violentes, toute une bande
de jongleurs.

70   C'était l'établissement de l'honorable Batulcar, sorte de Barnum[1] américain, directeur d'une troupe de saltimbanques, jongleurs, clowns, acrobates, équilibristes, gymnastes, qui, suivant l'affiche, donnait ses dernières représentations avant de quitter l'empire du Soleil pour les États de
75 l'Union.

   Passepartout entra sous un péristyle qui précédait la case, et demanda Mr. Batulcar. Mr. Batulcar apparut en personne.

   « Que voulez-vous ? dit-il à Passepartout, qu'il prit d'abord pour un indigène.

80   — Avez-vous besoin d'un domestique ? demanda Passepartout.

   — Un domestique, s'écria le Barnum en caressant l'épaisse barbiche grise qui foisonnait sous son menton, j'en ai deux, obéissants, fidèles, qui ne m'ont jamais quitté, et qui me servent pour rien, à condition que je les nourrisse... Et les voilà,
85 ajouta-t-il en montrant ses deux bras robustes, sillonnés de veines grosses comme des cordes de contrebasse.

   — Ainsi, je ne puis vous être bon à rien ?

   — À rien.

   — Diable ! ça m'aurait pourtant fort convenu de partir avec
90 vous.

   — Ah çà ! dit l'honorable Batulcar, vous êtes Japonais comme je suis un singe ! Pourquoi donc êtes-vous habillé de la sorte ?

   — On s'habille comme on peut !

95   — Vrai, cela. Vous êtes un Français, vous ?

   — Oui, un Parisien de Paris.

   — Alors, vous devez savoir faire des grimaces ?

   — Ma foi, répondit Passepartout, vexé de voir sa nationalité provoquer cette demande, nous autres Français, nous
100 savons faire des grimaces, c'est vrai, mais pas mieux que les Américains !

   — Juste. Eh bien, si je ne vous prends pas comme domes-

---

1. **Barnum** : Phineas Taylor Barnum, imprésario et entrepreneur de spectacles américains (1810-1891), dirigea un grand cirque itinérant à partir de 1871.

tique, je peux vous prendre comme clown. Vous comprenez, mon brave. En France, on exhibe des farceurs étrangers, et à
105 l'étranger, des farceurs français !

– Ah !

– Vous êtes vigoureux, d'ailleurs ?

– Surtout quand je sors de table.

– Et vous savez chanter ?

110 – Oui, répondit Passepartout, qui avait autrefois fait sa partie dans quelques concerts de rue.

– Mais savez-vous chanter la tête en bas, avec une toupie tournante sur la plante du pied gauche, et un sabre en équilibre sur la plante du pied droit ?

115 – Parbleu ! répondit Passepartout, qui se rappelait les premiers exercices de son jeune âge.

– C'est que, voyez-vous, tout est là ! » répondit l'honorable Batulcar.

L'engagement fut conclut *hic et nunc.*

120 Enfin, Passepartout avait trouvé une position. Il était engagé pour tout faire dans la célèbre troupe japonaise. C'était peu flatteur, mais avant huit jours il serait en route pour San Francisco.

La représentation, annoncée à grand fracas par l'honorable
125 Batulcar, devait commencer à trois heures, et bientôt les formidables instruments d'un orchestre japonais, tambours et tam-tam, tonnaient à la porte. On comprend bien que Passepartout n'avait pu étudier un rôle, mais il devait prêter l'appui de ses solides épaules dans le grand exercice de la
130 « grappe humaine » exécuté par les Longs-Nez du dieu Tingou. Ce *great attraction* de la représentation devait clore la série des exercices.

Avant trois heures, les spectateurs avaient envahi la vaste case. Européens et indigènes, Chinois et Japonais, hommes,
135 femmes et enfants, se précipitaient sur les étroites banquettes et dans les loges qui faisaient face à la scène. Les musiciens étaient rentrés à l'intérieur, et l'orchestre au complet, gongs,

tam-tam, cliquettes, flûtes, tambourins et grosses caisses, opéraient avec fureur.

140   Cette représentation fut ce que sont toutes ces exhibitions d'acrobates. Mais il faut bien avouer que les Japonais sont les premiers équilibristes du monde. L'un, armé de son éventail et de petits morceaux de papier, exécutait l'exercice si gracieux des papillons et des fleurs. Un autre, avec la fumée
145 odorante de sa pipe, traçait rapidement dans l'air une série de mots bleuâtres, qui formaient un compliment à l'adresse de l'assembée. Celui-ci jonglait avec des bougies allumées, qu'il éteignit successivement quand elles passèrent devant ses lèvres, et qu'il ralluma l'une à l'autre sans interrompre un seul
150 instant sa prestigieuse jonglerie. Celui-là reproduisit, au moyen de toupies tournantes, les plus invraisemblables combinaisons ; sous sa main, ces ronflantes machines semblaient s'animer d'une vie propre dans leur interminable giration ; elles couraient sur des tuyaux de pipe, sur des tran-
155 chants de sabre, sur des fils de fer, véritables cheveux tendus d'un côté de la scène à l'autre ; elles faisaient le tour de grands vases de cristal, elles gravissaient des échelles de bambou, elles se dispersaient dans tous les coins, produisant des effets harmoniques d'un étrange caractère en combinant leurs tonalités
160 diverses. Les jongleurs jonglaient avec elles, et elles tournaient dans l'air ; ils les lançaient comme des volants, avec des raquettes de bois, et elles tournaient toujours ; ils les fourraient dans leur poche, et quand ils les retiraient, elles tournaient encore – jusqu'au moment où un ressort détendu les
165 faisait s'épanouir en gerbes d'artifice !

    Inutile de décrire ici les prodigieux exercices des acrobates et gymnastes de la troupe. Les tours de l'échelle, de la perche, de la boule, des tonneaux, etc., furent exécutés avec une précision remarquable. Mais le principal attrait de la représen-
170 tation était l'exhibition de ces Longs-Nez, étonnants équilibristes que l'Europe ne connaît pas encore.

    Ces Longs-Nez forment une corporation particulière placée sous l'invocation directe du dieu Tingou. Vêtus comme des

175 hérauts du Moyen Âge, ils portaient une splendide paire d'ailes à leurs épaules. Mais ce qui les distinguait plus spécialement, c'était ce long nez dont leur face était agrémentée, et surtout l'usage qu'ils en faisaient. Ces nez n'étaient rien moins que des bambous, longs de cinq, de six, de dix pieds, les uns droits, les autres courbés, ceux-ci lisses, ceux-là ver-

180 ruqueux. Or, c'était sur ces appendices, fixés d'une façon solide, que s'opéraient tous leurs exercices d'équilibre. Une douzaine de ces sectateurs du dieu Tingou se couchèrent sur le dos, et leurs camarades vinrent s'ébattre sur leurs nez, dressés comme des paratonnerres, sautant, voltigeant de celui-ci

185 à celui-là, et exécutant les tours les plus invraisemblables.

Pour terminer, on avait spécialement annoncé au public la pyramide humaine, dans laquelle une cinquantaine de Longs-Nez devaient figurer le « Char de Jaggernaut ». Mais au lieu de former cette pyramide en prenant leurs épaules pour point

190 d'appui, les artistes de l'honorable Batulcar ne devaient s'emmancher que par leur nez. Or, l'un de ceux qui formaient la base du char avait quitté la troupe, et comme il suffisait d'être vigoureux et adroit, Passepartout avait été choisi pour le remplacer.

195 Certes, le digne garçon se sentit tout piteux, quand – triste souvenir de sa justesse – il eut endossé son costume du Moyen Âge, orné d'ailes multicolores, et qu'un nez de six pieds lui eut été appliqué sur la face ! Mais enfin, ce nez, c'était son gagne-pain, et il en prit son parti.

200 Passepartout entra en scène, et vint se ranger avec ceux de ses collègues qui devaient figurer la base du Char de Jaggernaut. Tous s'étendirent à terre, le nez dressé vers le ciel. Une seconde section d'équilibristes vint se poser sur ces longs appendices, une troisième s'étagea au-dessus, puis une qua-

205 trième, et sur ces nez qui ne se touchaient que par leur pointe, un monument humain s'éleva bientôt jusqu'aux frises du théâtre.

Or, les applaudissements redoublaient, et les instruments de l'orchestre éclataient comme autant de tonnerres, quand

210 la pyramide s'ébranla, l'équilibre se rompit, un des nez de la
base vint à manquer, et le monument s'écroula comme un
château de cartes...

C'était la faute à Passepartout qui, abandonnant son poste,
franchissant la rampe sans le secours de ses ailes, et grimpant
215 à la galerie de droite, tombait aux pieds d'un spectateur en
s'écriant :

« Ah ! mon maître ! mon maître !

— Vous ?

— Moi !

220 — Eh bien ! en ce cas, au paquebot, mon garçon !... »

Mr. Fogg, Mrs. Aouda, qui l'accompagnait, Passepartout
s'étaient précipités par les couloirs au-dehors de la case. Mais,
là, ils trouvèrent l'honorable Batulcar, furieux, qui réclamait
des dommages-intérêts pour « la casse ». Phileas Fogg apaisa
225 sa fureur en lui jetant une poignée de bank-notes. Et, à six
heures et demie, au moment où il allait partir, Mr. Fogg et
Mrs. Aouda mettaient le pied sur le paquebot américain, suivis de Passepartout, les ailes au dos, et sur la face ce nez de
six pieds qu'il n'avait pas encore pu arracher de son visage !

REPÈRES

1. Où sont Phileas Fogg et Aouda au moment où débute ce chapitre ?
2. Remplacez « *le lendemain* » par une date.

OBSERVATION

3. En quoi les aventures de Passepartout dans les chapitres XXII et XXIII font-elles de lui un véritable picaro ?
4. Comment appelle-t-on les mots comme « *japonaisé* » (l. 32) ? Existe-t-il un autre terme ? Essayez de trouver un équivalent, qu'il soit correct ou non. Un jeu de mots ne serait-il pas possible ?
5. Quels sont les éléments comiques dans ce chapitre ?
6. **Étude du numéro (l. 140-212).**
Repérez les changements de focalisation au cours de ce passage.
Analysez l'emploi des temps verbaux.
Qu'est-ce qui concourt le plus à rendre cette scène vivante ?
7. Quel est l'effet des deux derniers paragraphes du chapitre ?
8. Expliquez l'effet comique de la mention « *sans le secours de ses ailes* » (l. 214) appliquée à Passepartout.
9. Ces retrouvailles s'accompagnent-elles d'émotion ?
10. Sait-on combien la mésaventure de Passepartout coûte cette fois à Phileas Fogg ?

INTERPRÉTATIONS

11. Cette septième péripétie répare en quelque sorte celle du chapitre XIX. En quoi change-t-elle à nouveau le registre du texte ?
12. Parmi les éléments comiques relevés dans ce chapitre, distinguez ceux qui ont pu être développés davantage dans l'adaptation théâtrale du roman, et ceux qu'il vous semble plus difficile d'adapter à la scène.

DE LA LECTURE À L'ÉCRITURE

13. Ces retrouvailles sont aussi, pour d'autres personnages que les héros, une catastrophe. Racontez-la en adoptant leur point de vue.
14. Aimeriez-vous travailler dans une troupe comme celle de William Batulcar ?

« Le monument s'écroula comme un château de cartes... »
Gravure de L. Benett pour l'édition Hetzel.

CHAPITRE XXIV

Pendant lequel s'accomplit la traversée de
l'océan Pacifique

CE QUI ÉTAIT ARRIVÉ en vue de Shangaï, on le comprend. Les
signaux faits par la *Tankadère* avaient été aperçus du paquebot de Yokohama. Le capitaine, voyant un pavillon en berne,
s'était dirigé vers la petite goélette. Quelques instants après,
5 Phileas Fogg, soldant son passage au prix convenu, mettait
dans la poche du patron John Bunsby cinq cent cinquante
livres (13 750 F). Puis l'honorable gentleman, Mrs. Aouda et
Fix étaient montés à bord du steamer, qui avait aussitôt fait
route pour Nagasaki et Yokohama.
10   Arrivé le matin même, 14 novembre, à l'heure réglementaire, Phileas Fogg, laissant Fix aller à ses affaires, s'était
rendu à bord du *Carnatic*, et là il apprenait, à la grande joie
de Mrs. Aouda – et peut-être à la sienne, mais du moins il
n'en laissa rien paraître – que le Français Passepartout était
15 effectivement arrivé la veille à Yokohama.
    Phileas Fogg, qui devait repartir le soir même pour San
Francisco, se mit immédiatement à la recherche de son
domestique. Il s'adressa, mais en vain, aux agents consulaires
français et anglais, et, après avoir inutilement parcouru les
20 rues de Yokohama, il désespérait de retrouver Passepartout,
quand le hasard, ou peut-être une sorte de pressentiment, le
fit entrer dans la case de l'honorable Batulcar. Il n'eût certes
point reconnu son serviteur sous cet excentrique accoutre-

ment de héraut ; mais celui-ci, dans sa position renversée,
25 aperçut son maître à la galerie. Il ne put retenir un mouvement de son nez. De là rupture de l'équilibre, et ce qui
s'ensuivit.

Voilà ce que Passepartout apprit de la bouche même de
Mrs. Aouda, qui lui raconta alors comment s'était faite cette
30 traversée de Hong Kong à Yokohama, en compagnie d'un
sieur Fix, sur la goélette la *Tankadère*.

Au nom de Fix, Passepartout ne sourcilla pas. Il pensait
que le moment n'était pas venu de dire à son maître ce qui
s'était passé entre l'inspecteur de police et lui. Aussi, dans
35 l'histoire que Passepartout fit de ses aventures, il s'accusa et
s'excusa seulement d'avoir été surpris par l'ivresse de l'opium
dans une tabagie de Yokohama.

Mr. Fogg écouta froidement ce récit, sans répondre ; puis
il ouvrit à son domestique un crédit suffisant pour que celui-
40 ci pût se procurer à bord des habits plus convenables. Et, en
effet, une heure ne s'était pas écoulée, que l'honnête garçon,
ayant coupé son nez et rogné ses ailes, n'avait plus rien en
lui qui rappelât le sectateur du dieu Tingou.

Le paquebot faisant la traversée de Yokohama à San Fran-
45 cisco appartenait à la Compagnie du « Pacific Mail steam »,
et se nommait le *General-Grant*. C'était un vaste steamer à
roues, jaugeant deux mille cinq cents tonnes, bien aménagé
et doué d'une grande vitesse. Un énorme balancier s'élevait
et s'abaissait successivement au-dessus du pont ; à l'une de
50 ses extrémités s'articulait la tige d'un piston, et à l'autre celle
d'une bielle, qui, transformant le mouvement rectiligne en
mouvement circulaire, s'appliquait directement à l'arbre des
roues. Le *General-Grant* était gréé en trois-mâts goélette, et
il possédait une grande surface de voilure, qui aidait puissam-
55 ment la vapeur. À filer ses douze milles à l'heure, le paquebot
ne devait pas employer plus de vingt et un jours pour traverser le Pacifique. Phileas Fogg était donc autorisé à croire
que, rendu le 2 décembre à San Francisco, il serait le 11 à

New York et le 20 à Londres – gagnant ainsi de quelques
60 heures cette date fatale du 21 décembre.

Les passagers étaient assez nombreux à bord du steamer, des Anglais, beaucoup d'Américains, une véritable émigration de coolies[1] pour l'Amérique, et un certain nombre d'officiers de l'armée des Indes, qui utilisaient leur congé en faisant le
65 tour du monde.

Pendant cette traversée il ne se produisit aucun incident nautique. Le paquebot, soutenu sur ses larges roues, appuyé par sa forte voilure, roulait peu. L'océan Pacifique justifiait assez son nom. Mr. Fogg était aussi calme, aussi peu commu-
70 nicatif que d'ordinaire. Sa jeune compagne se sentait de plus en plus attachée à cet homme par d'autres liens que ceux de la reconnaissance. Cette silencieuse nature, si généreuse en somme, l'impressionnait plus qu'elle ne le croyait, et c'était presque à son insu qu'elle se laissait aller à des sentiments
75 dont l'énigmatique Fogg ne semblait aucunement subir l'influence.

En outre, Mrs. Aouda s'intéressait prodigieusement aux projets du gentleman. Elle s'inquiétait des contrariétés qui pouvaient compromettre le succès du voyage. Souvent elle
80 causait avec Passepartout, qui n'était point sans lire entre les lignes dans le cœur de Mrs. Aouda. Ce brave garçon avait, maintenant, à l'égard de son maître, la foi du charbonnier ; il ne tarissait pas en éloges sur l'honnêteté, la générosité, le dévouement de Phileas Fogg ; puis il rassurait Mrs. Aouda
85 sur l'issue du voyage, répétant que le plus difficile était fait, que l'on était sorti de ces pays fantastiques de la Chine et du Japon, que l'on retournait aux contrées civilisées, et enfin qu'un train de San Francisco à New York et un transatlan-tique de New York à Londres suffiraient, sans doute, pour
90 achever cet impossible tour du monde dans les délais convenus.

_____

1. **Coolies** : mot anglais emprunté à l'hindi et désignant des porteurs orientaux.

Neuf jours après avoir quitté Yokohama, Phileas Fogg avait exactement parcouru la moitié du globe terrestre.

En effet, le *General-Grant*, le 23 novembre, passait au cent
95 quatre-vingtième méridien, celui sur lequel se trouvent, dans l'hémisphère austral, les antipodes de Londres. Sur quatre-vingts jours mis à sa disposition, Mr. Fogg, il est vrai, en avait employé cinquante-deux, et il ne lui en restait plus que vingt-huit à dépenser. Mais il faut remarquer que si le gen-
100 tleman se trouvait à moitié route seulement « par la diffé-rence des méridiens », il avait en réalité accompli plus des deux tiers du parcours total. Quels détours forcés, en effet, de Londres à Aden, d'Aden à Bombay, de Calcutta à Singa-pore, de Singapore à Yokohama ! À suivre circulairement le
105 cinquantième parallèle, qui est celui de Londres, la distance n'eût été que de douze mille milles environ, tandis que Phileas Fogg était forcé, par les caprices des moyens de locomotion, d'en parcourir vingt-six mille dont il avait fait environ dix-sept mille cinq cents, à cette date du 23 novembre. Mais
110 maintenant la route était droite, et Fix n'était plus là pour y accumuler les obstacles !

Il arriva aussi que, ce 23 novembre, Passepartout éprouva une grande joie. On se rappelle que l'entêté s'était obstiné à garder l'heure de Londres à sa fameuse montre de famille,
115 tenant pour fausses toutes les heures des pays qu'il traversait. Or, ce jour-là, bien qu'il ne l'eût jamais ni avancée ni retar-dée, sa montre se trouva d'accord avec les chronomètres du bord.

Si Passepartout triompha, cela se comprend de reste. Il
120 aurait bien voulu savoir ce que Fix aurait pu dire, s'il eût été présent.

« Ce coquin qui me racontait un tas d'histoires sur les méridiens, sur le soleil, sur la lune ! répétait Passepartout. Hein ! ces gens-là ! Si on les écoutait, on ferait de la belle
125 horlogerie ! J'étais bien sûr qu'un jour ou l'autre, le soleil se déciderait à se régler sur ma montre !... »

Passepartout ignorait ceci : c'est que si le cadran de sa

montre eût été divisé en vingt-quatre heures comme les horloges italiennes, il n'aurait eu aucun motif de triompher, car
130 les aiguilles de son instrument, quand il était neuf heures du
matin à bord, auraient indiqué neuf heures du soir, c'est-à-
dire la vingt et unième heure depuis minuit – différence précisément égale à celle qui existe entre Londres et le cent
quatre-vingtième méridien.

135 Mais si Fix avait été capable d'expliquer cet effet purement
physique, Passepartout, sans doute, eût été incapable, sinon
de le comprendre, du moins de l'admettre. Et en tout cas, si,
par impossible, l'inspecteur de police se fût inopinément
montré à bord en ce moment, il est probable que Passepar-
140 tout, à bon droit rancunier, eût traité avec lui un sujet tout
différent et d'une tout autre manière.

Or, où était Fix en ce moment ?...

Fix était précisément à bord du *General-Grant*.

En effet, en arrivant à Yokohama, l'agent, abandonnant
145 Mr. Fogg qu'il comptait retrouver dans la journée, s'était
immédiatement rendu chez le consul anglais. Là, il avait enfin
trouvé le mandat, qui, courant après lui depuis Bombay, avait
déjà quarante jours de date, – mandat qui lui avait été expé-
dié de Hong Kong par ce même *Carnatic* à bord duquel on
150 le croyait. Qu'on juge du désappointement du détective ! Le
mandat devenait inutile ! Le sieur Fogg avait quitté les possessions anglaises ! Un acte d'extradition était maintenant
nécessaire pour l'arrêter !

« Soit ! se dit Fix, après le premier moment de colère, mon
155 mandat n'est plus bon ici, il le sera en Angleterre. Ce coquin
a tout l'air de revenir dans sa patrie, croyant avoir dépisté la
police. Bien. Je le suivrai jusque-là. Quant à l'argent, Dieu
veuille qu'il en reste ! Mais en voyages, en primes, en procès,
en amendes, en éléphant, en frais de toute sorte, mon homme
160 a déjà laissé plus de cinq mille livres sur sa route. Après tout,
la Banque est riche ! »

Son parti pris, il s'embarqua aussitôt sur le *General-Grant*.
Il était à bord, quand Mr. Fogg et Mrs. Aouda y arrivèrent.

À son extrême surprise, il reconnut Passepartout sous son
165 costume de héraut. Il se cacha aussitôt dans sa cabine, afin
d'éviter une explication qui pouvait tout compromettre – et,
grâce au nombre des passagers, il comptait bien n'être point
aperçu de son ennemi, lorsque ce jour-là précisément il se
trouva face à face avec lui sur l'avant du navire.

170   Passepartout sauta à la gorge de Fix, sans autre explication, et, au grand plaisir de certains Américains qui parièrent
immédiatement pour lui, il administra au malheureux inspecteur une volée superbe, qui démontra la haute supériorité
de la boxe française sur la boxe anglaise.

175   Quand Passepartout eut fini, il se trouva plus calme et
comme soulagé. Fix se releva, en assez mauvais état, et, regardant son adversaire, il lui dit froidement :

« Est-ce fini ?

– Oui, pour l'instant.

180   – Alors, venez me parler...

– Que je...

– Dans l'intérêt de votre maître. »

Passepartout, comme subjugué par ce sang-froid, suivit
l'inspecteur de police, et tous deux s'assirent à l'avant du
185 steamer.

« Vous m'avez rossé, dit Fix. Bien. À présent, écoutez-moi.
Jusqu'ici j'ai été l'adversaire de Mr. Fogg, mais maintenant
je suis dans son jeu.

– Enfin ! s'écria Passepartout, vous le croyez un honnête
190 homme ?

– Non, répondit froidement Fix, je le crois un coquin...
Chut ! ne bougez pas et laissez-moi dire. Tant que Mr. Fogg
a été sur les possessions anglaises, j'ai eu intérêt à le retenir
en attendant un mandat d'arrestation. J'ai tout fait pour cela.
195 J'ai lancé contre lui les prêtres de Bombay, je vous ai enivré
à Hong Kong, je vous ai séparé de votre maître, je lui ai fait
manquer le paquebot de Yokohama... »

Passepartout écoutait, les poings fermés.

« Maintenant, reprit Fix, Mr. Fogg semble retourner en

200 Angleterre ? Soit, je le suivrai. Mais, désormais, je mettrai à écarter les obstacles de sa route autant de soin et de zèle que j'en ai mis jusqu'ici à les accumuler. Vous le voyez, mon jeu est changé, et il est changé parce que mon intérêt le veut. J'ajoute que votre intérêt est pareil au mien, car c'est en
205 Angleterre seulement que vous saurez si vous êtes au service d'un criminel ou d'un honnête homme ! »

Passepartout avait très attentivement écouté Fix, et il fut convaincu que Fix parlait avec une entière bonne foi.

« Sommes-nous amis ? demanda Fix.
210 – Amis, non, répondit Passepartout. Alliés, oui, et sous bénéfice d'inventaire, car, à la moindre apparence de trahison, je vous tords le cou.

– Convenu », dit tranquillement l'inspecteur de police.

Onze jours après, le 3 décembre, le *General-Grant* entrait
215 dans la baie de la Porte-d'Or et arrivait à San Francisco.

Mr. Fogg n'avait encore ni gagné ni perdu un seul jour.

■ ■ ■ ■ ■ ■ ■ ■

Repères

1. Relevez dans ce chapitre les dates et les indications de distance.
2. Par quel type de récit commence le chapitre ?

Observation

3. Quelle relation symbolique la montre de Passepartout entretient-elle avec les événements ?
4. En quoi l'attitude de Fix marque-t-elle un tournant dans le récit ?
5. Que pensez-vous de la persistance de Fix dans ses convictions concernant la culpabilité de Phileas Fogg ?
6. Quels traits de caractère Fix partage-t-il avec Phileas Fogg ?
7. Quels sont les effets de l'insistance du récit sur les dates et les distances ?
8. Passepartout a-t-il entièrement tort ?
9. Sur quoi est fondé l'accord entre Fix et Passepartout ?

Interprétations

10. Inspirez-vous de ce chapitre pour donner un autre titre au roman.
11. L'exclamation de Passepartout peut-elle être lue comme un présage de la suite du roman ? Que voudrait-elle dire ?
12. Le verbe « parcourir » est employé à plusieurs reprises. Pourtant, peut-on vraiment dire que Phileas Fogg ait « *parcouru la moitié du globe* » (l. 93) ? Cherchez d'autres termes pour évoquer plus justement son aventure.

De la lecture à l'écriture

13. Rédigez un texte explicatif et suffisamment complet sur le mécanisme horaire évoqué par Jules Verne. Comparez ensuite votre texte à celui de votre voisin : lequel est le plus clair ?

Le temps est compté

Cinq Semaines en ballon précisait le moyen de transport, *Vingt Mille Lieues sous les mers* ouvrait tout un espace inconnu ; au contraire, *Le Tour du monde en quatre-vingts jours* occulte le moyen du voyage au profit du temps : il ne s'agit ni de voir ni de voyager, mais « d'arriver ».

Dès le chapitre III, la distance n'est plus mesurée qu'en termes de temps : la terre « *a diminué* », car en longitude (et c'est la seule dimension de l'espace que semble connaître Phileas Fogg), on franchit les méridiens « *plus vite* ».

Phileas Fogg compte ses pas (chap. III, l. 1-4), compte le temps et les distances, qui n'existent qu'au travers des horaires de trains et de paquebots. Prodigue de son argent, il est avare de son temps, de même que son aîné, *Maître Zacharius*, dont il est le double « tranquillisé ». Son goût de l'exactitude n'entraîne aucune folie : excentricité n'est pas extravagance. Cette mécanique « *de fer forgé* » se contente de « *constater l'écart* », sans inquiétude.

Maître Temps

Matérialisé dans le parcours, le temps est ainsi élevé au rang de seule divinité, de seul « enjeu » d'un voyage qui refuse d'être une quête. Reflet de son maître, Passepartout préfère sa montre au soleil (« *c'est lui qui aura tort* », s'écrie-t-il au chapitre XXIV), et ne s'étonne pas ensuite de sa soumission : « *j'étais bien sûr qu'un jour ou l'autre, le soleil se déciderait à se régler sur ma montre !…* » Tous deux se sont identifiés à leurs montres : à l'image de la sienne qui retarde de quatre minutes, Passepartout sera souvent « *en retard* » sur la troupe (ce retard de quatre minutes correspond à l'écart pris ensuite à chaque passage de méridien ; voir l'explication de Sir Francis Cromarty, chap. XI, l. 161-165). Phileas Fogg, quant à lui, semble ne plus avoir besoin de porter une montre, tant il a intégré le mécanisme de l'« *appareil compliqué…* » (chap. I, l. 126-128) de son petit salon, mais il échoue cependant à restituer la mesure exacte des jours. S'il « marche » comme l'aiguille de sa pendule, il calcule moins bien les variations astronomiques : « *oscill[ant] à la façon du balancier des horloges* », il reste insensible au léger décalage du calendrier des différentes parties du monde. Les astres sont donc de la partie, et c'est Aouda, « *astéroïde* » solaire, qui parviendra à faire dévier Phileas Fogg de sa trajectoire rectiligne.

CHAPITRE XXV

Où l'on donne un léger aperçu de San Francisco, un jour de meeting

IL ÉTAIT sept heures du matin, quand Phileas Fogg, Mrs. Aouda et Passepartout prirent pied sur le continent américain – si toutefois on peut donner ce nom au quai flottant sur lequel ils débarquèrent. Ces quais, montant et des-
5 cendant avec la marée, facilitent le chargement et le déchargement des navires. Là s'embossent[1] les clippers[2] de toutes les dimensions, les steamers de toutes nationalités, et ces steam-boats à plusieurs étages, qui font le service du Sacramento et de ses affluents. Là s'entassent aussi les produits
10 d'un commerce qui s'étend au Mexique, au Pérou, au Chili, au Brésil, à l'Europe, à l'Asie, à toutes les îles de l'océan Pacifique.

Passepartout, dans sa joie de toucher enfin la terre américaine, avait cru devoir opérer son débarquement en exécutant
15 un saut périlleux du plus beau style. Mais quand il retomba sur le quai dont le plancher était vermoulu, il faillit passer au travers. Tout décontenancé de la façon dont il avait « pris pied » sur le nouveau continent, l'honnête garçon poussa un

---

1. **S'embossent** : maintiennent un navire à l'ancre dans une direction déterminée.
2. **Clippers** : voiliers destinés au transport des marchandises, spécialement construits pour la vitesse.

cri formidable, qui fit envoler une innombrable troupe de
20 cormorans et de pélicans, hôtes habituels des quais mobiles.

Mr. Fogg, aussitôt débarqué, s'informa de l'heure à
laquelle partait le premier train pour New York. C'était à six
heures du soir. Mr. Fogg avait donc une journée entière à
dépenser dans la capitale californienne. Il fit venir une voiture
25 pour Mrs. Aouda et pour lui. Passepartout monta sur le siège,
et le véhicule, à trois dollars la course, se dirigea vers International-Hôtel.

De la place élevée qu'il occupait, Passepartout observait
avec curiosité la grande ville américaine : larges rues, maisons
30 basses bien alignées, églises et temples d'un gothique anglo-
saxon, docks immenses, entrepôts comme des palais, les uns
en bois, les autres en brique ; dans les rues, voitures nombreuses, omnibus, « cars » de tramways, et sur les trottoirs
encombrés, non seulement des Américains et des Européens,
35 mais aussi des Chinois et des Indiens – enfin de quoi compo-
ser une population de plus de deux cent mille habitants.

Passepartout fut assez surpris de ce qu'il voyait. Il en était
encore à la cité légendaire de 1849, à la ville des bandits, des
incendiaires et des assassins, accourus à la conquête des
40 pépites, immense capharnaüm de tous les déclassés, où l'on
jouait la poudre d'or, un revolver d'une main et un couteau
de l'autre. Mais « ce beau temps » était passé. San Francisco
présentait l'aspect d'une grande ville commerçante. La haute
tour de l'hôtel de ville, où veillent les guetteurs, dominait tout
45 cet ensemble de rues et d'avenues, se coupant à angles droits,
entre lesquels s'épanouissaient des squares verdoyants, puis
une ville chinoise qui semblait avoir été importée du Céleste
Empire dans une boîte à joujoux. Plus de sombreros[1], plus
de chemises rouges à la mode des coureurs de placers[2], plus
50 d'Indiens emplumés, mais des chapeaux de soie et des habits
noirs, que portaient un grand nombre de gentlemen doués

---

1. **Sombreros** : chapeaux à larges bords.
2. **Placers** : gîtes détritiques contenant des métaux lourds ou précieux.

d'une activité dévorante. Certaines rues, entre autres Mont-gommery-street – le Regent-street de Londres, le boulevard des Italiens de Paris, le Broadway de New York – étaient
55 bordées de magasins splendides, qui offraient à leur étalage les produits du monde entier.

Lorsque Passepartout arriva à International-Hôtel, il ne lui semblait pas qu'il eût quitté l'Angleterre.

Le rez-de-chaussée de l'hôtel était occupé par un immense
60 « bar », sorte de buffet ouvert *gratis* à tout passant. Viande sèche, soupe aux huîtres, biscuit et chester s'y débitaient sans que le consommateur eût à délier sa bourse. Il ne payait que sa boisson, ale, porto ou xérès, si sa fantaisie le portait à se rafraîchir. Cela parut « très américain » à Passepartout.
65 Le restaurant de l'hôtel était confortable. Mr. Fogg et Mrs. Aouda s'installèrent devant une table et furent abon-damment servis dans des plats lilliputiens par des Nègres du plus beau noir.

Après déjeuner, Phileas Fogg, accompagné de Mrs. Aouda,
70 quitta l'hôtel pour se rendre aux bureaux du consul anglais afin d'y faire viser son passeport. Sur le trottoir, il trouva son domestique, qui lui demanda si, avant de prendre le chemin de fer du Pacifique, il ne serait pas prudent d'acheter quelques douzaines de carabines Enfield ou de revolvers Colt. Passe-
75 partout avait entendu parler de Sioux et de Pawnies, qui arrê-tent les trains comme de simples voleurs espagnols. Mr. Fogg répondit que c'était là une précaution inutile, mais il le laissa libre d'agir comme il lui conviendrait. Puis il se dirigea vers les bureaux de l'agent consulaire.
80 Phileas Fogg n'avait pas fait deux cents pas que, « par le plus grand des hasards », il rencontrait Fix. L'inspecteur se montra extrêmement surpris. Comment ! Mr. Fogg et lui avaient fait ensemble la traversée du Pacifique, et ils ne s'étaient pas rencontrés à bord ! En tout cas, Fix ne pouvait
85 être qu'honoré de revoir le gentleman auquel il devait tant, et, ses affaires le rappelant en Europe, il serait enchanté de poursuivre son voyage en une si agréable compagnie.

Mr. Fogg répondit que l'honneur serait pour lui, et Fix
– qui tenait à ne point le perdre de vue – lui demanda la
90 permission de visiter avec lui cette curieuse ville de San Francisco. Ce qui fut accordé.

Voici donc Mrs. Aouda, Phileas Fogg et Fix flânant par les
rues. Ils se trouvèrent bientôt dans Montgommery-street, où
l'affluence du populaire était énorme. Sur les trottoirs, au
95 milieu de la chaussée, sur les rails des tramways, malgré le
passage incessant des coaches et des omnibus, au seuil des
boutiques, aux fenêtres de toutes les maisons, et même jusque
sur les toits, foule innombrable. Des hommes-affiches circulaient au milieu des groupes. Des bannières et des banderoles
100 flottaient au vent. Des cris éclataient de toutes parts.

« Hurrah pour Kamerfield !
– Hurrah pour Mandiboy ! »

C'était un meeting. Ce fut du moins la pensée de Fix, et il
communiqua son idée à Mr. Fogg, en ajoutant :
105 « Nous ferons peut-être bien, monsieur, de ne point nous
mêler à cette cohue. Il n'y a que de mauvais coups à recevoir.

– En effet, répondit Phileas Fogg, et les coups de poing,
pour être politiques, n'en sont pas moins des coups de
poing ! »
110 Fix crut devoir sourire en entendant cette observation, et,
afin de voir sans être pris dans la bagarre, Mrs. Aouda, Phileas Fogg et lui prirent place sur le palier supérieur d'un escalier qui desservait une terrasse, située en contre-haut de
Montgommery-street. Devant eux, de l'autre côté de la rue,
115 entre le wharf d'un marchand de charbon et le magasin d'un
négociant en pétrole, se développait un large bureau en plein
vent, vers lequel les divers courants de la foule semblaient
converger.

Et maintenant, pourquoi ce meeting ? À quelle occasion se
120 tenait-il ? Phileas Fogg l'ignorait absolument. S'agissait-il de
la nomination d'un haut fonctionnaire militaire ou civil, d'un
gouverneur d'État ou d'un membre du Congrès ? Il était

permis de le conjecturer, à voir l'animation extraordinaire qui passionnait la ville.

125 En ce moment un mouvement considérable se produisit dans la foule. Toutes les mains étaient en l'air. Quelques-unes, solidement fermées, semblaient se lever et s'abattre rapidement au milieu des cris – manière énergique, sans doute, de formuler un vote. Des remous agitaient la masse qui 130 refluait. Les bannières oscillaient, disparaissaient un instant et reparaissaient en loques. Les ondulations de la houle se propageaient jusqu'à l'escalier, tandis que toutes les têtes moutonnaient à la surface comme une mer soudainement remuée par un grain. Le nombre des chapeaux noirs dimi-135 nuait à vue d'œil, et la plupart semblaient avoir perdu de leur hauteur normale.

« C'est évidemment un meeting, dit Fix, et la question qui l'a provoqué doit être palpitante. Je ne serais point étonné qu'il fût encore question de l'affaire de l'*Alabama*, bien 140 qu'elle soit résolue.

– Peut-être, répondit simplement Mr. Fogg.

– En tout cas, reprit Fix, deux champions sont en présence l'un de l'autre, l'honorable Kamerfield et l'honorable Mandiboy. »

145 Mrs. Aouda, au bras de Phileas Fogg, regardait avec surprise cette scène tumultueuse, et Fix allait demander à l'un de ses voisins la raison de cette effervescence populaire, quand un mouvement plus accusé se prononça. Les hurrahs, agrémentés d'injures, redoublèrent. La hampe [1] des bannières 150 se transforma en arme offensive. Plus de mains, des poings partout. Du haut des voitures arrêtées, et des omnibus enrayés dans leur course, s'échangeaient force horions [2]. Tout servait de projectiles. Bottes et souliers décrivaient dans l'air des trajectoires très tendues, et il sembla même que quelques

---

1. **Hampe** : manche en bois d'un drapeau.
2. **Horions** : coups violents.

155 revolvers mêlaient aux vociférations de la foule leurs détonations nationales.

La cohue se rapprocha de l'escalier et reflua sur les premières marches. L'un des partis était évidemment repoussé,
sans que les simples spectateurs pussent reconnaître si l'avan-
160 tage restait à Mandiboy ou à Kamerfield.

« Je crois prudent de nous retirer, dit Fix, qui ne tenait pas
à ce que "son homme" reçût un mauvais coup ou se fît une
mauvaise affaire. S'il est question de l'Angleterre dans tout
ceci et qu'on nous reconnaisse, nous serons fort compromis
165 dans la bagarre !

– Un citoyen anglais... », répondit Phileas Fogg.

Mais le gentleman ne put achever sa phrase. Derrière lui,
de cette terrasse qui précédait l'escalier, partirent des hurlements épouvantables. On criait : « Hurrah ! Hip ! Hip ! pour
170 Mandiboy ! » C'était une troupe d'électeurs qui arrivait à la
rescousse, prenant en flanc les partisans de Kamerfield.

Mr. Fogg, Mrs. Aouda, Fix se trouvèrent entre deux feux.
Il était trop tard pour s'échapper. Ce torrent d'hommes,
armés de cannes plombées et de casse-tête, était irrésistible.
175 Phileas Fogg et Fix, en préservant la jeune femme, furent hor-
riblement bousculés. Mr. Fogg, non moins flegmatique que
d'habitude, voulut se défendre avec ces armes naturelles que
la nature a mises au bout des bras de tout Anglais, mais
inutilement. Un énorme gaillard à barbiche rouge, au teint
180 coloré, large d'épaules, qui paraissait être le chef de la bande,
leva son formidable poing sur Mr. Fogg, et il eût fort endom-
magé le gentleman, si Fix, par dévouement, n'eût reçu le coup
à sa place. Une énorme bosse se développa instantanément
sous le chapeau de soie du détective, transformé en simple
185 toque.

« Yankee[1] ! dit Mr. Fogg, en lançant à son adversaire un
regard de profond mépris.

---

1. **Yankee** : sobriquet donné par les Anglais aux colons révoltés de la
Nouvelle-Angleterre, puis aux Américains en général.

– Englishman ! répondit l'autre.

– Nous nous retrouverons !

190 – Phileas Fogg. Le vôtre ?

– Le colonel Stamp W. Proctor. »

Puis, cela dit, la marée passa. Fix fut renversé et se releva, les habits déchirés, mais sans meurtrissure sérieuse. Son paletot de voyage s'était séparé en deux parties inégales, et son 195 pantalon ressemblait à ces culottes dont certains Indiens – affaire de mode – ne se vêtent qu'après en avoir préalablement enlevé le fond. Mais, en somme, Mrs. Aouda avait été épargnée, et, seul, Fix en était pour son coup de poing.

« Merci, dit Mr. Fogg à l'inspecteur, dès qu'ils furent hors 200 de la foule.

– Il n'y a pas de quoi, répondit Fix, mais venez.

– Où ?

– Chez un marchand de confection. »

En effet, cette visite était opportune. Les habits de Phileas 205 Fogg et de Fix étaient en lambeaux, comme si ces deux gentlemen se fussent battus pour le compte des honorables Kamerfield et Mandiboy.

Une heure après, ils étaient convenablement vêtus et coiffés. Puis ils revinrent à International-Hôtel.

210 Là, Passepartout attendait son maître, armé d'une demi-douzaine de revolvers-poignards à six coups et à inflammation centrale. Quand il aperçut Fix en compagnie de Mr. Fogg, son front s'obscurcit. Mais Mrs. Aouda, ayant fait en quelques mots le récit de ce qui s'était passé, Passepartout 215 se rasséréna. Évidemment Fix n'était plus un ennemi, c'était un allié. Il tenait sa parole.

Le dîner terminé, un coach fut amené, qui devait conduire à la gare les voyageurs et leurs colis. Au moment de monter en voiture, Mr. Fogg dit à Fix :

220 « Vous n'avez pas revu ce colonel Proctor ?

– Non, répondit Fix.

– Je reviendrai en Amérique pour le retrouver, dit froidement Phileas Fogg. Il ne serait pas convenable qu'un citoyen anglais se laissât traiter de cette façon. »

225 L'inspecteur sourit et ne répondit pas. Mais, on le voit, Mr. Fogg était de cette race d'Anglais qui, s'ils ne tolèrent pas le duel chez eux, se battent à l'étranger, quand il s'agit de soutenir leur horreur.

À six heures moins un quart, les voyageurs atteignaient la
230 gare et trouvaient le train prêt à partir.

Au moment où Mr. Fogg allait s'embarquer, il avisa un employé et le rejoignant :

« Mon ami, lui dit-il, n'y a-t-il pas eu quelques troubles aujourd'hui à San Francisco ?

235 – C'était un meeting, monsieur, répondit l'employé.

– Cependant, j'ai cru remarquer une certaine animation dans les rues.

– Il s'agissait simplement d'un meeting organisé pour une élection.

240 – L'élection d'un général en chef, sans doute ? demanda Mr. Fogg.

– Non, monsieur, d'un juge de paix. »

Sur cette réponse, Phileas Fogg monta dans le wagon, et le train partit à toute vapeur.

REPÈRES

1. Faites le plan de ce chapitre.
2. Comment l'épisode central est-il mis en valeur ?

OBSERVATION

3. Par quelle figure stylistique, dans la désignation de l'Amérique, s'ouvre le chapitre ? Quel effet produit-elle ?

4. Quel rôle joue l'expression imagée « prendre pied » (l. 2 et 17-18) ? Pourquoi est-elle mise entre guillemets dans le second paragraphe ? Quelle autre expression serait alors plus appropriée ? Commentez vos réponses.

5. Comment le regard de Passepartout organise-t-il la description de la ville ?

6. Quel est le procédé narratif utilisé lors de la rencontre de Phileas Fogg avec Fix ? Quel est son intérêt ?

7. Quelle image a priori Passepartout a-t-il de l'Amérique ? Donnez-lui un nom.

8. Analysez l'effet de chute qui clôt le chapitre. En quoi est-il humoristique ?

INTERPRÉTATIONS

9. Quelle image l'épisode donne-t-il de l'Amérique ? L'image que s'en faisait Passepartout est-elle totalement corrigée ?

10. Commentez l'expression caractérisant Passepartout : « *il ne lui semblait pas qu'il eût quitté l'Angleterre* » (l. 57-58).

DE LA LECTURE À L'ÉCRITURE

11. Avez-vous déjà assisté à une manifestation ou à une réunion « houleuse » ? Racontez la scène.

CHAPITRE XXVI

Dans lequel on prend le train express du chemin de fer du Pacifique

« OCEAN TO OCEAN » – ainsi disent les Américains –, et ces trois mots devraient être la dénomination générale du « grand trunk[1] », qui traverse les États-Unis d'Amérique dans leur plus grande largeur. Mais, en réalité, le « Pacific
5 rail-road » se divise en deux parties distinctes : « Central Pacific » entre San Francisco et Ogden, et « Union Pacific » entre Ogden et Omaha. Là se raccordent cinq lignes distinctes, qui mettent Omaha en communication fréquente avec New York.
10 New York et San Francisco sont donc présentement réunis par un ruban de métal non interrompu qui ne mesure pas moins de trois mille sept cent quatre-vingt-six milles. Entre Omaha et le Pacifique, le chemin de fer franchit une contrée encore fréquentée par les Indiens et les fauves – vaste étendue
15 de territoire que les Mormons commencèrent à coloniser vers 1845, après qu'ils eurent été chassés de l'Illinois.

Autrefois, dans les circonstances les plus favorables, on employait six mois pour aller de New York à San Francisco. Maintenant, on met sept jours.
20 C'est en 1862 que, malgré l'opposition des députés du Sud,

---

1. **Trunk** : *trunk-line* désigne une grande ligne de chemin de fer.

qui voulaient une ligne plus méridionale, le tracé du rail-road fut arrêté entre le quarante et unième et le quarante-deuxième parallèle. Le président Lincoln, de si regrettée mémoire, fixa lui-même, dans l'État de Nebraska, à la ville d'Omaha, la
25 tête de ligne du nouveau réseau. Les travaux furent aussitôt commencés et poursuivis avec cette activité américaine, qui n'est ni paperassière ni bureaucratique. La rapidité de la main-d'œuvre ne devait nuire en aucune façon à la bonne exécution du chemin. Dans la prairie, on avançait à raison
30 d'un mille et demi par jour. Une locomotive, roulant sur les rails de la veille, apportait les rails du lendemain, et courait à leur surface au fur et à mesure qu'ils étaient posés.

Le Pacific rail-road jette plusieurs embranchements sur son parcours, dans les États de l'Iowa, du Kansas, du Colorado
35 et de l'Oregon. En quittant Omaha, il longe la rive gauche de Platte-river jusqu'à l'embouchure de la branche du nord, suit la branche du sud, traverse les terrains de Laramie et les montagnes Wahsatch, contourne le lac Salé, arrive à Lake Salt City, la capitale des Mormons, s'enfonce dans la vallée
40 de la Tuilla, longe le désert américain, les monts de Cédar et Humboldt, Humboldt-river, la Sierra Nevada, et redescend par Sacramento jusqu'au Pacifique, sans que ce tracé dépasse en pente cent douze pieds par mille, même dans la traversée des montagnes Rocheuses.
45 Telle était cette longue artère que les trains parcouraient en sept jours, et qui allait permettre à l'honorable Phileas Fogg – il l'espérait du moins – de prendre, le 11, à New York, le paquebot de Liverpool.

Le wagon occupé par Phileas Fogg était une sorte de long
50 omnibus qui reposait sur deux trains formés de quatre roues chacun, dont la mobilité permet d'attaquer des courbes de petit rayon. À l'intérieur, point de compartiments : deux files de sièges, disposés de chaque côté, perpendiculairement à l'axe, et entre lesquels était réservé un passage conduisant aux
55 cabinets de toilette et autres, dont chaque wagon est pourvu. Sur toute la longueur du train, les voitures communiquaient

entre elles par des passerelles, et les voyageurs pouvaient circuler d'une extrémité à l'autre du convoi, qui mettait à leur
disposition des wagons-salons, des wagons-terrasses, des
60 wagons-restaurants et des wagons à cafés. Il n'y manquait
que des wagons-théâtres. Mais il y en aura un jour.

Sur les passerelles circulaient incessamment des marchands
de livres et de journaux, débitant leur marchandise, et des
vendeurs de liqueurs, de comestibles, de cigares, qui ne man-
65 quaient point de chalands.

Les voyageurs étaient partis de la station d'Oakland à six
heures du soir. Il faisait déjà nuit – une nuit froide, sombre,
avec un ciel couvert dont les nuages menaçaient de se
résoudre en neige. Le train ne marchait pas avec une grande
70 rapidité. En tenant compte des arrêts, il ne parcourait pas
plus de vingt milles à l'heure, vitesse qui devait, cependant,
lui permettre de franchir les États-Unis dans les temps
réglementaires.

On causait peu dans le wagon. D'ailleurs, le sommeil allait
75 bientôt gagner les voyageurs. Passepartout se trouvait placé
auprès de l'inspecteur de police, mais il ne lui parlait pas.
Depuis les derniers événements, leurs relations s'étaient notablement refroidies. Plus de sympathie, plus d'intimité. Fix
n'avait rien changé à sa manière d'être, mais Passepartout se
80 tenait, au contraire, sur une extrême réserve, prêt au moindre
soupçon à étrangler son ancien ami.

Une heure après le départ du train, la neige tomba – neige
fine, qui ne pouvait, fort heureusement, retarder la marche
du convoi. On n'apercevait plus à travers les fenêtres qu'une
85 immense nappe blanche, sur laquelle, en déroulant ses
volutes, la vapeur de la locomotive paraissait grisâtre.

À huit heures, un « steward » entra dans le wagon et
annonça aux voyageurs que l'heure du coucher était sonnée.
Ce wagon était un « sleeping-car », qui, en quelques minutes,
90 fut transformé en dortoir. Les dossiers des bancs se replièrent,
des couchettes soigneusement paquetées se déroulèrent par un
système ingénieux, des cabines furent improvisées en

quelques instants, et chaque voyageur eut bientôt à sa disposition un lit confortable, que d'épais rideaux défendaient
95 contre tout regard indiscret. Les draps étaient blancs, les
oreillers moelleux. Il n'y avait plus qu'à se coucher et à dor-
mir – ce que chacun fit, comme s'il se fût trouvé dans la
cabine confortable d'un paquebot –, pendant que le train
filait à toute vapeur à travers l'État de Californie.

100 Dans cette portion du territoire qui s'étend entre San Francisco et Sacramento, le sol est peu accidenté. Cette partie du
chemin de fer, sous le nom de « Central Pacific road », prit
d'abord Sacramento pour point de départ, et s'avança vers
l'est à la rencontre de celui qui partait d'Omaha. De San
105 Francisco à la capitale de la Californie, la ligne courait directement au nord-est, en longeant American-river, qui se jette
dans la baie de San Pablo. Les cent vingt milles compris entre
ces deux importantes cités furent franchis en six heures, et
vers minuit, pendant qu'ils dormaient de leur premier som-
110 meil, les voyageurs passèrent à Sacramento. Ils ne virent donc
rien de cette ville considérable, siège de la législature de l'État
de Californie, ni ses beaux quais, ni ses rives larges, ni ses
hôtels splendides, ni ses squares, ni ses temples.

En sortant de Sacramento, le train, après avoir dépassé les
115 stations de Junction, de Roclin, d'Auburn et de Colfax,
s'engagea dans le massif de la Sierra Nevada. Il était sept
heures du matin quand fut traversée la station de Cisco. Une
heure après, le dortoir était redevenu un wagon ordinaire et
les voyageurs pouvaient à travers les vitres entrevoir les
120 points de vue pittoresques de ce montagneux pays. Le tracé
du train obéissait aux caprices de la Sierra, ici accroché aux
flancs de la montagne, là suspendu au-dessus des précipices,
évitant les angles brusques par des courbes audacieuses,
s'élançant dans des gorges étroites que l'on devait croire sans
125 issues. La locomotive, étincelante comme une châsse[1], avec

---

1. **Châsse** : reliquaire en forme de sarcophage, dans lequel on conserve les
restes d'un saint.

son grand fanal qui jetait de fauves lueurs, sa cloche argentée, son « chasse-vache[1] », qui s'étendait comme un éperon, mêlait ses sifflements et ses mugissements à ceux des torrents et des cascades, et tordait sa fumée à la noire ramure des 130 sapins.

Peu ou point de tunnels, ni de ponts sur le parcours. Le rail-road contournait le flanc des montagnes, ne cherchant pas dans la ligne droite le plus court chemin d'un point à un autre, et ne violentant pas la nature.

135 Vers neuf heures, par la vallée de Carson, le train pénétrait dans l'État de Nevada, suivant toujours la direction du nord-est. À midi, il quittait Reno, où les voyageurs eurent vingt minutes pour déjeuner.

Depuis ce point, la voie ferrée, côtoyant Humboldt-river, 140 s'éleva pendant quelques milles vers le nord, en suivant son cours. Puis elle s'infléchit vers l'est, et ne devait plus quitter le cours d'eau avant d'avoir atteint les Humboldt-Ranges, qui lui donnent naissance, presque à l'extrémité orientale de l'État de Nevada.

145 Après avoir déjeuné, Mr. Fogg, Mrs. Aouda et leurs compagnons reprirent leur place dans le wagon. Phileas Fogg, la jeune femme, Fix et Passepartout, confortablement assis, regardaient le paysage varié qui passait sous leurs yeux – vastes prairies, montagnes se profilant à l'horizon, 150 « creeks[2] » roulant leurs eaux écumeuses. Parfois, un grand troupeau de bisons, se massant au loin, apparaissait comme une digue mobile. Ces innombrables armées de ruminants opposent souvent un insurmontable obstacle au passage des trains. On a vu des milliers de ces animaux défiler pendant 155 plusieurs heures, en rangs pressés, au travers du rail-road. La

---

1. **Chasse-vache** : appareil fixé à l'avant de la locomotive pour écarter les vaches, qui existait uniquement aux États-Unis, en raison de l'absence de clôture le long des voies.

2. **Creek** : mot anglais désignant un ruisseau.

locomotive est alors forcée de s'arrêter et d'attendre que la voie soit redevenue libre.

Ce fut même ce qui arriva dans cette occasion. Vers trois heures du soir, un troupeau de dix à douze mille têtes barra 160 le rail-road. La machine, après avoir modéré sa vitesse, essaya d'engager son éperon dans le flanc de l'immense colonne, mais elle dut s'arrêter devant l'impénétrable masse.

On voyait ces ruminants – ces buffalos, comme les appellent improprement les Américains – marcher ainsi de 165 leur pas tranquille, poussant parfois des beuglements formidables. Ils avaient une taille supérieure à celle des taureaux d'Europe, les jambes et la queue courtes, le garrot saillant qui formait une bosse musculaire, les cornes écartées à la base, la tête, le cou et les épaules recouverts d'une crinière à longs 170 poils. Il ne fallait pas songer à arrêter cette migration. Quand les bisons ont adopté une direction, rien ne pourrait ni enrayer ni modifier leur marche. C'est un torrent de chair vivante qu'aucune digue ne saurait contenir.

Les voyageurs, dispersés sur les passerelles, regardaient ce 175 curieux spectacle. Mais celui qui devait être le plus pressé de tous, Phileas Fogg, était demeuré à sa place et attendait philosophiquement qu'il plût aux buffles de lui livrer passage. Passepartout était furieux du retard que causait cette agglomération d'animaux. Il eût voulu décharger contre eux son 180 arsenal de revolvers.

« Quel pays ! s'écria-t-il. De simples bœufs qui arrêtent des trains, et qui s'en vont là, processionnellement, sans plus se hâter que s'ils ne gênaient pas la circulation ! Pardieu ! je voudrais bien savoir si Mr. Fogg avait prévu ce contretemps 185 dans son programme ! Et ce mécanicien qui n'ose pas lancer sa machine à travers ce bétail encombrant ! »

Le mécanicien n'avait point tenté de renverser l'obstacle, et il avait prudemment agi. Il eût écrasé sans doute les premiers buffles attaqués par l'éperon de la locomotive ; mais, 190 si puissante qu'elle fût, la machine eût été arrêtée bientôt, un déraillement se serait inévitablement produit, et le train fût resté en détresse.

Le mieux était donc d'attendre patiemment, quitte ensuite à regagner le temps perdu par une accélération de la marche
195 du train. Le défilé des bisons dura trois grandes heures, et la voie ne redevint libre qu'à la nuit tombante. À ce moment, les derniers rangs du troupeau traversaient les rails, tandis que les premiers disparaissaient au-dessus de l'horizon du sud.
200 Il était donc huit heures, quand le train franchit les défilés des Humboldt-Ranges, et neuf heures et demie, lorsqu'il pénétra sur le territoire de l'Utah, la région du grand lac Salé, le curieux pays des Mormons[1].

---

1. **Mormon** : membre d'un mouvement religieux fondé en 1830 par Joseph Smith. Cette communauté polygame fonda Salt Lake City et contribua à l'essor de l'Utah.

REPÈRES

1. Délimitez les passages qui ne concernent pas le récit principal.
2. Repérez les indications temporelles : sur combien de temps s'étend l'action de ce chapitre ?

OBSERVATION

3. Suivez sur une carte la construction du rail à partir de 1862 et le parcours de Phileas Fogg, en 1872. Quels commentaires cette comparaison vous inspire-t-elle ?
4. Relevez les termes, imagés ou non, qui servent à désigner le rail (train et chemin de fer). Quelle impression le narrateur cherche-t-il à donner ?
5. Comment le narrateur met-il en valeur la « prouesse » que constitue la construction du rail ?
6. **Étude du défilé des bisons.**

Qu'est-ce qui fait apparaître le troupeau comme « *un insurmontable obstacle* » (l. 153) ? Comment sont mises en valeur à la fois la force et la passivité des animaux ?

Le paragraphe commençant par « *On voyait ces ruminants...* » (l. 163) appartient-il au récit central ? Expliquez votre réponse.

Pourquoi le terme de « *buffalos* » (l. 163) est-il impropre ?

Quel est cependant son intérêt dans le contexte ? (Aidez-vous d'une encyclopédie.)

Quel rapport de forces cet épisode fait-il apparaître entre la technologie du rail et la nature ? Cherchez d'autres éléments dans le chapitre qui confortent cette impression.

INTERPRÉTATIONS

7. Quel rôle le rail a-t-il joué dans l'histoire des États-Unis ?
8. Comment se lit l'admiration de Jules Verne pour cette réalisation ?
9. Quelle nouvelle dimension le rail américain donne-t-il au voyage de Phileas Fogg ?

DE LA LECTURE À L'ÉCRITURE

10. Faites un exposé sur la construction du rail.
11. Quels films connaissez-vous qui retracent aussi cet aspect de l'histoire des États-Unis ?

CHAPITRE XXVII

Dans lequel Passepartout suit, avec une vitesse de vingt milles à l'heure, un cours d'histoire mormone

PENDANT la nuit du 5 au 6 décembre, le train courut au sud-est sur un espace de cinquante milles environ ; puis il remonta d'autant vers le nord-est, en s'approchant du grand lac Salé.

Passepartout, vers neuf heures du matin, vint prendre l'air
5 sur les passerelles. Le temps était froid, le ciel gris, mais il ne neigeait plus. Le disque du soleil, élargi par les brumes, apparaissait comme une énorme pièce d'or, et Passepartout s'occupait à en calculer la valeur en livres sterling, quand il fut distrait de cet utile travail par l'apparition d'un personnage
10 assez étrange.

Ce personnage, qui avait pris le train à la station d'Elko, était un homme de haute taille, très brun, moustaches noires, bas noirs, chapeau de soie noir, gilet noir, pantalon noir, cravate blanche, gants de peau de chien. On eût dit un révé-
15 rend. Il allait d'une extrémité du train à l'autre, et, sur la portière de chaque wagon, il collait avec des pains à cacheter une notice écrite à la main.

Passepartout s'approcha et lut sur une de ces notices que l'honorable « elder[1] » William Hitch, missionnaire mormon,

---

1. **Elder** : aîné.

20 profitant de sa présence sur le train n° 48, ferait, de onze heures à midi, dans le car n° 117, une conférence sur le mormonisme –, invitant à l'entendre tous les gentlemen soucieux de s'instruire touchant les mystères de la religion des « Saints des derniers jours ».

25 « Certes, j'irai », se dit Passepartout, qui ne connaissait guère du mormonisme que ses usages polygames, base de la société mormone.

La nouvelle se répandit rapidement dans le train, qui emportait une centaine de voyageurs. Sur ce nombre, trente
30 au plus, alléchés par l'appât de la conférence, occupaient à onze heures les banquettes du car n° 117. Passepartout figurait au premier rang des fidèles. Ni son maître ni Fix n'avaient cru devoir se déranger.

À l'heure dite, l'elder William Hitch se leva, et d'une voix
35 assez irritée, comme s'il eût été contredit d'avance, il s'écria :

« Je vous dis, moi, que Joe Smyth est un martyr, que son frère Hyram est un martyr, et que les persécutions du gouvernement de l'Union contre les prophètes vont faire également un martyr de Brigham Young ! Qui oserait soutenir le
40 contraire ? »

Personne ne se hasarda à contredire le missionnaire, dont l'exaltation contrastait avec sa physionomie naturellement calme. Mais, sans doute, sa colère s'expliquait par ce fait que le mormonisme était actuellement soumis à de dures
45 épreuves. Et, en effet, le gouvernement des États-Unis venait, non sans peine, de réduire ces fanatiques indépendants. Il s'était rendu maître de l'Utah, et l'avait soumis aux lois de l'Union, après avoir emprisonné Brigham Young, accusé de rébellion et de polygamie. Depuis cette époque, les disciples
50 du prophète redoublaient leurs efforts, et, en attendant les actes, ils résistaient par la parole aux prétentions du Congrès.

On le voit, l'elder William Hitch faisait du prosélytisme jusqu'en chemin de fer.

Et alors il raconta, en passionnant son récit par les éclats
55 de sa voix et la violence de ses gestes, l'histoire du mormo-

nisme, depuis les temps bibliques : « comment, dans Israël, un prophète mormon de la tribu de Joseph publia les annales de la religion nouvelle, et les légua à son fils Morom ; comment, bien des siècles plus tard, une traduction de ce
60 précieux livre, écrit en caractères égyptiens, fut faite par Joseph Smyth junior, fermier de l'État de Vermont, qui se révéla comme prophète mystique en 1825 ; comment, enfin, un messager céleste lui apparut dans une forêt lumineuse et lui remit les annales du Seigneur. »

65 En ce moment, quelques auditeurs, peu intéressés par le récit rétrospectif du missionnaire, quittèrent le wagon ; mais William Hitch, continuant, raconta « comment Smyth junior, réunissant son père, ses deux frères et quelques disciples, fonda la religion des Saints des derniers jours –, religion qui,
70 adoptée non seulement en Amérique, mais en Angleterre, en Scandinavie, en Allemagne, compte parmi ses fidèles des artisans et aussi nombre de gens exerçant des professions libérales ; comment une colonie fut fondée dans l'Ohio ; comment un temple fut élevé au prix de deux cent mille dol-
75 lars et une ville bâtie à Kirkland ; comment Smyth devint un audacieux banquier et reçut d'un simple montreur de momies un papyrus contenant un récit écrit de la main d'Abraham et autres célèbres Égyptiens ».

Cette narration devenant un peu longue, les rangs des audi-
80 teurs s'éclaircirent encore, et le public ne se composa plus que d'une vingtaine de personnes.

Mais l'elder, sans s'inquiéter de cette désertion, raconta avec détail « comme quoi Joe Smyth fit banqueroute en 1837 ; comme quoi ses actionnaires ruinés l'enduisirent de
85 goudron et le roulèrent dans la plume ; comme quoi on le retrouva, plus honorable et plus honoré que jamais, quelques années après, à Independance, dans le Missouri, et chef d'une communauté florissante, qui ne comptait pas moins de trois mille disciples, et qu'alors, poursuivi par la haine des gentils,
90 il dut fuir dans le Far West américain ».

Dix auditeurs étaient encore là, et parmi eux l'honnête

Passepartout, qui écoutait de toutes ses oreilles. Ce fut ainsi
qu'il apprit « comment, après de longues persécutions, Smyth
reparut dans l'Illinois et fonda en 1839, sur les bords du
95 Mississippi, Nauvoo-la-Belle, dont la population s'éleva jusqu'à vingt-cinq mille âmes ; comment Smyth en devint le
maire, le juge suprême et le général en chef ; comment, en
1843, il posa sa candidature à la présidence des États-Unis,
et comment enfin, attiré dans un guet-apens, à Carthage, il
100 fut jeté en prison et assassiné par une bande d'hommes
masqués. »

En ce moment, Passepartout était absolument seul dans le
wagon, et l'elder, le regardant en face, le fascinant par ses
paroles, lui rappela que, deux ans après l'assassinat de Smyth,
105 son successeur, le prophète inspiré, Brigham Young, abandonnant Nauvoo, vint s'établir aux bords du lac Salé, et que
là, sur cet admirable territoire, au milieu de cette contrée fertile, sur le chemin des émigrants qui traversaient l'Utah pour
se rendre en Californie, la nouvelle colonie, grâce aux prin-
110 cipes polygames du mormonisme, prit une extension énorme.

« Et voilà, ajouta William Hitch, voilà pourquoi la jalousie
du Congrès s'est exercée contre nous ! pourquoi les soldats
de l'Union ont foulé le sol de l'Utah ! pourquoi notre chef,
le prophète Brigham Young, a été emprisonné au mépris de
115 toute justice ! Céderons-nous à la force ? Jamais ! Chassés du
Vermont, chassés de l'Illinois, chassés de l'Ohio, chassés du
Missouri, chassés de l'Utah, nous retrouverons encore
quelque territoire indépendant où nous planterons notre
tente... Et vous, mon fidèle, ajouta l'elder en fixant sur son
120 unique auditeur des regards courroucés, planterez-vous la
vôtre à l'ombre de notre drapeau ?

– Non », répondit bravement Passepartout, qui s'enfuit à
son tour, laissant l'énergumène prêcher dans le désert.

Mais pendant cette conférence, le train avait marché rapi-
125 dement, et, vers midi et demi, il touchait à sa pointe nord-
ouest le grand lac Salé. De là, on pouvait embrasser, sur un
vaste périmètre, l'aspect de cette mer intérieure, qui porte

aussi le nom de mer Morte et dans laquelle se jette un Jourdain d'Amérique. Lac admirable, encadré de belles roches
130 sauvages, à larges assises, encroûtées de sel blanc, superbe nappe d'eau qui couvrait autrefois un espace plus considérable ; mais avec le temps, ses bords, montant peu à peu, ont réduit sa superficie en accroissant sa profondeur.

Le lac Salé, long de soixante-dix milles environ, large de
135 trente-cinq, est situé à trois mille huit cents pieds au-dessus du niveau de la mer. Bien différent du lac Asphaltite, dont la dépression accuse douze cents pieds au-dessous, sa salure est considérable, et ses eaux tiennent en dissolution le quart de leur poids de matière solide. Leur pesanteur spécifique est de
140 1 170, celle de l'eau distillée étant 1 000. Aussi les poissons n'y peuvent vivre. Ceux qu'y jettent le Jourdain, le Weber et autres creeks, y périssent bientôt ; mais il n'est pas vrai que la densité de ses eaux soit telle qu'un homme n'y puisse plonger.

145 Autour du lac, la campagne était admirablement cultivée, car les Mormons s'entendent aux travaux de la terre : des ranchos et des corrals pour les animaux domestiques, des champs de blé, de maïs, de sorgho[1], des prairies luxuriantes, partout des haies de rosiers sauvages, des bouquets d'acacias
150 et d'euphorbes[2], tel eût été l'aspect de cette contrée, six mois plus tard ; mais en ce moment le sol disparaissait sous une mince couche de neige, qui le poudrait légèrement.

À deux heures, les voyageurs descendaient à la station d'Ogden. Le train ne devant repartir qu'à six heures,
155 Mr. Fogg, Mrs. Aouda et leurs deux compagnons avaient donc le temps de se rendre à la Cité des Saints par le petit embranchement qui se détache de la station d'Ogden. Deux heures suffisaient à visiter cette ville absolument américaine et, comme telle, bâtie sur le patron de toutes les villes de
160 l'Union, vastes échiquiers à longues lignes froides, avec « la

1. **Sorgho** : graminée alimentaire, appelée aussi gros mil.
2. **Euphorbes** : plantes à latex blanc.

tristesse lugubre des angles droits », suivant l'expression de Victor Hugo. Le fondateur de la Cité des Saints ne pouvait échapper à ce besoin de symétrie qui distingue les Anglo-Saxons. Dans ce singulier pays, où les hommes ne sont cer-
165 tainement pas à la hauteur des institutions, tout se fait « carrément », les villes, les maisons et les sottises.

À trois heures, les voyageurs se promenaient donc par les rues de la cité, bâtie entre la rive du Jourdain et les premières ondulations des monts Wahsatch. Ils y remarquèrent peu ou
170 point d'églises, mais, comme monuments, la maison du prophète, la Court-house et l'arsenal ; puis, des maisons de brique bleuâtre avec vérandas et galeries, entourées de jardins, bordées d'acacias, de palmiers et de caroubiers[1]. Un mur d'argile et de cailloux, construit en 1853, ceignait la ville.
175 Dans la principale rue, où se tient le marché, s'élevaient quelques hôtels ornés de pavillons, et entre autres Lake-Salt-house.

Mr. Fogg et ses compagnons ne trouvèrent pas la cité fort peuplée. Les rues étaient presque désertes – sauf toutefois la
180 partie du Temple, qu'ils n'atteignirent qu'après avoir traversé plusieurs quartiers entourés de palissades. Les femmes étaient assez nombreuses, ce qui s'explique par la composition singulière des ménages mormons. Il ne faut pas croire, cependant, que tous les Mormons soient polygames. On est libre,
185 mais il est bon de remarquer que ce sont les citoyennes de l'Utah qui tiennent surtout à être épousées, car, suivant la religion du pays, le ciel mormon n'admet point à la possession de ses béatitudes les célibataires du sexe féminin. Ces pauvres créatures ne paraissaient ni aisées ni heureuses.
190 Quelques-unes, les plus riches sans doute, portaient une jaquette de soie noire ouverte à la taille, sous une capuche ou un châle fort modeste. Les autres n'étaient vêtues que d'indienne.

---

1. **Caroubiers** : grands arbres méditerranéens à feuilles persistantes.

Passepartout, lui, en sa qualité de garçon convaincu, ne
195 regardait pas sans un certain effroi ces Mormones chargées
de faire à plusieurs le bonheur d'un seul Mormon. Dans son
bon sens, c'était le mari qu'il plaignait surtout. Cela lui
paraissait terrible d'avoir à guider tant de dames à la fois au
travers des vicissitudes de la vie, à les conduire ainsi en troupe
200 jusqu'au paradis mormon, avec cette perspective de les y
retrouver pour l'éternité en compagnie du glorieux Smyth,
qui devait faire l'ornement de ce lieu de délices. Décidément,
il ne se sentait pas la vocation, et il trouvait – peut-être
s'abusait-il en ceci – que les citoyennes de Great-Lake-City
205 jetaient sur sa personne des regards un peu inquiétants.

Très heureusement, son séjour dans la Cité des Saints ne
devait pas se prolonger. À quatre heures moins quelques
minutes, les voyageurs se retrouvaient à la gare et reprenaient
leur place dans leurs wagons.

210 Le coup de sifflet se fit entendre ; mais au moment où les
roues motrices de la locomotive, patinant sur les rails,
commençaient à imprimer au train quelque vitesse, ces cris :
« Arrêtez ! arrêtez ! » retentirent.

On n'arrête pas un train en marche. Le gentleman qui pro-
215 férait ces cris était évidemment un Mormon attardé. Il courait
à perdre haleine. Heureusement pour lui, la gare n'avait ni
portes ni barrières. Il s'élança donc sur la voie, sauta sur le
marchepied de la dernière voiture, et tomba essoufflé sur une
des banquettes du wagon.

220 Passepartout, qui avait suivi avec émotion les incidents de
cette gymnastique, vint contempler ce retardataire, auquel il
s'intéressa vivement, quand il apprit que ce citoyen de l'Utah
n'avait ainsi pris la fuite qu'à la suite d'une scène de ménage.

Lorsque le Mormon eut repris haleine, Passepartout se
225 hasarda à lui demander poliment combien il avait de femmes,
à lui tout seul – et à la façon dont il venait de décamper, il
lui en supposait une vingtaine au moins.

« Une, monsieur ! répondit le Mormon en levant les bras
au ciel, une, et c'était assez ! »

CHAPITRE XXVIII

Dans lequel Passepartout ne put parvenir
à faire entendre le langage de la raison

LE TRAIN, en quittant Great-Salt-Lake et la station d'Ogden,
s'éleva pendant une heure vers le nord, jusqu'à Weber-river,
ayant franchi neuf cents milles environ depuis San Francisco.
À partir de ce point, il reprit la direction de l'est à travers le
5 massif accidenté des monts Wahsatch. C'est dans cette partie
du territoire, comprise entre ces montagnes et les montagnes
Rocheuses proprement dites, que les ingénieurs américains
ont été aux prises avec les plus sérieuses difficultés. Aussi,
dans ce parcours, la subvention du gouvernement de l'Union
10 s'est-elle élevée à quarante-huit mille dollars par mille, tandis
qu'elle n'était que de seize mille dollars en plaine ; mais les
ingénieurs, ainsi qu'il a été dit, n'ont pas violenté la nature,
ils ont rusé avec elle, tournant les difficultés, et pour atteindre
le grand bassin, un seul tunnel, long de quatorze mille pieds,
15 a été percé dans tout le parcours du rail-road.

C'était au lac Salé même que le tracé avait atteint jusqu'alors sa plus haute cote d'altitude. Depuis ce point, son
profil décrivait une courbe très allongée, s'abaissant vers la
vallée du Bitter-creek, pour remonter jusqu'au point de par-
20 tage des eaux entre l'Atlantique et le Pacifique. Les rios
étaient nombreux dans cette montagneuse région. Il fallut
franchir sur des ponceaux le Muddy, le Green et autres. Passepartout était devenu plus impatient à mesure qu'il s'appro-

chait du but. Mais Fix, à son tour, aurait voulu être déjà
25 sorti de cette difficile contrée. Il craignait les retards, il redoutait les accidents, et était plus pressé que Phileas Fogg lui-
même de mettre le pied sur la terre anglaise !

À dix heures du soir, le train s'arrêtait à la station de Fort-
Bridger, qu'il quitta presque aussitôt, et, vingt milles plus
30 loin, il entrait dans l'État de Wyoming – l'ancien Dakota –,
en suivant toute la vallée du Bitter-creek, d'où s'écoulent une
partie des eaux qui forment le système hydrographique du
Colorado.

Le lendemain, 7 décembre, il y eut un quart d'heure d'arrêt
35 à la station de Green-river. La neige avait tombé pendant la
nuit assez abondamment, mais, mêlée à de la pluie, à demi
fondue, elle ne pouvait gêner la marche du train. Toutefois,
ce mauvais temps ne laissa pas d'inquiéter Passepartout, car
l'accumulation des neiges, en embourbant les roues des
40 wagons, eût certainement compromis le voyage.

« Aussi, quelle idée, se disait-il, mon maître a-t-il eue de
voyager pendant l'hiver ! Ne pouvait-il attendre la belle saison pour augmenter ses chances ? »

Mais, en ce moment, où l'honnête garçon ne se préoccupait
45 que de l'état du ciel et de l'abaissement de la température,
Mrs. Aouda éprouvait des craintes plus vives, qui prove-
naient d'une tout autre cause.

En effet, quelques voyageurs étaient descendus de leur
wagon, et se promenaient sur le quai de la gare de Green-
50 river, en attendant le départ du train. Or, à travers la vitre,
la jeune femme reconnut parmi eux le colonel Stamp
W. Proctor, cet Américain qui s'était si grossièrement
comporté à l'égard de Phileas Fogg pendant le meeting de
San Francisco. Mrs. Aouda, ne voulant pas être vue, se rejeta
55 en arrière.

Cette circonstance impressionna vivement la jeune femme.
Elle s'était attachée à l'homme qui, si froidement que ce fût,
lui donnait chaque jour les marques du plus absolu dévouement. Elle ne comprenait pas, sans doute, toute la profondeur

60 du sentiment que lui inspirait son sauveur, et à ce sentiment elle ne donnait encore que le nom de reconnaissance, mais, à son insu, il y avait plus que cela. Aussi son cœur se serra-t-il, quand elle reconnut le grossier personnage auquel Mr. Fogg voulait tôt ou tard demander raison de sa conduite.
65 Évidemment, c'était le hasard seul qui avait amené dans ce train le colonel Proctor, mais enfin il y était, et il fallait empêcher à tout prix que Phileas Fogg aperçût son adversaire.

Mrs. Aouda, lorsque le train se fut remis en route, profita d'un moment où sommeillait Mr. Fogg pour mettre Fix et
70 Passepartout au courant de la situation.

« Ce Proctor est dans le train ! s'écria Fix. Eh bien, rassurez-vous, madame, avant d'avoir affaire au sieur... à Mr. Fogg, il aura affaire à moi ! Il me semble que, dans tout ceci, c'est encore moi qui ai reçu les plus graves insultes !
75 — Et, de plus, ajouta Passepartout, je me charge de lui, tout colonel qu'il est.

— Monsieur Fix, reprit Mrs. Aouda, Mr. Fogg ne laissera à personne le soin de le venger. Il est homme, il l'a dit, à revenir en Amérique pour retrouver cet instituteur. Si donc il
80 aperçoit le colonel Proctor, nous ne pourrons empêcher une rencontre, qui peut amener de déplorables résultats. Il faut donc qu'il ne le voie pas.

— Vous avez raison, madame, répondit Fix, une rencontre pourrait tout perdre. Vainqueur ou vaincu, Mr. Fogg serait
85 retardé, et...

— Et, ajouta Passepartout, cela ferait le jeu des gentlemen du Reform-Club. Dans quatre jours nous serons à New York ! Eh bien, si pendant quatre jours mon maître ne quitte pas son wagon, on peut espérer que le hasard ne le mettra
90 pas face à face avec ce maudit Américain, que Dieu confonde ! Or, nous saurons bien l'empêcher... »

La conversation fut suspendue. Mr. Fogg s'était réveillé, et regardait la campagne à travers la vitre tachetée de neige. Mais, plus tard, et sans être entendu de son maître ni de
95 Mrs. Aouda, Passepartout dit à l'inspecteur de police :

« Est-ce que vraiment vous vous battriez pour lui ?

– Je ferai tout pour le ramener vivant en Europe ! » répondit simplement Fix, d'un ton qui marquait une implacable volonté.

100 Passepartout sentit comme un frisson lui courir par le corps, mais ses convictions à l'endroit de son maître ne faiblirent pas.

Et maintenant, y avait-il un moyen quelconque de retenir Mr. Fogg dans ce compartiment pour prévenir toute rencontre entre le colonel et lui ? Cela ne pouvait être difficile, le gentleman étant d'un naturel peu remuant et peu curieux. En tout cas, l'inspecteur de police crut avoir trouvé ce moyen, car, quelques instants plus tard, il disait à Phileas Fogg :

« Ce sont de longues et lentes heures, monsieur, que celles que l'on passe ainsi en chemin de fer.

– En effet, répondit le gentleman, mais elles passent.

– À bord des paquebots, reprit l'inspecteur, vous aviez l'habitude de faire votre whist ?

– Oui, répondit Phileas Fogg, mais ici ce serait difficile. Je n'ai ni cartes ni partenaires.

– Oh ! les cartes, nous trouverons bien à les acheter. On vend de tout dans les wagons américains. Quant aux partenaires, si, par hasard, madame...

– Certainement, monsieur, répondit vivement la jeune femme, je connais le whist. Cela fait partie de l'éducation anglaise.

– Et moi, reprit Fix, j'ai quelques prétentions à bien jouer ce jeu. Or, à nous trois et un mort...

– Comme il vous plaira, monsieur », répondit Phileas Fogg, enchanté de reprendre son jeu favori – même en chemin de fer.

Passepartout fut dépêché à la recherche du steward, et il revint bientôt avec deux jeux complets, des fiches, des jetons et une tablette recouverte de drap. Rien ne manquait. Le jeu commença. Mrs. Aouda savait très suffisamment le whist, et elle reçut même quelques compliments du sévère Phileas

Fogg. Quant à l'inspecteur, il était tout simplement de première force, et digne de tenir tête au gentleman.

« Maintenant, se dit Passepartout à lui-même, nous le
135 tenons. Il ne bougera plus ! »

À onze heures du matin, le train avait atteint le point de partage des eaux des océans. C'était à Passe-Bridger, à une hauteur de sept mille cinq cent vingt-quatre pieds anglais au-dessus du niveau de la mer, un des plus hauts points touchés
140 par le profil du tracé dans ce passage à travers les montagnes Rocheuses. Après deux cents milles environ, les voyageurs se trouveraient enfin sur ces longues plaines qui s'étendent jusqu'à l'Atlantique, et que la nature rendait si propices à l'établissement d'une voie ferrée.

145 Sur le versant du bassin atlantique se développaient déjà les premiers rios, affluents ou sous-affluents de North-Platte-river. Tout l'horizon du nord et de l'est était couvert par cette immense courtine semi-circulaire, qui forme la portion septentrionale des Rocky-Mountains, dominée par le pic de
150 Laramie. Entre cette courbure et la ligne de fer s'étendaient de vastes plaines, largement arrosées. Sur la droite du rail-road s'étageaient les premières rampes du massif montagneux qui s'arrondit au sud jusqu'aux sources de la rivière de l'Arkansas, l'un des grands tributaires du Missouri.

155 À midi et demi, les voyageurs entrevoyaient un instant le fort Halleck, qui commande cette contrée. Encore quelques heures, et la traversée des montagnes Rocheuses serait accomplie. On pouvait donc espérer qu'aucun accident ne signalerait le passage du train à travers cette difficile région. La neige
160 avait cessé de tomber. Le temps se mettait au froid sec. De grands oiseaux, effrayés par la locomotive, s'enfuyaient au loin. Aucun fauve, ours ou loup, ne se montrait sur la plaine. C'était le désert dans son immense nudité.

Après un déjeuner assez confortable, servi dans le wagon
165 même, Mr. Fogg et ses partenaires venaient de reprendre leur interminable whist, quand de violents coups de sifflet se firent entendre. Le train s'arrêta.

Passepartout mit la tête à la portière et ne vit rien qui motivât cet arrêt. Aucune station n'était en vue.

170 Mrs. Aouda et Fix purent craindre un instant que Mr. Fogg ne songeât à descendre sur la voie. Mais le gentleman se contenta de dire à son domestique :

« Voyez donc ce que c'est. »

Passepartout s'élança hors du wagon. Une quarantaine de 175 voyageurs avaient déjà quitté leurs places, et parmi eux le colonel Stamp W. Proctor.

Le train était arrêté devant un signal tourné au rouge qui fermait la voie. Le mécanicien et le conducteur, étant descendus, discutaient assez vivement avec un garde-voie, que le 180 chef de gare de Medicine-Bow, la station prochaine, avait envoyé au-devant du train. Des voyageurs s'étaient approchés et prenaient part à la discussion – entre autres le susdit colonel Proctor, avec son verbe haut et ses gestes impérieux.

Passepartout, ayant rejoint le groupe, entendit le garde-185 voie qui disait :

« Non ! il n'y a pas moyen de passer ! Le pont de Medicine-Bow est ébranlé et ne supporterait pas le poids du train. »

Ce pont, dont il était question, était un pont suspendu, jeté 190 sur un rapide, à un mille de l'endroit où le convoi s'était arrêté. Au dire du garde-voie, il menaçait ruine, plusieurs des fils étaient rompus, et il était impossible d'en risquer le passage. Le garde-voie n'exagérait donc en aucune façon en affirmant qu'on ne pouvait passer. Et d'ailleurs, avec les habi-195 tudes d'insouciance des Américains, on peut dire que, quand ils se mettent à être prudents, il y aurait folie à ne pas l'être.

Passepartout, n'osant aller prévenir son maître, écoutait, les dents serrées, immobile comme une statue.

« Ah ! çà ! s'écria le colonel Proctor, nous n'allons pas, 200 j'imagine, rester ici à prendre racine dans la neige !

– Colonel, répondit le conducteur, on a télégraphié à la station d'Omaha pour demander un train, mais il n'est pas probable qu'il arrive à Medicine-Bow avant six heures.

– Six heures ! s'écria Passepartout.

205 – Sans doute, répondit le conducteur. D'ailleurs, ce temps nous sera nécessaire pour gagner à pied la station.

– À pied ! s'écrièrent tous les voyageurs.

– Mais à quelle distance est donc cette station ? demanda l'un d'eux au conducteur.

210 – À douze milles, de l'autre côté de la rivière.

– Douze milles dans la neige ! » s'écria Stamp W. Proctor.

Le colonel lança une bordée de jurons, s'en prenant à la compagnie, s'en prenant au conducteur, et Passepartout, furieux, n'était pas loin de faire chorus avec lui. Il y avait là

215 un obstacle matériel contre lequel échoueraient, cette fois, toutes les bank-notes de son maître.

Au surplus, le désappointement était général parmi les voyageurs qui, sans compter le retard, se voyaient obligés à faire une quinzaine de milles à travers la plaine couverte de

220 neige. Aussi était-ce un brouhaha, des exclamations, des vociférations, qui auraient certainement attiré l'attention de Phileas Fogg, si ce gentleman n'eût été absorbé par son jeu.

Cependant Passepartout se trouvait dans la nécessité de le prévenir, et, la tête basse, il se dirigeait vers le wagon, quand

225 le mécanicien du train – un vrai Yankee, nommé Forster –, élevant la voix, dit :

« Messieurs, il y aurait peut-être moyen de passer.

– Sur le pont ? répondit un voyageur.

– Sur le pont.

230 – Avec notre train ? demanda le colonel.

– Avec notre train. »

Passepartout s'était arrêté, et dévorait les paroles du mécanicien.

« Mais le pont menace ruine ! reprit le conducteur.

235 – N'importe, répondit Forster. Je crois qu'en lançant le train avec son maximum de vitesse, on aurait quelques chances de passer.

– Diable ! » fit Passepartout.

Mais un certain nombre de voyageurs avaient été immé-

240 diatement séduits par la proposition. Elle plaisait particulièrement au colonel Proctor. Ce cerveau brûlé trouvait la chose
très faisable. Il rappela même que des ingénieurs avaient eu
l'idée de passer des rivières « sans pont » avec des trains
rigides lancés à toute vitesse, etc. Et, en fin de compte, tous
245 les intéressés dans la question se rangèrent à l'avis du
mécanicien.

« Nous avons cinquante chances pour passer, disait l'un.

— Soixante, disait l'autre.

— Quatre-vingts !... quatre-vingt-dix sur cent ! »

250 Passepartout était ahuri, quoiqu'il fût prêt à tout tenter
pour opérer le passage du Medicine-creek, mais la tentative
lui semblait un peu trop « américaine ».

« D'ailleurs, pensa-t-il, il y a une chose bien plus simple à
faire, et ces gens-là n'y songent même pas !... »

255 « Monsieur, dit-il à un des voyageurs, le moyen proposé
par le mécanicien me paraît un peu hasardé, mais...

— Quatre-vingts chances ! répondit le voyageur, qui lui
tourna le dos.

— Je sais bien, répondit Passepartout en s'adressant à un
260 autre gentleman, mais une simple réflexion...

— Pas de réflexion, c'est inutile ! répondit l'Américain
interpellé en haussant les épaules, puisque le mécanicien
assure qu'on passera !

— Sans doute, reprit Passepartout, on passera, mais il serait
265 peut-être plus prudent...

— Quoi ! prudent ! s'écria le colonel Proctor, que ce mot,
entendu par hasard, fit bondir. À grande vitesse, on vous dit !
Comprenez-vous ? À grande vitesse !

— Je sais... je comprends..., répétait Passepartout, auquel
270 personne ne laissait achever sa phrase, mais il serait, sinon
plus prudent, puisque le mot vous choque, du moins plus
naturel...

— Qui ? que ? quoi ? Qu'a-t-il donc celui-là avec son naturel ?... » s'écria-t-on de toutes parts.

275 Le pauvre garçon ne savait plus de qui se faire entendre.

« Est-ce que vous avez peur ? lui demanda le colonel Proctor.

– Moi, peur ! s'écria Passepartout. Eh bien, soit ! Je montrerai à ces gens-là qu'un Français peut être aussi Américain
280 qu'eux !

– En voiture ! en voiture ! criait le conducteur.

– Oui ! en voiture, répétait Passepartout, en voiture ! Et tout de suite ! Mais on ne m'empêchera pas de penser qu'il eût été plus naturel de nous faire d'abord passer à pied sur
285 ce pont, nous autres voyageurs, puis le train ensuite !... »

Mais personne n'entendit cette sage réflexion, et personne n'eût voulu en reconnaître la justesse.

Les voyageurs étaient réintégrés dans leur wagon. Passepartout reprit sa place, sans rien dire de ce qui s'était passé.
290 Les joueurs étaient tout entiers à leur whist.

Le locomotive siffla vigoureusement. Le mécanicien, renversant la vapeur, ramena son train en arrière pendant près d'un mille – reculant comme un sauteur qui veut prendre son élan.

295 Puis, à un second coup de sifflet, la marche en avant recommença : elle s'accéléra ; bientôt la vitesse devint effroyable ; on n'entendait plus qu'un seul bannissement sortant de la locomotive ; les pistons battaient vingt coups à la seconde ; les essieux des roues fumaient dans les boîtes à
300 graisse. On sentait, pour ainsi dire, que le train tout entier, marchant avec une rapidité de cent milles à l'heure, ne pesait plus sur les rails. La vitesse mangeait la pesanteur.

Et l'on passa ! Et ce fut comme un éclair. On ne vit rien du pont. Le convoi sauta, on peut le dire, d'une rive à l'autre,
305 et le mécanicien ne parvint à arrêter sa machine emportée qu'à cinq milles au-delà de la station.

Mais à peine le train avait-il franchi la rivière, que le pont, définitivement ruiné, s'abîmait avec fracas dans le rapide de Medicine-Bow.

REPÈRES

1. Décomposez le passage en ses étapes narratives.
2. Combien de personnages met-il en scène ?

OBSERVATION

3. Comment le narrateur fait-il pressentir, dans la première partie du passage, le contretemps à venir ?
4. Qu'est-ce qui rend l'arrêt du train doublement inquiétant aux yeux de Passepartout ?
5. À votre avis, où se situe le point culminant de l'épisode ? Justifiez votre réponse.
6. Analysez les procédés utilisés par le narrateur pour présenter les tentatives infructueuses de Passepartout.
7. Comment l'épisode final est-il dramatisé ?
8. Commentez l'expression : « *La vitesse mangeait la pesanteur* » (l. 302).
9. La réaction de Passepartout n'est-elle pas étonnante, par rapport à ce qu'on connaît de son caractère ? Quel rôle joue-t-il ici ?

INTERPRÉTATIONS

10. En quoi cet épisode complète-t-il l'image des Américains donnée dans les précédents chapitres ?
11. Selon Passepartout, il s'agit là d'« *un obstacle matériel* » (l. 215). Est-ce le premier de ce type ?
12. L'épisode vous paraît-il vraisemblable ?

DE LA LECTURE À L'ÉCRITURE

13. Passepartout, le mort du whist, a le temps d'écrire une lettre à ses parents en France : que leur raconte-t-il de ce voyage ?
14. Cet épisode pourrait être raconté sur un mode « fantastique » : montrez-le !
15. Imaginez un autre dénouement à ce chapitre.

CHAPITRE XXIX

Où il sera fait le récit d'incidents divers qui ne se rencontrent que sur les rail-roads de l'Union

LE SOIR MÊME, le train poursuivait sa route sans obstacles, dépassait le fort Sauders, franchissait la passe de Cheyenne et arrivait à la passe d'Evans. En cet endroit, le rail-road atteignait le plus haut point du parcours, soit huit mille
5 quatre-vingt-onze pieds au-dessus du niveau de l'océan. Les voyageurs n'avaient plus qu'à descendre jusqu'à l'Atlantique sur ces plaines sans limites, nivelées par la nature.

Là se trouvait sur le « grand trunk » l'embranchement de Denver-city, la principale ville du Colorado. Ce territoire est
10 riche en mines d'or et d'argent, et plus de cinquante mille habitants y ont déjà fixé leur demeure.

À ce moment, treize cent quatre-vingt-deux milles avaient été faits depuis San Francisco, en trois jours et trois nuits. Quatre nuits et quatre jours, selon toute prévision, devaient
15 suffire pour atteindre New York. Phileas Fogg se maintenait donc dans les délais réglementaires.

Pendant la nuit, on laissa sur la gauche le camp Walbah. Le Lodge-pole-creek courait parallèlement à la voie, en suivant la frontière rectiligne commune aux États du Wyoming
20 et du Colorado. À onze heures, on entrait dans le Nebraska, on passait près du Sedgwick, et l'on touchait à Julesburgh, placé sur la branche sud de Platte-river.

C'est à ce point que se fit l'inauguration de l'Union Pacific

Road, le 23 octobre 1867, et dont l'ingénieur en chef fut le
25 général J. M. Dodge. Là s'arrêtèrent les deux puissantes locomotives, remorquant les neuf wagons des invités, au nombre
desquels figurait le vice-président, Mr. Thomas C. Durant ;
là, les Sioux et les Pawnies donnèrent le spectacle d'une petite
guerre indienne ; là, les feux d'artifice éclatèrent ; là, enfin, se
30 publia, au moyen d'une imprimerie portative, le premier
numéro du journal *Railway Pioneer*. Ainsi fut célébrée l'inauguration de ce grand chemin de fer, instrument de progrès et
de civilisation, jeté à travers le désert et destiné à relier entre
elles des villes et des cités qui n'existaient pas encore. Le sifflet
35 de la locomotive, plus puissant que la lyre d'Amphion, allait
bientôt les faire surgir du sol américain.

À huit heures du matin, le fort Mac-Pherson était laissé en
arrière. Trois cent cinquante-sept milles séparent ce point
d'Omaha. La voie ferrée suivait, sur sa rive gauche, les capri-
40 cieuses sinuosités de la branche sud de Platte-river. À neuf
heures, on arrivait à l'importante ville de North-Platte, bâtie
entre ces deux bras du grand cours d'eau, qui se rejoignent
autour d'elle pour ne plus former qu'une seule artère –,
affluent considérable dont les eaux se confondent avec celles
45 du Missouri, un peu au-dessus d'Omaha.

Le cent-unième méridien était franchi.

Mr. Fogg et ses partenaires avaient repris leur jeu. Aucun
d'eux ne se plaignait de la longueur de la route – pas même
le mort. Fix avait commencé par gagner quelques guinées,
50 qu'il était en train de reperdre, mais il ne se montrait pas
moins passionné que Mr. Fogg. Pendant cette matinée, la
chance favorisa singulièrement ce gentleman. Les atouts et les
honneurs pleuvaient dans ses mains. À un certain moment,
après avoir combiné un coup audacieux, il se préparait à
55 jouer pique, quand, derrière la banquette, une voix se fit
entendre, qui disait :

« Moi, je jouerais carreau... »

Mr. Fogg, Mrs. Aouda, Fix levèrent la tête. Le colonel
Proctor était près d'eux.

60   Stamp W. Proctor et Phileas Fogg se reconnurent aussitôt.

« Ah ! c'est vous, monsieur l'Anglais, s'écria le colonel, c'est vous qui voulez jouer pique !

– Et qui le joue, répondit froidement Phileas Fogg, en abattant un dix de cette couleur.

65   – Eh bien, il me plaît que ce soit carreau », répliqua le colonel Proctor d'une voix irritée.

Et il fit un geste pour saisir la carte jouée, en ajoutant :

« Vous n'entendez rien à ce jeu.

– Peut-être serai-je plus habile à un autre, dit Phileas Fogg, 70 qui se leva.

– Il ne tient qu'à vous d'en essayer, fils de John Bull[1] ! » répliqua le grossier personnage.

Mrs. Aouda était devenue pâle. Tout son sang lui refluait au cœur. Elle avait saisi le bras de Phileas Fogg, qui la 75 repoussa doucement. Passepartout était prêt à se jeter sur l'Américain, qui regardait son adversaire de l'air le plus insultant. Mais Fix s'était levé, et, allant au colonel Proctor, il lui dit :

« Vous oubliez que c'est moi à qui vous avez affaire, mon-80 sieur, moi que vous avez, non seulement injurié, mais frappé !

– Monsieur Fix, dit Mr. Fogg, je vous demande pardon, mais ceci me regarde seul. En prétendant que j'avais tort de jouer pique, le colonel m'a fait une nouvelle injure, et il m'en rendra raison.

85   – Quand vous voudrez, et où vous voudrez, répondit l'Américain, et à l'arme qu'il vous plaira ! »

Mrs. Aouda essaya vainement de retenir Mr. Fogg. L'inspecteur tenta inutilement de reprendre la querelle à son compte. Passepartout voulait jeter le colonel par la portière, 90 mais un signe de son maître l'arrêta. Phileas Fogg quitta le wagon, et l'Américain le suivit sur la passerelle.

« Monsieur, dit Mr. Fogg à son adversaire, je suis fort

---

1. **John Bull** : sobriquet donné au peuple anglais, signifiant littéralement « Jean Taureau », pour souligner un caractère franc, bourru et querelleur.

pressé de retourner en Europe, et un retard quelconque préjudicierait beaucoup à mes intérêts.

95 — Eh bien ! qu'est-ce que cela me fait ? répondit le colonel Proctor.

— Monsieur, reprit très poliment Mr. Fogg, après notre rencontre à San Francisco, j'avais formé le projet de venir vous retrouver en Amérique, dès que j'aurais terminé les 100 affaires qui m'appellent sur l'ancien continent.

— Vraiment !

— Voulez-vous me donner rendez-vous dans six mois ?

— Pourquoi pas dans six ans ?

— Je dis six mois, répondit Mr. Fogg, et je serai exact au 105 rendez-vous.

— Des défaites, tout cela ! s'écria Stamp W. Proctor. Tout de suite ou pas.

— Soit, répondit Mr. Fogg. Vous allez à New York ?

— Non.

110 — À Chicago ?

— Non.

— À Omaha ?

— Peu vous importe ! Connaissez-vous Plum-Creek ?

— Non, répondit Mr. Fogg.

115 — C'est la station prochaine. Le train y sera dans une heure. Il y stationnera dix minutes. En dix minutes, on peut échanger quelques coups de revolver.

— Soit, répondit Mr. Fogg. Je m'arrêterai à Plum-Creek.

— Et je crois même que vous y resterez ! ajouta l'Américain 120 avec une insolence sans pareille.

— Qui sait, monsieur ? » répondit Mr. Fogg, et il rentra dans son wagon, aussi froid que d'habitude.

Là, le gentleman commença par rassurer Mrs. Aouda, lui disant que les fanfarons n'étaient jamais à craindre. Puis il 125 pria Fix de lui servir de témoin dans la rencontre qui allait avoir lieu. Fix ne pouvait refuser, et Phileas Fogg reprit tranquillement son jeu interrompu, en jouant pique avec un calme parfait.

À onze heures, le sifflet de la locomotive annonça l'ap-
130 proche de la station de Plum-Creek. Mr. Fogg se leva, et,
suivi de Fix, il se rendit sur la passerelle. Passepartout l'accompagnait, portant une paire de revolvers. Mrs. Aouda était
restée dans le wagon, pâle comme une morte.

En ce moment, la porte de l'autre wagon s'ouvrit, et le
135 colonel Proctor apparut également sur la passerelle, suivi de
son témoin, un Yankee de sa trempe. Mais à l'instant où les
deux adversaires allaient descendre sur la voie, le conducteur
accourut et leur cria :

« On ne descend pas, messieurs.

140 — Et pourquoi ? demanda le colonel.

— Nous avons vingt minutes de retard, et le train ne s'arrête pas.

— Mais je dois me battre avec monsieur.

— Je le regrette, répondit l'employé, mais nous repartons
145 immédiatement. Voici la cloche qui sonne ! »

La cloche sonnait, en effet, et le train se remit en route.

« Je suis vraiment désolé, messieurs, dit alors le conducteur. En toute autre circonstance, j'aurais pu vous obliger.
Mais, après tout, puisque vous n'avez pas eu le temps de vous
150 battre ici, qui vous empêche de vous battre en route ?

— Cela ne conviendra peut-être pas à monsieur ! dit le colonel Proctor d'un air goguenard.

— Cela me convient parfaitement », répondit Phileas Fogg.

« Allons, décidément, nous sommes en Amérique ! pensa
155 Passepartout, et le conducteur de train est un gentleman du
meilleur monde ! »

Et ce disant il suivit son maître.

Les deux adversaires, leurs témoins, précédés du conducteur, se rendirent, en passant d'un wagon à l'autre, à l'arrière
160 du train. Le dernier wagon n'était occupé que par une dizaine
de voyageurs. Le conducteur leur demanda s'ils voulaient
bien, pour quelques instants, laisser la place libre à deux gentlemen qui avaient une affaire d'honneur à vider.

Comment donc ! Mais les voyageurs étaient trop heureux

165 de pouvoir être agréables aux deux gentlemen, et ils se retirèrent sur les passerelles.

Ce wagon, long d'une cinquantaine de pieds, se prêtait très convenablement à la circonstance. Les deux adversaires pouvaient marcher l'un sur l'autre entre les banquettes et s'arquebuser à leur aise. Jamais duel ne fut plus facile à régler. Mr. Fogg et le colonel Proctor, munis chacun de deux revolvers à six coups, entrèrent dans le wagon. Leurs témoins, restés en dehors, les y enfermèrent. Au premier coup de sifflet de la locomotive, ils devaient commencer le feu... Puis, après un laps de deux minutes, on retirerait du wagon ce qui resterait des deux gentlemen.

Rien de plus simple en vérité. C'était même si simple, que Fix et Passepartout sentaient leur cœur battre à se briser.

On attendait donc le coup de sifflet convenu, quand soudain des cris sauvages retentirent. Des détonations les accompagnèrent, mais elles ne venaient point du wagon réservé aux duellistes. Ces détonations se prolongeaient, au contraire, jusqu'à l'avant et sur toute la ligne du train. Des cris de frayeur se faisaient entendre à l'intérieur du convoi.

Le colonel Proctor et Mr. Fogg, revolver au poing, sortirent aussitôt du wagon et se précipitèrent vers l'avant, où retentissaient plus bruyamment les détonations et les cris.

Ils avaient compris que le train était attaqué par une bande de Sioux.

Ces hardis Indiens n'en étaient pas à leur coup d'essai, et plus d'une fois déjà ils avaient arrêté les convois. Suivant leur habitude, sans attendre l'arrêt du train, s'élançant sur les marchepieds au nombre d'une centaine, ils avaient escaladé les wagons comme fait un clown d'un cheval au galop.

Ces Sioux étaient munis de fusils. De là les détonations auxquelles les voyageurs, presque tous armés, ripostaient par les coups de revolver. Tout d'abord, les Indiens s'étaient précipités sur la machine. Le mécanicien et le chauffeur avaient été à demi assommés à coups de casse-tête. Un chef sioux, voulant arrêter le train, mais ne sachant pas manœuvrer la manette du régulateur, avait largement ouvert l'introduction de la vapeur, au lieu de la fermer, et la locomotive, emportée, courait avec une vitesse effroyable.

En même temps, les Sioux avaient envahi les wagons, ils
205 couraient comme des singes en fureur sur les impériales[1], ils enfonçaient les portières et luttaient corps à corps avec les voyageurs. Hors du wagon de bagages, forcé et pillé, les colis étaient précipités sur la voie. Cris et coups de feu ne discontinuaient pas.

210 Cependant les voyageurs se défendaient avec courage. Certains wagons, barricadés, soutenaient un siège, comme de véritables forts ambulants, emportés avec une rapidité de cent milles à l'heure.

Dès le début de l'attaque, Mrs. Aouda s'était courageuse-
215 ment comportée. Le revolver à la main, elle se défendait héroïquement, tirant à travers les vitres brisées, lorsque quelque sauvage se présentait à elle. Une vingtaine de Sioux, frappés à mort, étaient tombés sur la voie, et les roues des wagons écrasaient comme des vers ceux d'entre eux qui glis-
220 saient sur les rails du haut des passerelles.

Plusieurs voyageurs, grièvement atteints par les balles ou les casse-tête, gisaient sur les banquettes.

Cependant il fallait en finir. Cette lutte durait déjà depuis dix minutes, et ne pouvait que se terminer à l'avantage des
225 Sioux, si le train ne s'arrêtait pas. En effet, la station du fort Kearney n'était pas à deux milles de distance. Là se trouvait un poste américain, mais ce poste passé, entre le fort Kearney et la station suivante, les Sioux seraient les maîtres du train.

Le conducteur se battait aux côtés de Mr. Fogg, quand une
230 balle le renversa. En tombant, cet homme s'écria :

« Nous sommes perdus, si le train ne s'arrête pas avant cinq minutes ! »

---

1. **Impériales** : étages supérieurs des diligences, des tramways, ici d'un train.

– Il s'arrêtera ! dit Phileas Fogg, qui voulut s'élancer hors du wagon.

235 – Restez, monsieur, lui cria Passepartout. Cela me regarde ! »

Phileas Fogg n'eut pas le temps d'arrêter ce courageux garçon, qui, ouvrant une portière sans être vu des Indiens, parvint à se glisser sous le wagon. Et alors, tandis que la lutte
240 continuait, pendant que les balles se croisaient au-dessus de sa tête, retrouvant son agilité, sa souplesse de clown, se faufilant sous les wagons, s'accrochant aux chaînes, s'aidant du levier des freins et des longerons des châssis, rampant d'une voiture à l'autre avec une adresse merveilleuse, il gagna ainsi
245 l'avant du train. Il n'avait pas été vu, il n'avait pu l'être.

Là, suspendu d'une main entre le wagon des bagages et le tender, de l'autre il décrocha les chaînes de sûreté ; mais par suite de la traction opérée, il n'aurait jamais pu parvenir à dévisser la barre d'attelage, si une secousse que la machine
250 éprouva n'eût fait sauter cette barre, et le train, détaché, resta peu à peu en arrière, tandis que la locomotive s'enfuyait avec une nouvelle vitesse.

Emporté par la force acquise, le train roula encore pendant quelques minutes, mais les freins furent manœuvrés à l'inté-
255 rieur des wagons, et le convoi s'arrêta enfin, à moins de cent pas de la station de Kearney.

Là, les soldats du fort, attirés par les coups de feu, accoururent en hâte. Les Sioux ne les avaient pas attendus, et, avant l'arrêt complet du train, toute la bande avait décampé.
260 Mais quand les voyageurs se comptèrent sur le quai de la station, ils reconnurent que plusieurs manquaient à l'appel, et entre autres le courageux Français dont le dévouement venait de les sauver.

« *Là, suspendu d'une main...* » *Gravure de L. Benett pour l'édition Hetzel.*

REPÈRES

1. Où se situe l'épisode ?
2. Dans quel genre situeriez-vous ce passage ?

OBSERVATION

3. Expliquez et commentez la phrase : « *Aucun d'eux ne se plaignait de la longueur de la route — pas même le mort* » (l. 47-49).
4. Comment la provocation de l'Américain est-elle dramatisée ?
5. Sur quel ton les préparatifs du duel sont-ils racontés ? Quelle est l'opinion du narrateur ?
6. Montrez que la caractérisation des Sioux est fortement péjorative. Quelle explication pouvez-vous apporter ?
7. Analysez l'enchaînement des deux épisodes ; qu'est-ce qui accentue l'accélération de l'action ?
8. Dans le style employé pour raconter l'exploit de Passepartout, analysez ce qui met en valeur ses qualités héroïques.
9. Commentez le titre choisi par Jules Verne à son chapitre.

INTERPRÉTATIONS

10. Commentez l'évolution, sur l'ensemble du chapitre, de la caractérisation du rail américain.
11. Commentez la superposition du duel et de l'attaque du train par les Indiens.

DE LA LECTURE À L'ÉCRITURE

12. À quel film la scène vous fait-elle penser ? Faites-en un résumé pour votre classe.

Des moyens de transport surprenants

Un éléphant, un traîneau, tout est bon pour « arriver », et la technique n'est pas le but du voyage ! Jules Verne ne cherche pas à inventer les techniques du futur, mais les prolongements ou les transformations, les progrès ou les déviations de moyens de transport « vraisemblables » pour son époque. « *Qui dit* Voyages extra-ordinaires *dit véhicules extraordinaires* », et le génie des personnages de Jules Verne est de « *faire véhicule de tout bois* » (J.-P. Picot, *Revue des lettres modernes*) : si un glaçon peut servir de radeau aux naufragés du *Pays des fourrures*, un traîneau à voiles peut bien remplacer une locomotive !

L'éléphant est une idée de Passepartout, le traîneau, celle de Fix : les personnages rentrent ainsi dans le projet de Phileas Fogg, participent à sa course. Exceptionnels et non technologiques, ces deux moyens de transport n'auraient pu être imaginés par Phileas Fogg, qui « *saut[e] mathématiquement des railways dans les paquebots* ». Ils comblent une insuffisance de la technique et, dans les deux cas, révèlent aussi des parts insoupçonnées d'humanité chez Phileas Fogg.

Si l'éléphant impose un rythme peu soutenu à la petite troupe, il les sauve du danger. Quant au traîneau, il a la vitesse d'un bateau, « *quarante milles à l'heure* » et le panorama d'un wagon de chemin de fer ; ses cordes qui « *donnent la quinte et l'octave* », selon Phileas Fogg (dont c'est la seule mention d'une quelconque sensibilité artistique), lui confèrent une poésie inattendue.

L'inattendu est bien le point commun de ces deux moyens de transport ; avec eux, le roman prend un goût de frisson, gagne en tension et en suspense. Mais les moyens traditionnels peuvent aussi participer à cette tension lorsqu'ils sont détournés de leur usage habituel.

Le train volant

Les lois de la pesanteur sont allégrement franchies par des Américains prêts à tout… Le train, détourné de son usage habituel, expérimente les lois aérodynamiques qui seront utilisées par l'aviation vingt ans plus tard : un objet lancé à très grande vitesse se soulève du sol. Si la théorie est juste, l'épisode est peu vraisemblable : la fantaisie prend le pas sur l'exactitude scientifique, à moins que ce ne soit un petit aperçu des talents de Jules Verne dans l'art fantastique… Se souvenant des merveilles des « *ponts de l'épée* » médiévaux (voir p. 346), il en donne une version moderne : les « mécaniciens » comme Forster (ne doit-on pas entendre « force » ?) ou les « ingénieurs » ne sont-ils pas prêts à supprimer les ponts et à faire voler des engins lancés à toute vitesse ?

Un bateau-combustible

Détourné, l'*Henrietta* l'est doublement : Phileas Fogg modifie sa trajectoire et le transforme en source d'énergie… Vision hallucinante qui a marqué Jean Cocteau (voir l'extrait de *Mon Premier Voyage*, p. 358), d'un bateau rasé, détruit par un équipage furieux, dévoré par les soupapes des machines… Mais la puissance de l'homme capable ainsi de dompter la machine se heurte quand même à la loi de la nature : il faut attendre la haute mer pour entrer dans le port, et perdre encore trois heures précieuses…

Nous sommes loin de toute science-fiction, loin de tout futurisme ; la technique se prête à la poésie, au rêve, au fantastique, moins par sa nouveauté que par le caractère inattendu, incongru et bizarre des aventures qu'elle inspire au romancier.

CHAPITRE XXX

Dans lequel Phileas Fogg fait tout simplement
son devoir

TROIS VOYAGEURS, Passepartout compris, avaient disparu.
Avaient-ils été tués dans la lutte ? Étaient-ils prisonniers des
Sioux ? On ne pouvait encore le savoir.

Les blessés étaient assez nombreux, mais on reconnut
5 qu'aucun n'était atteint mortellement. Un des plus grièvement
frappés, c'était le colonel Proctor, qui s'était bravement battu,
et qu'une balle à l'aine avait renversé. Il fut transporté à la
gare avec d'autres voyageurs, dont l'état réclamait des soins
immédiats.

10 Mrs. Aouda était sauve. Phileas Fogg, qui ne s'était pas
épargné, n'avait pas une égratignure. Fix était blessé au bras,
blessure sans importance. Mais Passepartout manquait, et des
larmes coulaient des yeux de la jeune femme.

Cependant tous les voyageurs avaient quitté le train. Les
15 roues des wagons étaient tachées de sang. Aux moyeux et
aux rayons pendaient d'informes lambeaux de chair. On
voyait à perte de vue sur la plaine blanche de longues traînées
rouges. Les derniers Indiens disparaissaient alors dans le sud,
du côté de Republican-river.

20 Mr. Fogg, les bras croisés, restait immobile. Il avait une
grande décision à prendre. Mrs. Aouda, près de lui, le regardait sans prononcer une parole... Il comprit ce regard. Si son

serviteur était prisonnier, ne devait-il pas tout risquer pour l'arracher aux Indiens ?...

25 « Je le retrouverai mort ou vivant, dit-il simplement à Mrs. Aouda.

– Ah ! monsieur... monsieur Fogg ! s'écria la jeune femme, en saisissant les mains de son compagnon qu'elle couvrit de larmes.

30 – Vivant ! ajouta Mr. Fogg, si nous ne perdons pas une minute ! »

Par cette résolution, Phileas Fogg se sacrifiait tout entier. Il venait de prononcer sa ruine. Un seul jour de retard lui faisait manquer le paquebot à New York. Son pari était irré-
35 vocablement perdu. Mais devant cette pensée : « C'est mon devoir ! » il n'avait pas hésité.

Le capitaine commandant le fort Kearney était là. Ses soldats – une centaine d'hommes environ – s'étaient mis sur la défensive pour le cas où les Sioux auraient dirigé une attaque
40 directe contre la gare.

« Monsieur, dit Mr. Fogg au capitaine, trois voyageurs ont disparu.

– Morts ? demanda le capitaine.

– Morts ou prisonniers, répondit Phileas Fogg. Là est une
45 incertitude qu'il faut faire cesser. Votre intention est-elle de poursuivre les Sioux ?

– Cela est grave, monsieur, dit le capitaine. Ces Indiens peuvent fuir jusqu'au-delà de l'Arkansas ? Je ne saurais abandonner le fort qui m'est confié.

50 – Monsieur, reprit Phileas Fogg, il s'agit de la vie de trois hommes.

– Sans doute... mais puis-je risquer la vie de cinquante pour en sauver trois ?

– Je ne sais si vous le pouvez, monsieur, mais vous le
55 devez.

– Monsieur, répondit le capitaine, personne ici n'a à m'apprendre quel est mon devoir.

– Soit, dit froidement Phileas Fogg. J'irai seul !

– Vous, monsieur ! s'écria Fix, qui s'était approché, aller
60 seul à la poursuite des Indiens !

– Voulez-vous donc que je laisse périr ce malheureux, à
qui tout ce qui est vivant ici doit la vie ? J'irai.

– Eh bien, non, vous n'irez pas seul ! s'écria le capitaine,
ému malgré lui. Non ! Vous êtes un brave cœur !... Trente
65 hommes de bonne volonté ! » ajouta-t-il en se tournant vers
ses soldats.

Toute la compagnie s'avança en masse. Le capitaine n'eut
qu'à choisir parmi ces braves gens. Trente soldats furent dé-
signés, et un vieux sergent se mit à leur tête.

70 « Merci, capitaine ! dit Mr. Fogg.

– Vous me permettrez de vous accompagner ? demanda
Fix au gentleman.

– Vous ferez comme il vous plaira, monsieur, lui répondit
Phileas Fogg. Mais si vous voulez me rendre service, vous
75 resterez près de Mrs. Aouda. Au cas où il m'arriverait
malheur... »

Une pâleur subite envahit la figure de l'inspecteur de police.
Se séparer de l'homme qu'il avait suivi pas à pas et avec tant
de persistance ! Le laisser s'aventurer ainsi dans ce désert !
80 Fix regarda attentivement le gentleman, et, quoi qu'il en eût,
malgré ses préventions, en dépit du combat qui se livrait en
lui, il baissa les yeux devant ce regard calme et franc.

« Je resterai », dit-il.

Quelques instants après, Mr. Fogg avait serré la main de
85 la jeune femme ; puis, après lui avoir remis son précieux sac
de voyage, il partait avec le sergent et sa petite troupe.

Mais avant de partir, il avait dit aux soldats :

« Mes amis, il y a mille livres pour vous si nous sauvons
les prisonniers ! »
90 Il était alors midi et quelques minutes.

Mrs. Aouda s'était retirée dans une chambre de la gare, et
là, seule, elle attendait, songeant à Phileas Fogg, à cette générosité simple et grande, à ce tranquille courage. Mr. Fogg
avait sacrifié sa fortune, et maintenant il jouait sa vie, tout

95 cela sans hésitation, par devoir, sans phrases. Phileas Fogg était un héros à ses yeux.

L'inspecteur Fix, lui, ne pensait pas ainsi, et il ne pouvait contenir son agitation. Il se promenait fébrilement sur le quai de la gare. Un moment subjugué, il redevenait lui-même.
100 Fogg parti, il comprenait la sottise qu'il avait faite de le laisser partir. Quoi ! cet homme qu'il venait de suivre autour du monde, il avait consenti à s'en séparer ! Sa nature reprenait le dessus, il s'incriminait, il s'accusait, il se traitait comme s'il eût été le directeur de la police métropolitaine, admonestant
105 un agent pris en flagrant délit de naïveté.

« J'ai été inepte ! pensait-il. L'autre lui aura appris qui j'étais ! Il est parti, il ne reviendra pas ! Où le reprendre maintenant ? Mais comment ai-je pu me laisser fasciner ainsi, moi, Fix, moi, qui ai en poche son ordre d'arrestation ? Déci-
110 dément je ne suis qu'une bête ! »

Ainsi raisonnait l'inspecteur de police, tandis que les heures s'écoulaient si lentement à son gré. Il ne savait que faire. Quelquefois, il avait envie de tout dire à Mrs. Aouda. Mais il comprenait comment il serait reçu par la jeune femme. Quel
115 parti prendre ? Il était tenté de s'en aller à travers les longues plaines blanches, à la poursuite de ce Fogg ! Il ne lui semblait pas impossible de le retrouver. Les pas du détachement étaient encore imprimés sur la neige !... Mais bientôt, sous une couche nouvelle, toute empreinte s'effaça.

120 Alors le découragement prit Fix. Il éprouva comme une insurmontable envie d'abandonner la partie. Or, précisément, cette occasion de quitter la station de Kearney et de poursuivre ce voyage, si fécond en déconvenues, lui fut offerte.

En effet, vers deux heures après midi, pendant que la neige
125 tombait à gros flocons, on entendit de longs sifflets qui venaient de l'est. Une énorme ombre, précédée d'une lueur fauve, s'avançait lentement, considérablement grandie par les brumes, qui lui donnaient un aspect fantastique.

Cependant on n'attendait encore aucun train venant de
130 l'est. Les secours réclamés par le télégraphe ne pouvaient arri-

ver sitôt, et le train d'Omaha à San Francisco ne devait passer que le lendemain. – On fut bientôt fixé.

Cette locomotive qui marchait à petite vapeur, en jetant de grands coups de sifflet, c'était celle qui, après avoir été déta-
135 chée du train, avait continué sa route avec une si effrayante vitesse, emportant le chauffeur et le mécanicien inanimés. Elle avait couru sur les rails pendant plusieurs milles ; puis, le feu avait baissé, faute de combustible ; la vapeur s'était détendue, et une heure après, ralentissant peu à peu sa marche, la
140 machine s'arrêtait enfin à vingt milles au-delà de la station de Kearney.

Ni le mécanicien ni le chauffeur n'avaient succombé, et, après un évanouissement assez prolongé, ils étaient revenus à eux.

145 La machine était alors arrêtée. Quand il se vit dans le désert, la locomotive seule, n'ayant plus de wagons à sa suite, le mécanicien comprit ce qui s'était passé. Comment la locomotive avait été détachée du train, il ne put le deviner, mais il n'était pas douteux, pour lui, que le train, resté en arrière,
150 se trouvât en détresse.

Le mécanicien n'hésita pas sur ce qu'il devait faire. Continuer la route dans la direction d'Omaha était prudent ; retourner vers le train, que les Indiens pillaient peut-être encore, était dangereux... N'importe ! Des pelletées de char-
155 bon et de bois furent engouffrées dans le foyer de sa chaudière, le feu se ranima, la pression monta de nouveau, et, vers deux heures après midi, la machine revenait en arrière vers la station de Kearney. C'était elle qui sifflait dans la brume.

Ce fut une grande satisfaction pour les voyageurs, quand
160 ils virent la locomotive se mettre en tête du train. Ils allaient pouvoir continuer ce voyage si malheureusement interrompu.

À l'arrivée de la machine, Mrs. Aouda avait quitté la gare, et s'adressant au conducteur :

« Vous allez partir ? lui demanda-t-elle.

165 – À l'instant, madame.

– Mais ces prisonniers... nos malheureux compagnons...

– Je ne puis interrompre le service, répondit le conducteur. Nous avons déjà trois heures de retard.

– Et quand passera l'autre train venant de San Francisco ?

170 – Demain soir, madame.

– Demain soir ! mais il sera trop tard. Il faut attendre...

– C'est impossible, répondit le conducteur. Si vous voulez partir, montez en voiture.

– Je ne partirai pas », répondit la jeune femme.

175 Fix avait entendu cette conversation. Quelques instants auparavant, quand tout moyen de locomotion lui manquait, il était décidé à quitter Kearney, et maintenant que le train était là, prêt à s'élancer, qu'il n'avait plus qu'à reprendre sa place dans le wagon, une irrésistible force le rattachait au sol.

180 Ce quai de la gare lui brûlait les pieds, et il ne pouvait s'en arracher. Le combat recommençait en lui. La colère de l'insuccès l'étouffait. Il voulait lutter jusqu'au bout.

Cependant les voyageurs et quelques blessés – entre autres le colonel Proctor, dont l'état était grave – avaient pris place

185 dans les wagons. On entendait les bourdonnements de la chaudière surchauffée, et la vapeur s'échappait par les soupapes. Le mécanicien siffla, le train se mit en marche, et disparut bientôt, mêlant sa fumée blanche au tourbillon des neiges.

190 L'inspecteur Fix était resté.

Quelques heures s'écoulèrent. Le temps était fort mauvais, le froid très vif. Fix, assis sur un banc dans la gare, restait immobile. On eût pu croire qu'il dormait. Mrs. Aouda, malgré la rafale, quittait à chaque instant la chambre qui

195 avait été mise à sa disposition. Elle venait à l'extrémité du quai, cherchant à voir à travers la tempête de neige, voulant percer cette brume qui réduisait l'horizon autour d'elle, écoutant si quelque bruit se ferait entendre. Mais rien. Elle rentrait alors, toute transie, pour revenir quelques moments plus tard,

200 et toujours inutilement.

Le soir se fit. Le petit détachement n'était pas de retour. Où était-il en ce moment ? Avait-il pu rejoindre les Indiens ?

« Une énorme ombre, précédée d'une lueur fauve... »
Gravure de L. Benett pour l'édition Hetzel.

Y avait-il eu lutte, ou ces soldats, perdus dans la brume, erraient-ils au hasard ? Le capitaine du fort Kearney était très inquiet, bien qu'il ne voulût rien laisser paraître de son inquiétude.

La nuit vint, la neige tomba moins abondamment, mais l'intensité du froid s'accrut. Le regard le plus intrépide n'eût pas considéré sans épouvante cette obscure immensité. Un absolu silence régnait sur la plaine. Ni le vol d'un oiseau, ni la passée d'un fauve n'en troublait le calme infini.

Pendant toute cette nuit, Mrs. Aouda, l'esprit plein de pressentiments sinistres, le cœur rempli d'angoisses, erra sur la lisière de la prairie. Son imagination l'emportait au loin et lui montrait mille dangers. Ce qu'elle souffrit pendant ces longues heures ne saurait s'exprimer.

Fix était toujours immobile à la même place, mais, lui non plus, il ne dormait pas. À un certain moment, un homme s'était approché, lui avait parlé même, mais l'agent l'avait renvoyé, après avoir répondu à ses paroles par un signe négatif.

La nuit s'écoula ainsi. À l'aube, le disque à demi éteint du soleil se leva sur un horizon embrumé. Cependant la portée du regard pouvait s'étendre à une distance de deux milles. C'était vers le sud que Phileas Fogg et le détachement s'étaient dirigés... Le sud était absolument désert. Il était alors sept heures du matin.

Le capitaine, extrêmement soucieux, ne savait quel parti prendre. Devait-il envoyer un second détachement au secours du premier ? Devait-il sacrifier de nouveaux hommes avec si peu de chances de sauver ceux qui étaient sacrifiés tout d'abord ? Mais son hésitation ne dura pas, et d'un geste, appelant un de ses lieutenants, il lui donnait l'ordre de pousser une reconnaissance dans le sud – quand des coups de feu éclatèrent. Était-ce un signal ? Les soldats se jetèrent hors du fort, et à un demi-mille ils aperçurent une petite troupe qui revenait en bon ordre.

Mr. Fogg marchait en tête, et près de lui Passepartout et les deux autres voyageurs, arrachés aux mains des Sioux.

240 Il y avait eu combat à dix milles au sud de Kearney. Peu d'instants avant l'arrivée du détachement, Passepartout et ses deux compagnons luttaient déjà contre leurs gardiens, et le Français en avait assommé trois à coups de poing, quand son maître et les soldats se précipitèrent à leur secours.

245 Tous, les sauveurs et les sauvés, furent accueillis par des cris de joie, et Phileas Fogg distribua aux soldats la prime qu'il leur avait promise, tandis que Passepartout se répétait, non sans quelque raison :

« Décidément, il faut avouer que je coûte cher à mon 250 maître ! »

Fix, sans prononcer une parole, regardait Mr. Fogg, et il eût été difficile d'analyser les impressions qui se combattaient alors en lui. Quant à Mrs. Aouda, elle avait pris la main du gentleman, et elle la serrait dans les siennes, sans pouvoir 255 prononcer une parole !

Cependant Passepartout, dès son arrivée, avait cherché le train dans la gare. Il croyait le trouver là, prêt à filer sur Omaha, et il espérait que l'on pourrait encore regagner le temps perdu.

260 « Le train, le train ! s'écria-t-il.

– Parti, répondit Fix.

– Et le train suivant, quand passera-t-il ? demanda Phileas Fogg.

– Ce soir seulement.

265 – Ah ! » répondit simplement l'impassible gentleman.

« Le Français en avait assommé trois à coups de poing... »
Gravure de L. Benett pour l'édition Hetzel.

CHAPITRE XXXI

Dans lequel l'inspecteur Fix prend
très sérieusement les intérêts de Phileas Fogg

PHILEAS FOGG se trouvait en retard de vingt heures. Passepartout, la cause involontaire de ce retard, était désespéré. Il avait décidément ruiné son maître !

En ce moment, l'inspecteur s'approcha de Mr. Fogg, et, le
5 regardant bien en face :

« Très sérieusement, monsieur, lui demanda-t-il, vous êtes pressé ?

– Très sérieusement, répondit Phileas Fogg.

– J'insiste, reprit Fix. Vous avez bien intérêt à être à New
10 York le 11, avant neuf heures du soir, heure du départ du paquebot de Liverpool ?

– Un intérêt majeur.

– Et si votre voyage n'eût pas été interrompu par cette attaque d'Indiens, vous seriez arrivé à New York le 11, dès
15 le matin ?

– Oui, avec douze heures d'avance sur le paquebot.

– Bien. Vous avez donc vingt heures de retard. Entre vingt et douze, l'écart est de huit. C'est huit heures à regagner. Voulez-vous tenter de le faire ?

20 – À pied ? demanda Mr. Fogg.

– Non, en traîneau, répondit Fix, en traîneau à voiles. Un homme m'a proposé ce moyen de transport. »

C'était l'homme qui avait parlé à l'inspecteur de police pendant la nuit, et dont Fix avait refusé l'offre.

25   Phileas Fogg ne répondit pas à Fix ; mais Fix lui ayant montré l'homme en question qui se promenait devant la gare, le gentleman alla à lui. Un instant après, Phileas Fogg et cet Américain, nommé Mudge, entraient dans une hutte construite au bas du fort Kearney.

30   Là, Mr. Fogg examina un assez singulier véhicule, sorte de châssis, établi sur deux longues poutres, un peu relevées à l'avant comme les semelles d'un traîneau, et sur lequel cinq ou six personnes pouvaient prendre place. Au tiers du châssis, sur l'avant, se dressait un mât très élevé, sur lequel s'enver-
35   guait une immense brigantine. Ce mât, solidement retenu par des haubans métalliques, tendait un étai[1] de fer qui servait à guinder[2] un foc de grande dimension. À l'arrière, une sorte de gouvernail-godille permettait de diriger l'appareil.

    C'était, on le voit, un traîneau gréé en sloop[3]. Pendant
40   l'hiver, sur la plaine glacée, lorsque les trains sont arrêtés par les neiges, ces véhicules font des traversées extrêmement rapides d'une station à l'autre. Ils sont, d'ailleurs, prodigieusement voilés – plus voilés même que ne peut l'être un cotre[4] de course, exposé à chavirer –, et, vent arrière, ils glissent à
45   la surface des prairies avec une rapidité égale, sinon supérieure, à celle des express.

    En quelques instants, un marché fut conclu entre Mr. Fogg et le patron de cette embarcation de terre. Le vent était bon. Il soufflait de l'ouest en grande brise. La neige était durcie,
50   et Mudge se faisait fort de conduire Mr. Fogg en quelques heures à la station d'Omaha. Là, les trains sont fréquents et les voies nombreuses, qui conduisent à Chicago et à New York. Il n'était pas impossible que le retard fût regagné. Il n'y avait donc pas à hésiter à tenter l'aventure.

55   Mr. Fogg, ne voulant pas exposer Mrs. Aouda aux tortures

---

1. **Étai** : câble métallique ou cordage destiné à maintenir un mât en place.
2. **Guinder** : hisser (une voile).
3. **Sloop** : navire à voiles à un mât, avec un seul foc à l'avant.
4. **Cotre** : voilier à un mât mais avec une grand-voile, un foc et une trinquette.

d'une traversée en plein air, par ce froid que la vitesse rendrait plus insupportable encore, lui proposa de rester sous la garde de Passepartout à la station de Kearney. L'honnête garçon se chargerait de ramener la jeune femme en Europe par
60 une route meilleure et dans des conditions plus acceptables.

Mrs. Aouda refusa de se séparer de Mr. Fogg, et Passepartout se sentit très heureux de cette détermination. En effet, pour rien au monde il n'eût voulu quitter son maître, puisque Fix devait l'accompagner.

65 Quant à ce que pensait alors l'inspecteur de police, ce serait difficile à dire. Sa conviction avait-elle été ébranlée par le retour de Phileas Fogg, ou bien le tenait-il pour un coquin extrêmement fort, qui, son tour du monde accompli, devait croire qu'il serait absolument en sûreté en Angleterre ? Peut-
70 être l'opinion de Fix touchant Phileas Fogg était-elle en effet modifiée. Mais il n'en était pas moins décidé à faire son devoir et, plus impatient que tous, à presser de tout son pouvoir le retour en Angleterre.

À huit heures, le traîneau était prêt à partir. Les voyageurs
75 – on serait tenté de dire les passagers – y prenaient place et se serraient étroitement dans leurs couvertures de voyage. Les deux immenses voiles étaient hissées, et, sous l'impulsion du vent, le véhicule filait sur la neige durcie avec une rapidité de quarante milles à l'heure.

80 La distance qui sépare le fort Kearney d'Omaha est en droite ligne – à vol d'abeille, comme disent les Américains –, de deux cents milles au plus. Si le vent tenait, en cinq heures cette distance pouvait être franchie. Si aucun incident ne se produisait, à une heure après midi le traîneau devait avoir
85 atteint Omaha.

Quelle traversée ! Les voyageurs, pressés les uns contre les autres, ne pouvaient se parler. Le froid, accru par la vitesse, leur eût coupé la parole. Le traîneau glissait aussi légèrement à la surface de la plaine qu'une embarcation à la surface des
90 eaux –, avec la houle en moins. Quand la brise arrivait en rasant la terre, il semblait que le traîneau fût enlevé du sol

par ses voiles, vastes ailes d'une immense envergure. Mudge, au gouvernail, se maintenait dans la ligne droite, et, d'un coup de godille[1], il rectifiait les embardées que l'appareil ten-
95 dait à faire. Toute la toile portait. Le foc avait été perqué[2] et n'était plus abrité par la brigantine. Un mât de hune fut guindé, et une flèche, tendue au vent, ajouta sa puissance d'impulsion à celle des autres voiles. On ne pouvait l'estimer, mathématiquement, mais certainement la vitesse du traîneau
100 ne devait pas être moindre de quarante milles à l'heure.

« Si rien ne casse, dit Mudge, nous arriverons ! »

Et Mudge avait intérêt à arriver dans le délai convenu, car Mr. Fogg, fidèle à son système, l'avait alléché par une forte prime.
105 La prairie, que le traîneau coupait en ligne droite, était plate comme une mer. On eût dit un immense étang glacé. Le rail-road qui desservait cette partie du territoire remontait, du sud-ouest au nord-ouest, par Grand-Island, Columbus, ville importante du Nebraska, Schuyler, Fremont, puis
110 Omaha. Il suivait pendant tout son parcours la rive droite de Platte-river. Le traîneau, abrégeant cette route, prenait la corde de l'arc décrit par le chemin de fer. Mudge ne pouvait craindre d'être arrêté par la Platte-river, à ce petit coude qu'elle fait en avant de Fremont, puisque ses eaux étaient
115 glacées. Le chemin était donc entièrement débarrassé d'obstacles, et Phileas Fogg n'avait donc que deux circonstances à redouter : une avarie à l'appareil, un changement ou une tombée du vent.

Mais la brise ne mollissait pas. Au contraire. Elle soufflait
120 à courber le mât, que les haubans de fer maintenaient solidement. Ces filins métalliques, semblables aux cordes d'un

---

1. **Godille** : aviron placé à l'arrière de l'embarcation.
2. **Perqué** : terme peut-être d'origine régionale (du normand *perque* signifiant une perche et par extension une mesure de longueur) ; il faut sans doute comprendre ici que la toile du foc a été tendue au maximum, de sorte que sa prise au vent n'est pas diminuée par la brigantine située à l'arrière.

instrument, résonnaient comme si un archet eût provoqué leurs vibrations. Le traîneau s'enlevait au milieu d'une harmonie plaintive, d'une intensité toute particulière.

125 « Ces cordes donnent la quinte et l'octave », dit Mr. Fogg.

Et ce furent les seules paroles qu'il prononça pendant cette traversée. Mrs. Aouda, soigneusement empaquetée dans les fourrures et les couvertures de voyage, était, autant que possible, préservée des atteintes du froid.

130 Quant à Passepartout, la face rouge comme le disque solaire quand il se couche dans les brumes, il humait cet air piquant. Avec le fond d'imperturbable confiance qu'il possédait, il s'était repris à espérer. Au lieu d'arriver le matin à New York, on y arriverait le soir, mais il y avait encore 135 quelques chances pour que ce fût avant le départ du paquebot de Liverpool.

Passepartout avait même éprouvé une forte envie de serrer la main de son allié Fix. Il n'oubliait pas que c'était l'inspecteur lui-même qui avait procuré le traîneau à voiles, et, par 140 conséquent, le seul moyen qu'il y eût de gagner Omaha en temps utile. Mais, par on ne sait quel pressentiment, il se tint dans sa réserve accoutumée.

En tout cas, une chose que Passepartout n'oublierait jamais, c'était le sacrifice que Mr. Fogg avait fait, sans hésiter, 145 pour l'arracher aux mains des Sioux. À cela, Mr. Fogg avait risqué sa fortune et sa vie... Non ! son serviteur ne l'oublierait pas !

Pendant que chacun des voyageurs se laissait aller à des réflexions si diverses, le traîneau volait sur l'immense tapis de 150 neige. S'il passait quelques creeks, affluents ou sous-affluents de la Little-Blue-river, on ne s'en apercevait pas. Les champs et les cours d'eau disparaissaient sous une blancheur uniforme. La plaine était absolument déserte. Comprise entre l'Union Pacific Road et l'embranchement qui doit réunir 155 Kearney à Saint-Joseph, elle formait comme une grande île inhabitée. Pas un village, pas une station, pas même un fort. De temps en temps, on voyait passer comme un éclair quelque

arbre grimaçant, dont le blanc squelette se tordait sous la brise. Parfois, des bandes d'oiseaux sauvages s'enlevaient du
160 même vol. Parfois aussi, quelques loups de prairies, en troupes nombreuses, maigres, affamés, poussés par un besoin féroce, luttaient de vitesse avec le traîneau. Alors Passepartout, le revolver à la main, se tenait prêt à faire feu sur les plus rapprochés. Si quelque accident eût alors arrêté le traî-
165 neau, les voyageurs, attaqués par ces féroces carnassiers, auraient couru les plus grands risques. Mais le traîneau tenait bon, il ne tardait pas à prendre de l'avance, et bientôt toute la bande hurlante restait en arrière.

À midi, Mudge reconnut à quelques indices qu'il passait le
170 cours glacé de la Platte-river. Il ne dit rien, mais il était déjà sûr que, vingt milles plus loin, il aurait atteint la station d'Omaha.

Et, en effet, il n'était pas une heure, que ce guide habile, abandonnant la barre, se précipitait aux drisses [1] des voiles
175 et les amenait en bande, pendant que le traîneau, emporté par son irrésistible élan, franchissait encore un demi-mille à sec de toile. Enfin il s'arrêta, et Mudge, montrant un amas de toits blancs de neige, disait :

« Nous sommes arrivés ! »
180 Arrivés ! Arrivés, en effet, à cette station qui, par des trains nombreux, est quotidiennement en communication avec l'est des États-Unis !

Passepartout et Fix avaient sauté à terre et secouaient leurs membres engourdis. Ils aidèrent Mr. Fogg et la jeune femme
185 à descendre du traîneau. Phileas Fogg régla généreusement avec Mudge, auquel Passepartout serra la main comme à un ami, et tous se précipitèrent vers la gare d'Omaha.

C'est à cette importante cité du Nebraska que s'arrête le chemin de fer du Pacifique proprement dit, qui met le bassin
190 du Mississippi en communication avec le grand océan. Pour

---

1. Drisses : cordages servant à hisser les voiles.

aller d'Omaha à Chicago, le rail-road, sous le nom de « Chicago-Rock-island-road », court directement dans l'est en desservant cinquante stations.

Un train direct était prêt à partir. Phileas Fogg et ses
195 compagnons n'eurent que le temps de se précipiter dans un wagon. Ils n'avaient rien vu d'Omaha, mais Passepartout s'avoua à lui-même qu'il n'y avait pas lieu de le regretter, et que ce n'était pas de voir qu'il s'agissait.

Avec une extrême rapidité, ce train passa dans l'État
200 d'Iowa, par Council-Bluffs, Des Moines, Iowa-city. Pendant la nuit, il traversait le Mississippi à Davenport, et par Rock-Island, il entrait dans l'Illinois. Le lendemain, 10, à quatre heures du soir il arrivait à Chicago, déjà relevée de ses ruines, et plus fièrement assise que jamais sur les bords de son beau
205 lac Michigan.

Neuf cents milles séparent Chicago de New York. Les trains ne manquaient pas à Chicago. Mr. Fogg passa immédiatement de l'un dans l'autre. La fringante locomotive du « Pittsburgh-Fort-Wayne-Chicago-rail-road » partit à toute
210 vitesse, comme si elle eût compris que l'honorable gentleman n'avait pas de temps à perdre. Elle traversa comme un éclair l'Indiana, l'Ohio, la Pennsylvanie, le New Jersey, passant par des villes aux noms antiques, dont quelques-unes avaient des rues et des tramways, mais pas de maisons encore. Enfin
215 l'Hudson apparut, et, le 11 décembre, à onze heures un quart du soir, le train s'arrêtait dans la gare, sur la rive droite du fleuve, devant le *pier*[1] même des steamers de la ligne Cunard, autrement dite « British and North American royal mail steam packet Co. ».

220 Le *China*, à destination de Liverpool, était parti depuis quarante-cinq minutes !

---

1. *Pier* : mot anglais signifiant la jetée.

■ ■ ■ ■ ■ ■ ■ ■

Repères

1. Quelle ville s'agit-il d'atteindre ?
2. Combien de temps couvre ce chapitre ?
3. Quelle distance est parcourue ?

Observation

4. Passepartout a « ruiné » son maître... Combien lui a-t-il coûté ?
5. Comment le début du chapitre est-il dramatisé ?
6. Étudiez la description du traîneau. Est-elle purement informative ?
7. Fix a-t-il changé d'opinion sur Phileas Fogg ?
8. La nature joue-t-elle pour ou contre le groupe d'aventuriers ?
9. Quelle atmosphère règne durant la « traversée » ?
10. Commentez la phrase : « *Ils n'avaient rien vu d'Omaha, mais Passepartout s'avoua à lui-même qu'il n'y avait pas lieu de le regretter, et que ce n'était pas de voir qu'il s'agissait.* » (l. 196-198). Quelle évolution marque-t-elle chez le personnage ?

Interprétations

11. À quel autre moyen de transport déjà utilisé le traîneau s'apparente-t-il ? Quel personnage en avait été l'initiateur ? Commentez vos réponses.
12. Quel effet d'ensemble suggèrent l'ouverture et la clôture du chapitre ?

De la lecture à l'écriture

13. Peut-être vous est-il arrivé d'utiliser un moyen de transport improvisé... Décrivez-le.

CHAPITRE XXXII

Dans lequel Phileas Fogg engage une lutte directe contre la mauvaise chance

EN PARTANT, le *China* semblait avoir emporté avec lui le dernier espoir de Phileas Fogg.

En effet, aucun des autres paquebots qui font le service direct entre l'Amérique et l'Europe, ni les transatlantiques
5 français, ni les navires du « White-Star-line », ni les steamers de la Compagnie Imman, ni ceux de la ligne Hambourgeoise, ni autres, ne pouvaient servir les projets du gentleman.

En effet, le *Pereire*, de la Compagnie transatlantique française – dont les admirables bâtiments égalent en vitesse et
10 surpassent en confortable tous ceux des autres lignes, sans exception –, ne partait que le surlendemain, 14 décembre. Et d'ailleurs, de même que ceux de la Compagnie hambourgeoise, il n'allait pas directement à Liverpool ou à Londres, mais au Havre, et cette traversée supplémentaire du Havre à
15 Southampton, en retardant Phileas Fogg, eût annulé ses derniers efforts.

Quant aux paquebots Imman, dont l'un, le *City-of-Paris*, mettait en mer le lendemain, il n'y fallait pas songer. Ces navires sont particulièrement affectés au transport des émi-
20 grants, leurs machines sont faibles, ils naviguent autant à la voile qu'à la vapeur, et leur vitesse est médiocre. Ils employaient à cette traversée de New York à l'Angleterre plus de temps qu'il n'en restait à Mr. Fogg pour gagner son pari.

De tout ceci le gentleman se rendit parfaitement compte en
25 consultant son *Bradshaw*, qui lui donnait, jour par jour, les
mouvements de la navigation transocéanienne.

Passepartout était anéanti. Avoir manqué le paquebot de
quarante-cinq minutes, cela le tuait. C'était sa faute, à lui,
qui, au lieu d'aider son maître, n'avait cessé de semer des
30 obstacles sur sa route ! Et quand il revoyait dans son esprit
tous les incidents du voyage, quand il supputait les sommes
dépensées en pure perte et dans son seul intérêt, quand il
songeait que cet énorme pari, en y joignant les frais considérables de ce voyage devenu inutile, ruinait complètement
35 Mr. Fogg, il s'accablait d'injures.

Mr. Fogg ne lui fit, cependant, aucun reproche, et, en quittant le *pier* des paquebots transatlantiques, il ne dit que ces
mots :

« Nous aviserons demain. Venez. »

40 Mr. Fogg, Mrs. Aouda, Fix, Passepartout traversèrent
l'Hudson dans le Jersey-city-ferry-boat, et montèrent dans un
fiacre, qui les conduisit à l'hôtel Saint-Nicolas, dans Broadway. Des chambres furent mises à leur disposition, et la nuit
se passa, courte pour Phileas Fogg, qui dormit d'un sommeil
45 parfait, mais bien longue pour Mrs. Aouda et ses compagnons, auxquels leur agitation ne permit pas de reposer.

Le lendemain, c'était le 12 décembre. Du 12, sept heures
du matin, au 21, huit heures quarante-cinq minutes du soir,
il restait neuf jours treize heures et quarante-cinq minutes. Si
50 donc Phileas Fogg fût parti la veille par le *China*, l'un des
meilleurs marcheurs de la ligne Cunard, il serait arrivé à
Liverpool, puis à Londres, dans les délais voulus !

Mr. Fogg quitta l'hôtel, seul, après avoir recommandé à
son domestique de l'attendre et de prévenir Mrs. Aouda de
55 se tenir prête à tout instant.

Mr. Fogg se rendit aux rives de l'Hudson, et parmi les
navires amarrés au quai ou ancrés dans le fleuve, il rechercha
avec soin ceux qui étaient en partance. Plusieurs bâtiments

avaient leur guidon[1] de départ et se préparaient à prendre la
60 mer à la marée du matin, car dans cet immense et admirable
port de New York, il n'est pas de jour où cent navires ne
fassent route pour tous les points du monde ; mais la plupart
étaient des bâtiments à voiles, et ils ne pouvaient convenir à
Phileas Fogg.

65 Ce gentleman semblait devoir échouer dans sa dernière tentative, quand il aperçut, mouillé devant la Batterie, à une
encablure au plus, un navire de commerce à hélice, de formes
fines, dont la cheminée, laissant échapper de gros flocons de
fumée, indiquait qu'il se préparait à appareiller.

70 Phileas Fogg héla un canot, s'y embarqua, et, en quelques
coups d'aviron, il se trouvait à l'échelle de l'*Henrietta*, steamer à coque de fer, dont tous les hauts étaient en bois.

Le capitaine de l'*Henrietta* était à bord. Phileas Fogg
monta sur le pont et fit demander le capitaine. Celui-ci se
75 présenta aussitôt.

C'était un homme de cinquante ans, une sorte de loup de
mer, un bougon qui ne devait pas être commode. Gros yeux,
teint de cuivre oxydé, cheveux rouges, forte encolure – rien
de l'aspect d'un homme du monde.

80 « Le capitaine ? demanda Mr. Fogg.

– C'est moi.

– Je suis Phileas Fogg, de Londres.

– Et moi, Andrew Speedy, de Cardif.

– Vous allez partir ?...

85 – Dans une heure.

– Vous êtes chargé pour... ?

– Bordeaux.

– Et votre cargaison ?

– Des cailloux dans le ventre. Pas de fret. Je pars sur lest.

90 – Vous avez des passagers ?

---

1. **Guidon** : pavillon servant d'insigne de commandement.

– Pas de passagers. Jamais de passagers. Marchandise encombrante et raisonnante.

– Votre navire marche bien ?

– Entre onze et douze nœuds. L'*Henrietta*, bien connue.

95 – Voulez-vous me transporter à Liverpool, moi et trois personnes ?

– À Liverpool ? Pourquoi pas en Chine ?

– Je dis Liverpool.

– Non !

100 – Non ?

– Non. Je suis en partance pour Bordeaux, et je vais à Bordeaux.

– N'importe quel prix ?

– N'importe quel prix. »

105 Le capitaine avait parlé d'un ton qui n'admettait pas de réplique.

« Mais les armateurs de l'*Henrietta*... reprit Phileas Fogg.

– Les armateurs, c'est moi, répondit le capitaine. Le navire m'appartient.

110 – Je vous l'affrète [1].

– Non.

– Je vous l'achète.

– Non. »

Phileas Fogg ne sourcilla pas. Cependant la situation était 115 grave. Il n'en était pas de New York comme de Hong Kong, ni du capitaine de l'*Henrietta* comme du patron de la *Tankadère*. Jusqu'ici l'argent du gentleman avait toujours eu raison des obstacles. Cette fois-ci, l'argent échouait.

Cependant, il fallait trouver le moyen de traverser l'Atlan-120 tique en bateau – à moins de le traverser en ballon –, ce qui eût été fort aventureux, et ce qui, d'ailleurs, n'était pas réalisable.

---

1. **Affrète** : prends un navire ou un avion en louage.

Il paraît, pourtant, que Phileas Fogg eut une idée, car il dit au capitaine :

125 « Eh bien, voulez-vous me mener à Bordeaux ?

– Non, quand même vous me paieriez deux cents dollars !

– Je vous en offre deux mille (10 000 F).

– Par personne ?

– Par personne.

130 – Et vous êtes quatre ?

– Quatre. »

Le capitaine Speedy commença à se gratter le front, comme s'il eût voulu en arracher l'épiderme. Huit mille dollars à gagner, sans modifier son voyage, cela valait bien la peine 135 qu'il mît de côté son antipathie prononcée par toute espèce de passager. Des passagers à deux mille dollars, d'ailleurs, ce ne sont plus des passagers, c'est de la marchandise précieuse.

« Je pars à neuf heures, dit simplement le capitaine Speedy, et si vous et les vôtres, vous êtes là ?...

140 – À neuf heures, nous serons à bord ! » répondit non moins simplement Mr. Fogg.

Il était huit heures et demie. Débarquer de l'*Henrietta*, monter dans une voiture, se rendre à l'hôtel Saint-Nicolas, en ramener Mrs. Aouda, Passepartout, et même l'inséparable 145 Fix, auquel il offrait gracieusement le passage, cela fut fait par le gentleman avec ce calme qui ne l'abandonnait en aucune circonstance.

Au moment où l'*Henrietta* appareillait, tous quatre étaient à bord.

150 Lorsque Passepartout apprit ce que coûterait cette dernière traversée, il poussa un de ces « Oh ! » prolongés, qui parcourent tous les intervalles de la gamme chromatique descendante !

Quant à l'inspecteur Fix, il se dit que décidément la Banque 155 d'Angleterre ne sortirait pas indemne de cette affaire. En effet, en arrivant et en admettant que le sieur Fogg n'en jetât pas encore quelques poignées à la mer, plus de sept mille livres (175 000 F) manqueraient au sac à bank-notes !

CHAPITRE XXXIII

Où Phileas Fogg se montre
à la hauteur des circonstances

UNE HEURE APRÈS, le steamer[1] *Henrietta* dépassait le Light-boat qui marque l'entrée de l'Hudson, tournait la pointe de Sandy-Hook et donnait en mer. Pendant la journée, il prolongea Long-Island, au large du feu de Fire-Island, et courut rapidement vers l'est.

Le lendemain, 13 décembre, à midi, un homme monta sur la passerelle pour faire le point. Certes, on doit croire que cet homme était le capitaine Speedy ! Pas le moins du monde. C'était Phileas Fogg.

Quant au capitaine Speedy, il était tout bonnement enfermé à clef dans sa cabine, et poussait des hurlements qui dénotaient une colère, bien pardonnable, poussée jusqu'au paroxysme.

Ce qui s'était passé était très simple. Phileas Fogg voulait aller à Liverpool, le capitaine ne voulait pas l'y conduire. Alors Phileas Fogg avait accepté de prendre passage pour Bordeaux, et, depuis trente heures qu'il était à bord, il avait si bien manœuvré à coups de bank-notes, que l'équipage, matelots et chauffeurs – équipage un peu interlope[2], qui était

---

1. **Steamer** : navire à vapeur.
2. **Interlope** : équivoque, suspect.

20 en assez mauvais termes avec le capitaine –, lui appartenait. Et voilà pourquoi Phileas Fogg commandait aux lieu et place du capitaine Speedy, pourquoi le capitaine était enfermé dans sa cabine, et pourquoi enfin l'*Henrietta* se dirigeait vers Liverpool. Seulement, il était très clair, à voir manœuvrer
25 Mr. Fogg, que Mr. Fogg avait été marin.

Maintenant, comment finirait l'aventure, on le saurait plus tard. Toutefois, Mrs. Aouda ne laissait pas d'être inquiète, sans rien en dire. Fix, lui, avait été abasourdi tout d'abord. Quant à Passepartout, il trouvait la chose tout simplement
30 adorable.

« Entre onze et douze nœuds », avait dit le capitaine Speedy, et en effet l'*Henrietta* se maintenait dans cette moyenne de vitesse.

Si donc – que de « si » encore ! – si donc la mer ne devenait
35 pas trop mauvaise, si le vent ne sautait pas dans l'est, s'il ne survenait aucune avarie au bâtiment, aucun accident à la machine, l'*Henrietta*, dans les neuf jours comptés du 12 décembre au 21, pouvait franchir les trois mille milles qui séparent New York de Liverpool. Il est vrai qu'une fois
40 arrivé, l'affaire de l'*Henrietta* brochant sur l'affaire de la Banque, cela pouvait mener le gentleman un peu plus loin qu'il ne voudrait.

Pendant les premiers jours, la navigation se fit dans d'excellentes conditions. La mer n'était pas trop dure ; le vent
45 paraissait fixé au nord-est ; les voiles furent établies, et, sous ses goélettes, l'*Henrietta* marcha comme un vrai transatlantique.

Passepartout était enchanté. Le dernier exploit de son maître, dont il ne voulait pas voir les conséquences, l'enthou-
50 siasmait. Jamais l'équipage n'avait vu un garçon plus gai, plus agile. Il faisait mille amitiés aux matelots et les étonnait par ses tours de voltige. Il leur prodiguait les meilleurs noms et les boissons les plus attrayantes. Pour lui, ils manœuvraient comme des gentlemen, et les chauffeurs chauffaient comme
55 des héros. Sa bonne humeur, très communicative, s'impré-

gnait à tous. Il avait oublié le passé, les ennuis, les périls. Il
ne songeait qu'à ce but, si près d'être atteint, et parfois il
bouillait d'impatience, comme s'il eût été chauffé par les fourneaux de l'*Henrietta*. Souvent aussi, le digne garçon tournait
60 autour de Fix ; il le regardait d'un œil « qui en disait long » !
mais il ne lui parlait pas, car il n'existait plus aucune intimité
entre les deux anciens amis.

D'ailleurs Fix, il faut le dire, n'y comprenait plus rien ! La
conquête de l'*Henrietta*, l'achat de son équipage, ce Fogg
65 manœuvrant comme un marin consommé, tout cet ensemble
de choses l'étourdissait. Il ne savait plus que penser ! Mais,
après tout, un gentleman qui commençait par voler cinquante-cinq mille livres pouvait bien finir par voler un bâtiment. Et Fix fut naturellement amené à croire que l'*Henrietta*,
70 dirigée par Fogg, n'allait point du tout à Liverpool, mais dans
quelque point du monde où le voleur, devenu pirate, se mettrait tranquillement en sûreté ! Cette hypothèse, il faut bien
l'avouer, était on ne peut plus plausible, et le détective
commençait à regretter très sérieusement de s'être embarqué
75 dans cette affaire.

Quant au capitaine Speedy, il continuait à hurler dans sa
cabine, et Passepartout, chargé de pourvoir à sa nourriture,
ne le faisait qu'en prenant les plus grandes précautions,
quelque vigoureux qu'il fût. Mr. Fogg, lui, n'avait plus même
80 l'air de se douter qu'il y eût un capitaine à bord.

Le 13, on passe sur la queue du banc de Terre-Neuve. Ce
sont là de mauvais parages. Pendant l'hiver surtout, les
brumes y sont fréquentes, les coups de vent redoutables.
Depuis la veille, le baromètre, brusquement abaissé, faisait
85 pressentir un changement prochain dans l'atmosphère. En
effet, pendant la nuit, la température se modifia, le froid
devint plus vif, et en même temps le vent sauta dans le sud-
est.

C'était un contretemps. Mr. Fogg, afin de ne point s'écarter
90 de sa route, dut serrer ses voiles et forcer de vapeur. Néanmoins, la marche du navire fut ralentie, attendu l'état de la

mer, dont les longues lames brisaient contre son étrave. Il
éprouva des mouvements de tangage très violents, et cela au
détriment de sa vitesse. La brise tournait peu à peu à l'ou-
95 ragan, et l'on prévoyait déjà le cas où l'*Henrietta* ne pourrait
plus se maintenir debout à la lame. Or, s'il fallait fuir, c'était
l'inconnu avec toutes ses mauvaises chances.

Le visage de Passepartout se rembrunit en même temps que
le ciel, et, pendant deux jours, l'honnête garçon éprouva de
100 mortelles transes. Mais Phileas Fogg était un marin hardi, qui
savait tenir tête à la mer, et il fit toujours route, même sans
se mettre sous petite vapeur. L'*Henrietta*, quand elle ne pouvait s'élever à la lame, passait au travers, et son pont était
balayé en grand, mais elle passait. Quelquefois aussi l'hélice
105 émergeait, battant l'air de ses branches affolées, lorsqu'une
montagne d'eau soulevait l'arrière hors des flots, mais le
navire allait toujours de l'avant.

Toutefois le vent ne fraîchit pas autant qu'on aurait pu le
craindre. Ce ne fut pas un de ces ouragans qui passent avec
110 une vitesse de quatre-vingt-dix milles à l'heure. Il se tint au
grand frais, mais malheureusement il souffla avec obstination
de la partie du sud-est et ne permit pas de faire de la toile.
Et cependant, ainsi qu'on va le voir, il eût été bien utile de
venir en aide à la vapeur !

115 Le 16 décembre, c'était le soixante-quinzième jour écoulé
depuis le départ de Londres. En somme, l'*Henrietta* n'avait
pas encore un retard inquiétant. La moitié de la traversée
était à peu près faite, et les plus mauvais parages avaient été
franchis. En été, on eût répondu du succès. En hiver, on était
120 à la merci de la mauvaise saison. Passepartout ne se pronon-
çait pas. Au fond, il avait espoir, et, si le vent faisait défaut,
du moins il comptait sur la vapeur.

Or, ce jour-là, le mécanicien étant monté sur le pont rencontra Mr. Fogg et s'entretint assez vivement avec lui.

125 Sans savoir pourquoi – par un pressentiment sans doute –,
Passepartout éprouva comme une vague inquiétude. Il eût
donné une de ses oreilles pour entendre de l'autre ce qui se

disait là. Cependant, il put saisir quelques mots, ceux-ci entre autres, prononcés par son maître :

130 « Vous êtes certain de ce que vous avancez ?

– Certain, monsieur, répondit le mécanicien. N'oubliez pas que, depuis notre départ, nous chauffons avec tous nos fourneaux allumés, et si nous avions assez de charbon pour aller à petite vapeur de New York à Bordeaux, nous n'en avons
135 pas assez pour aller à toute vapeur de New York à Liverpool !

– J'aviserai », répondit Mr. Fogg.

Passepartout avait compris. Il fut pris d'une inquiétude mortelle.

140 Le charbon allait manquer !

« Ah ! si mon maître pare celle-là, se dit-il, décidément ce sera un fameux homme ! »

Et ayant rencontré Fix, il ne put s'empêcher de le mettre au courant de la situation.

145 « Alors, lui répondit l'agent les dents serrées, vous croyez que nous allons à Liverpool !

– Parbleu !

– Imbécile ! » répondit l'inspecteur, qui s'en alla, haussant les épaules.

150 Passepartout fut sur le point de relever vertement le qualificatif, dont il ne pouvait d'ailleurs comprendre la vraie signification ; mais il se dit que l'infortuné Fix devait être très désappointé, très humilié dans son amour-propre, après avoir si maladroitement suivi une fausse piste autour du monde, et
155 il passa condamnation.

Et maintenant quel parti allait prendre Phileas Fogg ? Cela était difficile à imaginer. Cependant, il paraît que le flegmatique gentleman en prit un, car le soir même il fit venir le mécanicien et lui dit :

160 « Poussez les feux et faites route jusqu'à complet épuisement du combustible. »

Quelques instants après, la cheminée de l'*Henrietta* vomissait des torrents de fumée.

Le navire continua donc de marcher à toute vapeur ; mais
165 ainsi qu'il l'avait annoncé, deux jours plus tard, le 18, le
mécanicien fit savoir que le charbon manquerait dans la
journée.

« Que l'on ne laisse pas baisser les feux, répondit Mr. Fogg.
Au contraire. Que l'on charge les soupapes.

170 Ce jour-là, vers midi, après avoir pris hauteur et calculé la
position du navire, Phileas Fogg fit venir Passepartout, et il
lui donna l'ordre d'aller chercher le capitaine Speedy. C'était
comme si on eût commandé à ce brave garçon d'aller déchaî-
ner un tigre, et il descendit dans la dunette, se disant :

175 « Positivement il sera enragé ! »

En effet, quelques minutes plus tard, au milieu des cris et
des jurons, une bombe arrivait sur la dunette. Cette bombe,
c'était le capitaine Speedy. Il était évident qu'elle allait éclater.

« Où sommes-nous ? » telles furent les premières paroles
180 qu'il prononça au milieu des suffocations de la colère, et
certes, pour peu que le digne homme eût été apoplectique, il
n'en serait jamais revenu.

« Où sommes-nous ? répéta-t-il, la face congestionnée.

– À sept cent soixante-dix milles de Liverpool (300 lieues),
185 répondit Mr. Fogg avec un calme imperturbable.

– Pirate ! s'écria Andrew Speedy.

– Je vous ai fait venir, monsieur...

– Écumeur de mer !

– ... monsieur, reprit Phileas Fogg, pour vous prier de me
190 vendre votre navire.

– Non ! de par tous les diables, non !

– C'est que je vais être obligé de le brûler.

– Brûler mon navire !

– Oui, du moins dans ses hauts, car nous manquons de
195 combustible.

– Brûler mon navire ! s'écria le capitaine Speedy, qui ne
pouvait même plus prononcer les syllabes. Un navire qui vaut
cinquante mille dollars (250 000 F).

– En voici soixante mille (300 000 F) ! » répondit Phileas
200 Fogg, en offrant au capitaine une liasse de bank-notes.

Cela fit un effet prodigieux sur Andrew Speedy. On n'est
pas Américain sans que la vue de soixante mille dollars vous
cause une certaine émotion. Le capitaine oublia en un instant
sa colère, son emprisonnement, tous ses griefs contre son pas-
205 sager. Son navire avait vingt ans. Cela pouvait devenir une
affaire d'or !... La bombe ne pouvait déjà plus éclater.
Mr. Fogg en avait arraché la mèche.

« Et la coque en fer me restera, dit-il d'un ton singulièrement radouci.

210 – La coque en fer et la machine, monsieur. Est-ce conclu ?
– Conclu. »

Et Andrew Speedy, saisissant la liasse de bank-notes, les
compta et les fit disparaître dans sa poche.

Pendant cette scène, Passepartout était blanc. Quant à Fix,
215 il faillit avoir un coup de sang. Près de vingt mille livres
dépensées, et encore ce Fogg qui abandonnait à son vendeur
la coque et la machine, c'est-à-dire presque la valeur totale
du navire ! Il est vrai que la somme volée à la banque s'élevait
à cinquante-cinq mille livres !

220 Quand Andrew Speedy eut empoché l'argent :

« Monsieur, lui dit Mr. Fogg, que tout ceci ne vous étonne
pas. Sachez que je perds vingt mille livres, si je ne suis pas
rendu à Londres le 21 décembre, à huit heures quarante-cinq
du soir. Or, j'avais manqué le paquebot de New York, et
225 comme vous refusiez de me conduire à Liverpool...

– Et j'ai bien fait, par les cinquante mille diables de l'enfer,
s'écria Andrew Speedy, puisque j'y gagne au moins quarante
mille dollars. »

Puis, plus posément :

230 « Savez-vous une chose, ajouta-t-il, capitaine ?...
– Fogg.
– Capitaine Fogg, eh bien, il y a du Yankee en vous. »

Et après avoir fait à son passager ce qu'il croyait être un
compliment, il s'en allait, quand Phileas Fogg lui dit :

235 « Maintenant ce navire m'appartient ?

– Certes, de la quille à la pomme des mâts, pour tout ce qui est "bois", s'entend !

– Bien. Faites démolir les aménagements intérieurs et chauffez avec ces débris. »

240 On juge ce qu'il fallut consommer de ce bois sec pour maintenir la vapeur en suffisante pression. Ce jour-là, la dunette, les rouffles [1], les cabines, les logements, le faux pont, tout y passa.

Le lendemain, 19 décembre, on brûla la mâture, les 245 dromes, les esparres. On abattit les mâts, on les débita à coups de hache. L'équipage y mettait un zèle incroyable. Passepartout, taillant, coupant, sciant, faisait l'ouvrage de dix hommes. C'était une fureur de démolition.

Le lendemain, 20, les bastingages, les pavois [2], les œuvres 250 mortes [3], la plus grande partie du pont, furent dévorés. L'*Henrietta* n'était plus qu'un bâtiment rasé comme un ponton.

Mais, ce jour-là, on avait eu connaissance de la côte d'Irlande et du feu de Fastenet.

255 Toutefois, à dix heures du soir, le navire n'était encore que par le travers de Queenstown. Phileas Fogg n'avait plus que vingt-quatre heures pour atteindre Londres ! Or, c'était le temps qu'il fallait à l'*Henrietta* pour gagner Liverpool – même en marchant à toute vapeur. Et la vapeur allait man- 260 quer enfin à l'audacieux gentleman !

« Monsieur, lui dit alors le capitaine Speedy, qui avait fini par s'intéresser à ses projets, je vous plains vraiment. Tout est contre vous ! Nous ne sommes encore que devant Queenstown.

---

1. Rouffles : sans doute pour « roufs », superstructures établies sur les ponts des navires.
2. Pavois : parties de la muraille du navire protégeant le pont.
3. Œuvres mortes : parties émergées du navire.

265   – Ah ! fit Mr. Fogg, c'est Queenstown, cette ville dont nous apercevons les feux ?

     – Oui.

     – Pouvons-nous entrer dans le port ?

     – Pas avant trois heures. À pleine mer seulement.

270   – Attendons ! » répondit tranquillement Phileas Fogg, sans laisser voir sur son visage que, par une suprême inspiration, il allait tenter de vaincre encore une fois, la chance contraire !

En effet, Queenstown est un port de la côte d'Irlande dans lequel les transatlantiques qui viennent des États-Unis jettent
275 en passant leur sac aux lettres. Ces lettres sont emportées à Dublin par des express toujours prêts à partir. De Dublin elles arrivent à Liverpool par des steamers de grande vitesse – devançant ainsi de douze heures les marcheurs les plus rapides des compagnies maritimes.

280   Ces douze heures que gagnait ainsi le courrier d'Amérique, Phileas Fogg prétendait les gagner aussi. Au lieu d'arriver sur l'*Henrietta*, le lendemain soir, à Liverpool, il y serait à midi, et, par conséquent, il aurait le temps d'être à Londres avant huit heures quarante-cinq minutes du soir.

285   Vers une heure du matin, l'*Henrietta* entrait à haute mer dans le port de Queenstown, et Phileas Fogg, après avoir reçu une vigoureuse poignée de main du capitaine Speedy, le laissait sur la carcasse rasée de son navire, qui valait encore la moitié de ce qu'il l'avait vendue !

290   Les passagers débarquèrent aussitôt. Fix, à ce moment, eut une envie féroce d'arrêter le sieur Fogg. Il ne le fit pas, pourtant ! Pourquoi ? Quel combat se livrait donc en lui ? Était-il revenu sur le compte de Mr. Fogg ? Comprenait-il enfin qu'il s'était trompé ? Toutefois, Fix n'abandonna pas
295 Mr. Fogg. Avec lui, avec Mrs. Aouda, avec Passepartout, qui ne prenait plus le temps de respirer, il montait dans le train de Queenstown à une heure et demie du matin, arrivait à Dublin au jour naissant, et s'embarquait aussitôt, sur un de ces steamers – vrais fuseaux d'acier, tout en machine – qui, dédai-
300 gnant de s'élever à la lame, passent invariablement au travers.

À midi moins vingt, le 21 décembre, Phileas Fogg débarquait enfin sur le quai de Liverpool. Il n'était plus qu'à six heures de Londres.

Mais à ce moment, Fix s'approcha, lui mit la main sur l'épaule, et, exhibant son mandat :

« Vous êtes bien le sieur Phileas Fogg ? dit-il.

– Oui, monsieur.

– Au nom de la reine, je vous arrête ! »

REPÈRES

1. Sur combien de temps se déroule cette traversée ?
2. En combien d'épisodes vous semble-t-il le plus logique de décomposer la traversée proprement dite ?

OBSERVATION

3. Faites le total de ce que coûte cette traversée à Phileas Fogg. Combien Fix peut-il encore espérer toucher ?
4. Comparez cet épisode à celui de l'achat de l'éléphant. Quels procédés communs repérez-vous ? Qu'est-ce que ce passage a de spécifique ?
5. Montrez que Phileas Fogg devient ici le véritable maître de son destin.
6. Commentez l'appréciation de Passepartout sur « *l'exploit de son maître* » (l. 48-49), en relevant toutes les expressions laudatives que le narrateur lui attribue.
7. À quels différents obstacles Phileas Fogg se heurte-t-il ?
8. Quelle est la position du narrateur dans le récit ? La focalisation est-elle omnisciente ? Justifiez votre réponse grâce à l'analyse de tous les passages où apparaît le discours du narrateur.
9. Commentez la chute du chapitre XXXIII.

INTERPRÉTATIONS

10. Les moyens de Phileas Fogg ont-ils évolué ? En quoi est-il devenu un véritable aventurier ?
11. Commentez le « compliment » d'Andrew Speedy à Phileas Fogg : « *il y a du Yankee en vous* » (chap. XXXIII, l. 232). Qu'en pensez-vous ?
12. Pourquoi Fix arrête-t-il Phileas Fogg à Liverpool et non à Queenstown ?

DE LA LECTURE À L'ÉCRITURE

13. Donnez corps à la supposition de Fix, qui « *fut naturellement porté à croire que* l'Henrietta, *dirigée par Phileas Fogg, n'allait point du tout à Liverpool, mais dans quelque point du monde où le voleur, devenu pirate, se mettrait tranquillement en sûreté !* » (l. 69-72), en imaginant les motifs d'un Phileas Fogg dont vous pourrez à votre guise transformer le caractère.

Un hymne à la vapeur

Les deux moyens utilisant la vapeur, le train et le bateau, alternent rigoureusement dans ce roman mathématique, chacun permettant d'effectuer sept étapes sur les seize (les quatrième et onzième étapes sont franchies à l'aide de l'éléphant et du traîneau) que comprend le parcours de Phileas Fogg. Instruments du voyage, ils en sont aussi bien le mobile que les acteurs principaux : ils mènent l'action, et le pari de Phileas Fogg est directement lié à l'ouverture de la ligne indienne, invoquée par John Sullivan au chapitre III. À la géographie terrestre se substitue le tracé des lignes, dans un quadrillage de l'espace auquel n'échappe pas la marine, de plus en plus spécialisée dans le transport de passagers : on ne parcourt pas un itinéraire, on atteint des destinations.

Le rail et la marine à la vapeur ont révolutionné les transports ; outre la vitesse de leurs machines, ils introduisent une précision dans les horaires tout à fait nouvelle. Leur confort aussi est exceptionnel : Phileas Fogg n'a pas besoin de nombreux bagages et il peut même jouer au whist ; on oublierait presque, comme Passepartout, qu'on a quitté l'Angleterre.

Le pari de la technique

Or, cette victoire de la technique sur la nature est l'enjeu même du pari de Phileas Fogg : en adoptant les horaires des compagnies, il fait fi du mauvais temps, des vents contraires, des naufrages, des déraillements que lui énumère Andrew Stuart. Certes, la nature oppose quelques obstacles aux parfaites mécaniques que le progrès met à sa disposition (les bisons, la tempête, l'absence de vent), mais aucun retard n'est à imputer à ces contretemps.

Phileas Fogg, auquel « obéissent » les steamers et les railways, incarne la victoire de l'homme sur la nature grâce à la technique : impassible, il n'est « *pas plus ému que les chronomètres du bord* » du *Mongolia* qui, « *malgré la rafale, malgré la houle* […] *poussé par sa puissante machine, courait sans retard vers le détroit de Bab-el-Mandeb* » (chap. IX, l. 39-41 et 53). L'homme moderne a le sang-froid et la force de la mécanique, mais cette fantaisie, toute à la gloire de l'industrialisation triomphante, n'est pas sans ironie et léger grincement : ne faudrait-il pas que ces « rouages » s'humanisent un peu ?

CHAPITRE XXXIV

Qui procure à Passepartout l'occasion de faire
un jeu de mots atroce, mais peut-être inédit

PHILEAS FOGG était en prison. On l'avait enfermé dans le
poste de Custom-house, la douane de Liverpool, et il devait
y passer la nuit en attendant son transfèrement à Londres.

Au moment de l'arrestation, Passepartout avait voulu se
5 précipiter sur le détective. Des policemen le retinrent.
Mrs. Aouda, épouvantée par la brutalité du fait, ne sachant
rien, n'y pouvait rien comprendre. Passepartout lui expliqua
la situation. Mr. Fogg, cet honnête et courageux gentleman,
auquel elle devait la vie, était arrêté comme voleur. La jeune
10 femme protesta contre une telle allégation, son cœur s'indi-
gna, et des pleurs coulèrent de ses yeux, quand elle vit qu'elle
ne pouvait rien faire, rien tenter, pour sauver son sauveur.

Quant à Fix, il avait arrêté le gentleman parce que son
devoir lui commandait de l'arrêter, fût-il coupable ou non.
15 La justice en déciderait.

Mais alors une pensée vint à Passepartout, cette pensée
terrible qu'il était décidément la cause de tout ce malheur !
En effet, pourquoi avait-il caché cette aventure à Mr. Fogg ?
Quand Fix avait révélé et sa qualité d'inspecteur de police et
20 la mission dont il était chargé, pourquoi avait-il pris sur lui
de ne point avertir son maître ? Celui-ci, prévenu, aurait sans
doute donné à Fix des preuves de son innocence ; il lui aurait
démontré son erreur ; en tout cas, il n'eût pas véhiculé à ses

frais et à ses trousses ce malencontreux agent, dont le premier
25 soin avait été de l'arrêter, au moment où il mettait le pied
sur le sol du Royaume-Uni. En songeant à ses fautes, à ses
imprudences, le pauvre garçon était pris d'irrésistibles
remords. Il pleurait, il faisait peine à voir. Il voulait se briser
la tête !

30   Mrs. Aouda et lui étaient restés, malgré le froid, sous le
péristyle de la douane. Ils ne voulaient ni l'un ni l'autre quitter la place. Ils voulaient revoir encore une fois Mr. Fogg.

    Quant à ce gentleman, il était bien et dûment ruiné, et cela
au moment où il allait atteindre son but. Cette arrestation le
35 perdait sans retour. Arrivé à midi moins vingt à Liverpool,
le 21 décembre, il avait jusqu'à huit heures quarante-cinq
minutes pour se présenter au Reform-Club, soit neuf heures
quinze minutes – et il ne lui en fallait que six pour atteindre
Londres.

40   En ce moment, qui eût pénétré dans le poste de la douane
eût trouvé Mr. Fogg, immobile, assis sur un banc de bois,
sans colère, imperturbable. Résigné, on n'eût pu le dire, mais
ce dernier coup n'avait pu l'émouvoir, au moins en apparence. S'était-il formé en lui une de ces rages secrètes terribles
45 parce qu'elles sont contenues, et qui n'éclatent qu'au dernier
moment avec une force irrésistible ? On ne sait. Mais Phileas
Fogg était là, calme, attendant... quoi ? Conservait-il quelque
espoir ? Croyait-il encore au succès, quand la porte de cette
prison était fermée sur lui ?

50   Quoi qu'il en soit, Mr. Fogg avait soigneusement posé sa
montre sur une table et il en regardait les aiguilles marcher.
Pas une parole ne s'échappait de ses lèvres, mais son regard
avait une fixité singulière.

    En tout cas, la situation était terrible, et, pour qui ne pou-
55 vait lire dans cette conscience, elle se résumait ainsi :

    Honnête homme, Phileas Fogg était ruiné.

    Malhonnête homme, il était pris.

    Eut-il alors la pensée de se sauver ? Songea-t-il à chercher
si ce poste présentait une issue praticable ? Pensa-t-il à fuir ?

60 On serait tenté de le croire, car, à un certain moment, il fit
le tour de la chambre. Mais la porte était solidement fermée
et la fenêtre garnie de barreaux de fer. Il vint donc se rasseoir,
et il tira de son portefeuille l'itinéraire du voyage. Sur la ligne
qui portait ces mots :

65 « 21 décembre, samedi, Liverpool »,
il ajouta :
« 80e jour, 11 h 40 du matin »,
et il attendit.

Une heure sonna à l'horloge de Custom-house. Mr. Fogg
70 constata que sa montre avançait de deux minutes sur cette
horloge.

Deux heures ! En admettant qu'il montât en ce moment
dans un express, il pouvait encore arriver à Londres et au
Reform-Club avant huit heures quarante-cinq du soir. Son
75 front se plissa légèrement...

À deux heures trente-trois minutes, un bruit retentit au-
dehors, un vacarme de portes qui s'ouvraient. On entendait
la voix de Passepartout, on entendait la voix de Fix.

Le regard de Phileas Fogg brilla un instant.

80 La porte du poste s'ouvrit, et il vit Mrs. Aouda, Passepartout, Fix, qui se précipitèrent vers lui.

Fix était hors d'haleine, les cheveux en désordre... Il ne
pouvait parler !

« Monsieur, balbutia-t-il, monsieur... pardon... une res-
85 semblance déplorable... Voleur arrêté depuis trois jours...
vous... libre !... »

Phileas Fogg était libre ! Il alla au détective. Il le regarda
bien en face, et, faisant le seul mouvement rapide qu'il eût
jamais fait et qu'il dût jamais faire de sa vie, il ramena ses
90 deux bras en arrière, puis, avec la précision d'un automate,
il frappa de ses deux poings le malheureux inspecteur.

« Bien tapé ! » s'écria Passepartout, qui, se permettant un
atroce jeu de mots, bien digne d'un Français, ajouta : « Pardieu ! voilà ce qu'on peut appeler une belle application de
95 poings d'Angleterre ! »

Fix, renversé, ne prononça pas un mot. Il n'avait que ce qu'il méritait. Mais aussitôt Mr. Fogg, Mrs. Aouda, Passepartout quittèrent la douane. Ils se jetèrent dans une voiture, et, en quelques minutes, ils arrivèrent à la gare de Liverpool.

100 Phileas Fogg demanda s'il y avait un express prêt à partir pour Londres...

Il était deux heures quarante... L'express était parti depuis trente-cinq minutes.

Phileas Fogg commanda alors un train spécial.

105 Il y avait plusieurs locomotives de grande vitesse en pression ; mais, attendu les exigences du service, le train spécial ne put quitter la gare avant trois heures.

À trois heures, Phileas Fogg, après avoir dit quelques mots au mécanicien d'une certaine prime à gagner, filait dans la 110 direction de Londres, en compagnie de la jeune femme et de son fidèle serviteur.

Il fallait franchir en cinq heures et demie la distance qui sépare Liverpool de Londres –, chose très faisable, quand la voie est libre sur tout le parcours. Mais il y eut des retards 115 forcés, et, quand le gentleman arriva à la gare, neuf heures moins dix sonnaient à toutes les horloges de Londres.

Phileas Fogg, après avoir accompli ce voyage autour du monde, arrivait avec un retard de cinq minutes !...

Il avait perdu.

CHAPITRE XXXV

Dans lequel Passepartout ne se fait pas répéter
deux fois l'ordre que son maître lui donne

LE LENDEMAIN, les habitants de Saville-row auraient été bien
surpris, si on leur eût affirmé que Mr. Fogg avait réintégré
son domicile. Portes et fenêtres, tout était clos. Aucun changement ne s'était produit à l'extérieur.

5   En effet, après avoir quitté la gare, Phileas Fogg avait
donné à Passepartout l'ordre d'acheter quelques provisions,
et il était rentré dans sa maison.

Ce gentleman avait reçu avec son impassibilité habituelle
le coup qui le frappait. Ruiné ! et par la faute de ce maladroit
10 inspecteur de police ! Après avoir marché d'un pas sûr pendant ce long parcours, après avoir renversé mille obstacles,
bravé mille dangers, ayant encore trouvé le temps de faire
quelque bien sur sa route, échouer au port devant un fait
brutal, qu'il ne pouvait prévoir, et contre lequel il était
15 désarmé : cela était terrible ! De la somme considérable qu'il
avait emportée au départ, il ne lui restait qu'un reliquat insi-
gnifiant. Sa fortune ne se composait plus que des vingt mille
livres déposées chez Baring frères, et ces vingt mille livres, il
les devait à ses collègues du Reform-Club. Après tant de
20 dépenses faites, ce pari gagné ne l'eût pas enrichi sans doute,
et il est probable qu'il n'avait pas cherché à s'enrichir – étant
de ces hommes qui parient pour l'honneur –, mais ce pari

perdu le ruinait totalement. Au surplus, le parti du gentleman était pris. Il savait ce qui lui restait à faire.

25   Une chambre de la maison de Saville-row avait été réservée à Mrs. Aouda. La jeune femme était désespérée. À certaines paroles prononcées par Mr. Fogg, elle avait compris que celui-ci méditait quelque projet funeste.

On sait, en effet, à quelles déplorables extrémités se portent
30 quelquefois ces Anglais monomanes sous la pression d'une idée fixe. Aussi Passepartout, sans en avoir l'air, surveillait-il son maître.

Mais, tout d'abord, l'honnête garçon était monté dans sa chambre et avait éteint le bec qui brûlait depuis quatre-vingts
35 jours. Il avait trouvé dans la boîte aux lettres une note de la Compagnie du gaz, et il pensa qu'il était plus que temps d'arrêter ces frais dont il était responsable.

La nuit se passa. Mr. Fogg s'était couché, mais avait-il dormi ? Quant à Mrs. Aouda, elle ne put prendre un seul
40 instant de repos. Passepartout, lui, avait veillé comme un chien à la porte de son maître.

Le lendemain, Mr. Fogg le fit venir et lui recommanda, en termes fort brefs, de s'occuper du déjeuner de Mrs. Aouda. Pour lui, il se contenterait d'une tasse de thé et d'une rôtie[1].
45 Mrs. Aouda voudrait bien l'excuser pour le déjeuner et le dîner, car tout son temps était consacré à mettre ordre à ses affaires. Il ne descendrait pas. Le soir seulement, il demanderait à Mrs. Aouda la permission de l'entretenir pendant quelques instants.

50   Passepartout, ayant communication du programme de la journée, n'avait plus qu'à s'y conformer. Il regardait son maître toujours impassible, et il ne pouvait se décider à quitter sa chambre. Son cœur était gros, sa conscience bourrelée de remords, car il s'accusait plus que jamais de cet irréparable
55 désastre. Oui ! s'il eût prévenu Mr. Fogg, s'il lui eût dévoilé

---

1. **Rôtie** : tranche de pain rôtie ou grillée.

les projets de l'agent Fix, Mr. Fogg n'aurait certainement pas traîné l'agent Fix jusqu'à Liverpool, et alors...

Passepartout ne put plus y tenir.

« Mon maître ! monsieur Fogg ! s'écria-t-il, maudissez-60 moi. C'est par ma faute que...

– Je n'accuse personne, répondit Phileas Fogg du ton le plus calme. Allez. »

Passepartout quitta la chambre et vint trouver la jeune femme, à laquelle il fit connaître les intentions de son maître.

65 « Madame, ajouta-t-il, je ne puis rien par moi-même, rien ! Je n'ai aucune influence sur l'esprit de mon maître. Vous, peut-être...

– Quelle influence aurais-je, répondit Mrs. Aouda. Mr. Fogg n'en subit aucune ! A-t-il jamais compris que ma 70 reconnaissance pour lui était prête à déborder ! A-t-il jamais lu dans mon cœur !... Mon ami, il ne faudra pas le quitter, pas un seul instant. Vous dites qu'il a manifesté l'intention de me parler ce soir ?

– Oui, madame. Il s'agit sans doute de sauvegarder votre 75 situation en Angleterre.

– Attendons », répondit la jeune femme, qui demeura toute pensive.

Ainsi, pendant cette journée du dimanche, la maison de Saville-row fut comme si elle eût été inhabitée, et, pour la 80 première fois depuis qu'il demeurait dans cette maison, Phileas Fogg n'alla pas à son club, quand onze heures et demie sonnèrent à la tour du Parlement.

Et pourquoi ce gentleman se fût-il présenté au Reform-Club ? Ses collègues ne l'y attendaient plus. Puisque, la veille 85 au soir, à cette date fatale du samedi 21 décembre, à huit heures quarante-cinq, Phileas Fogg n'avait pas paru dans le salon du Reform-Club, son pari était perdu. Il n'était même pas nécessaire qu'il allât chez son banquier pour y prendre cette somme de vingt mille livres. Ses adversaires avaient 90 entre les mains un chèque signé de lui, et il suffisait d'une simple écriture à passer chez Baring frères, pour que les vingt mille livres fussent portées à leur crédit.

Mr. Fogg n'avait donc pas à sortir, et il ne sortit pas. Il demeura dans sa chambre et mit ordre à ses affaires. Passe-
95 partout ne cessa de monter et de descendre l'escalier de la maison de Saville-row. Les heures ne marchaient pas pour ce pauvre garçon. Il écoutait à la porte de la chambre de son maître, et, ce faisant, il ne pensait pas commettre la moindre indiscrétion ! Il regardait par le trou de la serrure, et il
100 s'imaginait avoir ce droit ! Passepartout redoutait à chaque instant quelque catastrophe. Parfois, il songeait à Fix, mais un revirement s'était fait dans son esprit. Il n'en voulait plus à l'inspecteur de police. Fix s'était trompé comme tout le monde à l'égard de Phileas Fogg, et, en le filant, en l'arrêtant,
105 il n'avait fait que son devoir, tandis que lui... Cette pensée l'accablait, et il se tenait pour le dernier des misérables.

Quand, enfin, Passepartout se trouvait trop malheureux d'être seul, il frappait à la porte de Mrs. Aouda, il entrait dans sa chambre, il s'asseyait dans un coin sans mot dire, et
110 il regardait la jeune femme, toujours pensive.

Vers sept heures et demie du soir, Mr. Fogg fit demander à Mrs. Aouda si elle pouvait le recevoir, et quelques instants après, la jeune femme et lui étaient seuls dans cette chambre.

Phileas Fogg prit une chaise et s'assit près de la cheminée,
115 en face de Mrs. Aouda. Son visage ne reflétait aucune émotion. Le Fogg du retour était exactement le Fogg du départ. Même calme, même impassibilité.

Il resta sans parler pendant cinq minutes. Puis, levant les yeux sur Mrs. Aouda :
120 « Madame, dit-il, me pardonnerez-vous de vous avoir amenée en Angleterre ?

– Moi, monsieur Fogg !... répondit Mrs. Aouda, en comprimant les battements de son cœur.

– Veuillez me permettre d'achever, reprit Mr. Fogg.
125 Lorsque j'eus la pensée de vous entraîner loin de cette contrée, devenue si dangereuse pour vous, j'étais riche, et je

comptais mettre une partie de ma fortune à votre disposition. Votre existence eût été heureuse et libre. Maintenant, je suis ruiné.

130 – Je le sais, monsieur Fogg, répondit la jeune femme, et je vous demanderai à mon tour : Me pardonnerez-vous de vous avoir suivi, et – qui sait ? – d'avoir peut-être, en vous retardant, contribué à votre ruine ?

– Madame, vous ne pouviez rester dans l'Inde, et votre
135 salut n'était assuré que si vous vous éloigniez assez pour que ces fanatiques ne pussent vous reprendre.

– Ainsi, monsieur Fogg, reprit Mrs. Aouda, non content de m'arracher à une mort horrible, vous vous croyiez encore obligé d'assurer ma position à l'étranger ?

140 – Oui, madame, répondit Fogg, mais les événements ont tourné contre moi. Cependant, du peu qui me reste, je vous demande la permission de disposer en votre faveur.

– Mais, vous, monsieur Fogg, que deviendrez-vous ? demanda Mrs. Aouda.

145 – Moi, madame, répondit froidement le gentleman, je n'ai besoin de rien.

– Mais comment, monsieur, envisagez-vous donc le sort qui vous attend ?

– Comme il convient de le faire, répondit Mr. Fogg.

150 – En tout cas, reprit Mrs. Aouda, la misère ne saurait atteindre un homme tel que vous. Vos amis...

– Je n'ai point d'amis, madame.

– Vos parents...

– Je n'ai plus de parents.

155 – Je vous plains alors, monsieur Fogg, car l'isolement est une triste chose. Quoi ! pas un cœur pour y verser vos peines. On dit cependant qu'à deux la misère elle-même est supportable encore !

– On le dit, madame.

160 – Monsieur Fogg, dit alors Mrs. Aouda, qui se leva et tendit sa main au gentleman, voulez-vous à la fois d'une parente et d'une amie ? Voulez-vous de moi pour votre femme ? »

Mr. Fogg, à cette parole, s'était levé à son tour. Il y avait comme un reflet inaccoutumé dans ses yeux, comme un trem165blement sur ses lèvres. Mrs. Aouda le regardait. La sincérité, la droiture, la fermeté et la douceur de ce beau regard d'une noble femme qui ose tout pour sauver celui auquel elle doit tout, l'étonnèrent d'abord, puis le pénétrèrent. Il ferma les yeux un instant, comme pour éviter que ce regard ne s'en170fonçât plus avant... Quand il les rouvrit :

« Je vous aime ! dit-il simplement. Oui, en vérité, par tout ce qu'il y a de plus sacré au monde, je vous aime, et je suis tout à vous !

– Ah !... » s'écria Mrs. Aouda, en portant la main à son 175cœur.

Passepartout fut sonné. Il arriva aussitôt. Mr. Fogg tenait encore dans sa main la main de Mrs. Aouda. Passepartout comprit, et sa large face rayonna comme le soleil au zénith des régions tropicales.

180Mr. Fogg lui demanda s'il ne serait pas trop tard pour aller prévenir le révérend Samuel Wilson, de la paroisse de Mary-le-Bone.

Passepartout sourit de son meilleur sourire.

« Jamais trop tard », dit-il.

185Il n'était que huit heures cinq.

« Ce serait pour demain, lundi ! dit-il.

– Pour demain lundi ? demanda Mr. Fogg en regardant la jeune femme.

– Pour demain lundi ! » répondit Mrs. Aouda.

190Passepartout sortit, tout courant.

REPÈRES

Chapitre XXXIV
1. Sur combien de temps le chapitre se déroule-t-il ?
2. Quelle est la particularité du mode narratif ?

Chapitre XXXV
3. Repérez les indications temporelles.

OBSERVATION

Chapitre XXXIV
4. Quelles questions le narrateur se pose-t-il concernant Phileas Fogg ? Quelles réponses vous paraîtraient le plus vraisemblables ?
5. En quoi la phrase : « *Mr. Fogg constata que sa montre avançait de deux minutes sur cette horloge* » (l. 69-71) constitue-t-elle un indice ?
6. Quel aspect de la psychologie de Phileas Fogg apparaît au cours de son attente en prison ?
7. Analysez le rythme de la dernière partie du récit. Quel succès les habituelles méthodes de Phileas Fogg rencontrent-elles ?

Chapitre XXXV
8. Comment le narrateur suggère-t-il les résolutions de Phileas Fogg ? Vous paraissent-elles vraisemblables ?
9. L'amour de Phileas Fogg pouvait-il être deviné ? Dans quels passages plus particulièrement ?
10. Quel motif, autre que l'amour, justifie la déclaration d'Aouda ?

INTERPRÉTATIONS

11. Donnez un titre à chacun des deux chapitres.
12. Entre les deux, la situation financière de Phileas Fogg a-t-elle changé ? Quelle résonance confère-t-elle au dénouement ?
13. La fin du chapitre XXXV ne laisse-t-elle pas pressentir le retournement à venir ?

DE LA LECTURE À L'ÉCRITURE

14. Remplacez le chapitre XXXV par un dénouement de votre invention.
15. Au lieu de demander une entrevue à Aouda, Phileas Fogg lui écrit une lettre : que lui dit-il ?

CHAPITRE XXXVI

Dans lequel Phileas Fogg fait de nouveau prime sur le marché

IL EST TEMPS DE DIRE ICI quel revirement de l'opinion s'était produit dans le Royaume-Uni, quand on apprit l'arrestation du vrai voleur de la Banque – un certain James Strand – qui avait eu lieu le 17 décembre, à Édimbourg.

5 Trois jours avant, Phileas Fogg était un criminel que la police poursuivait à outrance, et maintenant c'était le plus honnête gentleman, qui accomplissait mathématiquement son excentrique voyage autour du monde.

Quel effet, quel bruit dans les journaux ! Tous les parieurs
10 pour ou contre, qui avaient déjà oublié cette affaire, ressuscitèrent comme par magie. Toutes les transactions redevenaient valables. Tous les engagements revivaient, et, il faut le dire, les paris reprirent avec une nouvelle énergie. Le nom de Phileas Fogg fit de nouveau prime sur le marché.

15 Les cinq collègues du gentleman, au Reform-Club, passèrent ces trois jours dans une certaine inquiétude. Ce Phileas Fogg qu'ils avaient oublié reparaissait à leurs yeux ! Où était-il en ce moment ? Le 17 décembre – jour où James Strand fut arrêté –, il y avait soixante-seize jours que Phileas Fogg
20 était parti, et pas une nouvelle de lui ! Avait-il succombé ?

Avait-il renoncé à la lutte, ou continuait-il sa marche suivant l'itinéraire convenu ? Et le samedi 21 décembre, à huit heures quarante-cinq du soir, allait-il apparaître, comme le dieu de l'exactitude, sur le seuil du salon du Reform-Club ?

25 Il faut renoncer à peindre l'anxiété dans laquelle, pendant trois jours, vécut tout ce monde de la société anglaise. On lança des dépêches en Amérique, en Asie, pour avoir des nouvelles de Phileas Fogg ! On envoya matin et soir observer la maison de Saville-row... Rien. La police elle-même ne savait

30 plus ce qu'était devenu le détective Fix, qui s'était si malencontreusement jeté sur une fausse piste. Ce qui n'empêcha pas les paris de s'engager de nouveau sur une plus vaste échelle. Phileas Fogg, comme un cheval de course, arrivait au dernier tournant. On ne le cotait plus à cent, mais à vingt,

35 mais à dix, mais à cinq, et le vieux paralytique, Lord Albermale, le prenait, lui, à égalité.

Aussi, le samedi soir, y avait-il foule dans Pall-Mall et dans les rues voisines. On eût dit un immense attroupement de courtiers, établis en permanence aux abords du Reform-Club.

40 La circulation était empêchée. On discutait, on disputait, on criait les cours du « Phileas Fogg », comme ceux des fonds anglais. Les policemen avaient beaucoup de peine à contenir le populaire, et à mesure que s'avançait l'heure à laquelle devait arriver Phileas Fogg, l'émotion prenait des proportions

45 invraisemblables.

Ce soir-là, les cinq collègues du gentleman étaient réunis depuis neuf heures dans le grand salon du Reform-Club. Les deux banquiers, John Sullivan et Samuel Fallentin, l'ingénieur Andrew Stuart, Gauthier Ralph, administrateur de la Banque

50 d'Angleterre, le brasseur Thomas Flanagan, tous attendaient avec anxiété.

Au moment où l'horloge du grand salon marqua huit heures vingt-cinq, Andrew Stuart, se levant, dit :

« Messieurs, dans vingt minutes, le délai convenu entre

55 Mr. Phileas Fogg et nous sera expiré.

– À quelle heure est arrivé le dernier train de Liverpool ? demanda Thomas Flanagan.

– À sept heures vingt-trois, répondit Gauthier Ralph, et le train suivant n'arrive qu'à minuit dix.

60 – Eh bien, messieurs, reprit Andrew Stuart, si Phileas Fogg était arrivé par le train de sept heures vingt-trois, il serait déjà ici. Nous pouvons donc considérer le pari comme gagné.

– Attendons, ne nous prononçons pas, répondit Samuel Fallentin. Vous savez que notre collègue est un excentrique 65 de premier ordre. Son exactitude en tout est bien connue. Il n'arrive jamais ni trop tard ni trop tôt, et il apparaîtrait ici à la dernière minute, que je n'en serais pas autrement surpris.

– Et moi, dit Andrew Stuart, qui était, comme toujours, très nerveux, je le verrais, je n'y croirais pas.

70 – En effet, reprit Thomas Flanagan, le projet de Phileas Fogg était insensé. Quelle que fût son exactitude, il ne pouvait empêcher des retards inévitables de se produire, et un retard de deux ou trois jours seulement suffisait à compromettre son voyage.

75 – Vous remarquerez, d'ailleurs, ajouta John Sullivan, que nous n'avons reçu aucune nouvelle de notre collègue, et, cependant, les fils télégraphiques ne manquaient pas sur son itinéraire.

– Il a perdu, messieurs, reprit Andrew Stuart, il a cent fois 80 perdu ! Vous savez, d'ailleurs, que le *China* – le seul paquebot de New York qu'il pût prendre pour venir à Liverpool en temps utile – est arrivé hier. Or, voici la liste des passagers, publiée par la *Shipping Gazette*, et le nom de Phileas Fogg n'y figure pas. En admettant les chances les plus favorables, 85 notre collègue est à peine en Amérique ! J'estime à vingt jours, au moins, le retard qu'il subira sur la date convenue, et le vieux Lord Albermale en sera, lui aussi, pour ses cinq mille livres !

– C'est évident, répondit Gauthier Ralph, et demain nous 90 n'aurons qu'à présenter chez Baring frères le chèque de Mr. Fogg. »

En ce moment l'horloge du salon sonna huit heures quarante.

« Encore cinq minutes », dit Andrew Stuart.

95 Les cinq collègues se regardaient. On peut croire que les battements de leur cœur avaient subi une légère accélération, car enfin, même pour de beaux joueurs, la partie était forte ! Mais ils n'en voulaient rien laisser paraître, car, sur la proposition de Samuel Fallentin, ils prirent place à une table de jeu.

100 « Je ne donnerais pas ma part de quatre mille livres dans le pari, dit Andrew Stuart en s'asseyant, quand même on m'en offrirait trois mille neuf cent quatre-vingt-dix-neuf ! »

– L'aiguille marquait, en ce moment, huit heures quarante-deux minutes.

105 Les joueurs avaient pris les cartes, mais, à chaque instant, leur regard se fixait sur l'horloge. On peut affirmer que, quelle que fût leur sécurité, jamais minutes ne leur avaient paru si longues !

« Huit heures quarante-trois », dit Thomas Flanagan, en
110 coupant le jeu que lui présentait Gauthier Ralph.

Puis un moment de silence se fit. Le vaste salon du club était tranquille. Mais, au-dehors, on entendait le brouhaha de la foule, que dominaient parfois des cris aigus. Le balancier de l'horloge battait la seconde avec une régularité mathéma-
115 tique. Chaque joueur pouvait compter les divisions sexagé-simales qui frappaient son oreille.

« Huit heures quarante-quatre ! » dit John Sullivan d'une voix dans laquelle on sentait une émotion involontaire.

Plus qu'une minute, et le pari était gagné. Andrew Stuart
120 et ses collègues ne jouaient plus. Ils avaient abandonné les cartes ! Ils comptaient les secondes !

À la quarantième seconde, rien. À la cinquantième, rien encore !

À la cinquante-cinquième, on entendit comme un tonnerre
125 au-dehors, des applaudissements, des hurrahs, et même des imprécations, qui se propagèrent dans un roulement continu.

Les joueurs se levèrent.

« Me voici, Messieurs... » Gravure de L. Benett pour l'édition Hetzel.

À la cinquante-septième seconde, la porte du salon s'ouvrit, et le balancier n'avait pas battu la soixantième seconde, que
130 Phileas Fogg apparaissait, suivi d'une foule en délire qui avait forcé l'entrée du club, et de sa voix calme :

« Me voici, messieurs », disait-il.

Un voyage en chiffres

Phileas Fogg est riche, « *incontestablement* ». Son pari met en jeu une fortune, matérialisée par un sac de voyage rempli de bank-notes. Ces vingt mille livres sont tout au long du roman régulièrement comptées, « mesurées » comme le temps et les distances : moteur dramatique de l'action, l'argent dépensé par Phileas Fogg est aussi l'image du voyage, du risque que le personnage encourt. De même montant que la somme misée déposée chez Baring frères, la fortune emportée par Phileas Fogg est progressivement entamée par les aléas du voyage. Le récit se parsème de chiffres, notant tour à tour les jours et les sommes dépensées ; tout un champ lexical est ainsi employé pour les deux domaines : « gagner », mais aussi « bénéfices » (fin du chapitre IX par exemple), « dépenser », « pertes »….

Jeux d'argent ou pour l'argent ?

Jules Verne travaillait à la Bourse, où il essayait de rétablir une situation financière rendue difficile par la guerre. À la fois horloge et valeur boursière, Phileas Fogg est doublement l'objet de spéculations : à celles de ses compatriotes correspond celle du narrateur s'interrogeant sur le décalage horaire au passage du méridien 180…

Aux paris que l'on fait sur Phileas Fogg répond son propre jeu ; les dépenses exceptionnelles sont menées et engagées sur le mode des robres audacieux qui font sa force au whist : 2 000 livres pour l'éléphant, 2 000 encore pour la caution versée à Calcutta, 13 600 enfin pour l'*Henrietta*… Le bec de gaz qui brûle au compte de Passepartout au rythme de deux shillings par vingt-quatre heures symbolise lui aussi le coût du voyage, coût plus régulier et directement proportionnel au temps écoulé.

Si Fix croit tout au long du périple que Phileas Fogg fuit pour mettre son argent en lieu sûr, si Passepartout et les membres du Reform-Club croient qu'il court pour de l'argent, tous sont démentis à la fin du roman : le bilan est quasiment nul. Ruiné, il resterait quelque mille livres à Phileas Fogg ; vainqueur, il ne gagne presque rien, ayant dépensé la moitié de sa fortune dans ce voyage… Mais il s'est incontestablement enrichi : d'un jour « en plus » (celui qui lui a permis de sauver Aouda ?), d'une femme qui « *le rendit le plus heureux des hommes* » et, peut-être, d'une manière moins mathématique d'envisager la vie.

Chapitre XXXVII

Dans lequel il est prouvé que Phileas Fogg
n'a rien gagné à faire ce tour du monde,
si ce n'est le bonheur

Oui ! Phileas Fogg en personne.

On se rappelle qu'à huit heures cinq du soir – vingt-cinq heures environ après l'arrivée des voyageurs à Londres –, Passepartout avait été chargé par son maître de prévenir le révé-
5 rend Samuel Wilson au sujet d'un certain mariage qui devait se conclure le lendemain même.

Passepartout était donc parti, enchanté. Il se rendit d'un pas rapide à la demeure du révérend Samuel Wilson, qui n'était pas encore rentré. Naturellement, Passepartout atten-
10 dit, mais il attendit vingt bonnes minutes au moins.

Bref, il était huit heures trente-cinq quand il sortit de la maison du révérend. Mais dans quel état ! Les cheveux en désordre, sans chapeau, courant, courant, comme on n'avait jamais vu courir de mémoire d'homme, renversant les pas-
15 sants, se précipitant comme une trombe sur les trottoirs !

En trois minutes, il était de retour à la maison de Saville-row, et il tombait, essoufflé, dans la chambre de Mr. Fogg.

Il ne pouvait parler.

« Qu'y a-t-il ? demanda Mr. Fogg.

20 – Mon maître... balbutia Passepartout... mariage... impossible.

– Impossible ?

– Impossible... pour demain.

– Pourquoi ?

25 – Parce que demain... c'est dimanche !

– Lundi, répondit Mr. Fogg.

– Non... aujourd'hui... samedi.

– Samedi ? impossible !

– Si, si, si, si ! s'écria Passepartout. Vous vous êtes trompé
30 d'un jour ! Nous sommes arrivés vingt-quatre heures en
avance... mais il ne reste plus que dix minutes !... »

Passepartout avait saisi son maître au collet, et il l'entraînait avec une force irrésistible !

Phileas Fogg, ainsi enlevé, sans avoir le temps de réfléchir,
35 quitta sa chambre, quitta sa maison, sauta dans un cab, promit cent livres au cocher, et après avoir écrasé deux chiens
et accroché cinq voitures, il arriva au Reform-Club.

L'horloge marquait huit heures quarante-cinq, quand il
parut dans le grand salon...

40 Phileas Fogg avait accompli ce tour du monde en quatrevingts jours !...

Phileas Fogg avait gagné son pari de vingt mille livres !

Et maintenant, comment un homme si exact, si méticuleux,
avait-il pu commettre cette erreur de jour ? Comment se
45 croyait-il au samedi soir, 21 décembre, quand il débarqua à
Londres, alors qu'il n'était qu'au vendredi, 20 décembre,
soixante-dix-neuf jours seulement après son départ ?

Voici la raison de cette erreur. Elle est fort simple.

Phileas Fogg avait, « sans s'en douter », gagné un jour sur
50 son itinéraire – et cela uniquement parce qu'il avait fait le
tour du monde en allant vers l'*est*, et il eût, au contraire,
perdu ce jour en allant en sens inverse, soit vers l'*ouest*.

En effet, en marchant vers l'est, Phileas Fogg allait audevant du soleil, et, par conséquent, les jours diminuaient
55 pour lui d'autant de fois quatre minutes qu'il franchissait de
degrés dans cette direction. Or, on compte trois cent soixante
degrés sur la circonférence terrestre, et ces trois cent soixante

degrés, multipliés par quatre minutes, donnent précisément vingt-quatre heures – c'est-à-dire ce jour inconsciemment
60 gagné. En d'autres termes, pendant que Phileas Fogg, marchant vers l'est, voyait le soleil passer *quatre-vingts fois* au méridien, ses collègues restés à Londres ne le voyaient passer que *soixante-dix-neuf fois*. C'est pourquoi, ce jour-là même, qui était le samedi et non le dimanche, comme le croyait
65 Mr. Fogg, ceux-ci l'attendaient dans le salon du Reform-Club.

Et c'est ce que la fameuse montre de Passepartout – qui avait toujours conservé l'heure de Londres – eût constaté si, en même temps que les minutes et les heures, elle eût marqué
70 les jours !

Phileas Fogg avait donc gagné les vingt mille livres. Mais comme il en avait dépensé en route environ dix-neuf mille, le résultat pécuniaire était médiocre. Toutefois, on l'a dit, l'excentrique gentleman n'avait, en ce pari, cherché que la
75 lutte, non la fortune. Et même, les mille livres restant, il les partagea entre l'honnête Passepartout et le malheureux Fix, auquel il était incapable d'en vouloir. Seulement, et pour la régularité, il retint à son serviteur le prix des dix-neuf cent vingt heures de gaz dépensé par sa faute.
80 Ce soir-là même, Mr. Fogg, aussi impassible, aussi flegmatique, disait à Mrs. Aouda :

« Ce mariage vous convient-il toujours, madame ?

– Monsieur Fogg, répondit Mrs. Aouda, c'est à moi de vous faire cette question. Vous étiez ruiné, vous voici riche...
85 – Pardonnez-moi, madame, cette fortune vous appartient. Si vous n'aviez pas eu la pensée de ce mariage, mon domestique ne serait pas allé chez le révérend Samuel Wilson, je n'aurais pas été averti de mon erreur, et...

– Cher monsieur Fogg..., dit la jeune femme.
90 – Chère Aouda... », répondit Phileas Fogg.

On comprend bien que le mariage se fit quarante-huit heures plus tard, et Passepartout, superbe, resplendissant, éblouissant, y figura comme témoin de la jeune femme. Ne l'avait-il pas sauvée, et ne lui devait-on pas cet honneur ?

95 Seulement, le lendemain, dès l'aube, Passepartout frappait avec fracas à la porte de son maître.

La porte s'ouvrit, et l'impassible gentleman parut.

« Qu'y a-t-il, Passepartout ?

– Ce qu'il y a, monsieur ! Il y a ce que je viens d'apprendre
100 à l'instant...

– Quoi donc ?

– Que nous pouvions faire le tour du monde en soixante-dix-huit jours seulement.

– Sans doute, répondit Mr. Fogg, en ne traversant pas
105 l'Inde. Mais si je n'avais pas traversé l'Inde, je n'aurais pas sauvé Mrs. Aouda, elle ne serait pas ma femme, et... »

Et Mr. Fogg ferma tranquillement la porte.

Ainsi donc Phileas Fogg avait gagné son pari. Il avait accompli en quatre-vingts jours ce voyage autour du monde !
110 Il avait employé pour ce faire tous les moyens de transport, paquebots, railways, voitures, yachts, bâtiments de commerce, traîneaux, éléphant. L'excentrique gentleman avait déployé dans cette affaire ses merveilleuses qualités de sang-froid et d'exactitude. Mais après ? Qu'avait-il gagné à
115 ce déplacement ? Qu'avait-il rapporté de ce voyage ?

Rien, dira-t-on ? Rien, soit, si ce n'est une charmante femme, qui – quelque invraisemblable que cela puisse paraître – le rendit le plus heureux des hommes !

En vérité, ne ferait-on pas, pour moins que cela, le Tour
120 du Monde ?

REPÈRES

1. Relevez les indications temporelles.
2. Le récit est-il linéaire ?

OBSERVATION

3. Montrez que les deux chapitres présentent la même action vue sous deux points de vue différents.
4. Comment Phileas Fogg est-il perçu par ses collègues ?
5. Quels sont les personnages qui croient le plus à sa perte ?
6. Quelle atmosphère règne au Reform-Club ?
7. Analysez le rythme du récit dans le chapitre XXXVI ; comment le suspense est-il ménagé ?
8. Repérez, dans les deux chapitres, une analepse (ou retour en arrière), une ellipse, un sommaire, une scène. Vous justifierez vos réponses.
9. Combien Passepartout aura-t-il gagné ou perdu dans l'aventure ?

INTERPRÉTATIONS

10. En quoi le dénouement du roman reprend-il la fin du chapitre XXXV ?
11. Commentez l'incise « *quelque invraisemblable que cela puisse paraître* » (chap. XXXVII, l. 117).
12. Quelle morale le narrateur livre-t-il à la fin du récit ?
13. Phileas Fogg n'a-t-il pas gagné autre chose encore par ce voyage ?

DE LA LECTURE À L'ÉCRITURE

14. Que vous suggère la question finale ?
15. Imaginez un article de journal proposant un compte rendu critique du roman, sans en dévoiler toute l'intrigue.

Une seconde Angleterre et l'audace yankee

L'Inde, ou plutôt l'empire des Indes, constitue, de l'autre côté de la planète, une seconde Angleterre, dont elle symbolise la puissance et l'étendue. Le chemin de fer est nettement l'apanage des Anglais ; même en terre indienne, les trains partent à des heures précises et offrent aux voyageurs de « *confortables wagons* » (chap. XIV). Seuls les retards de construction freinent la traversée du territoire. La puissance de l'Angleterre est sensible au travers de la richesse commerciale des villes, des aimables Parsis anoblis par la Couronne... Les pratiques superstitieuses sont combattues sans précipitation, avec une « *saine politique* », déclare un narrateur acquis à la cause de la colonisation.

Face à l'Europe et sa puissance coloniale, les États-Unis, terre vierge et politiquement neuve, sont le pays de l'audace et de l'efficacité moderne. Face au *Mongolia* et au *Rangoon*, le *General-Grant* : sur le plan de la vitesse comme sur le plan du confort, les Américains s'imposent. Quant au chemin de fer américain, il n'apparaît pas moins puissant que l'européen... mais il est incontestablement plus dangereux : bisons, ponts effondrés, Indiens « sauvages », le train n'est plus un lieu de villégiature. Dans la galerie des personnages excessifs, tout se fait « carrément », de l'élection des juges de paix (chap. XXVI) à la prédication religieuse (chap. XXVII) en passant par les villes, les duels et « les sottises ».

Rapprocher les continents

Cependant, le voyageur ne s'arrête pas, il traverse, en costume de ville et sans dommage, des terres reliées par une technologie moderne et unifiante. La puissance du roman est de déclarer la technique victorieuse sur tous les continents, le Vieux Monde comme le Nouveau. La technique nouvelle les relie doublement : sur le plan matériel bien sûr, mais aussi sur celui des usages. Discrètement, Jules Verne évoque les difficultés de cette harmonisation technique : d'un côté le chasse-vache et la clochette, des trains qui traversent le pays tout droit, au mépris des pentes, de l'autre un chemin de fer clôturé et protégé, dont le tracé épouse au mieux les reliefs... Mais Anglais et Américains s'unissent dans le culte du machinisme moderne et du capitalisme ascendant.

Comment lire l'œuvre

Structure narrative et composition

L'itinéraire de Phileas Fogg

Chapitres	Étapes	Dates	Moyens de transport
I-IV	**Londres**	**Mercredi 2 octobre 1872**	
V (point de vue des Londoniens)	Londres→Brindisi (Italie)	2.10, 20h45→ 5.10, 16h	Train
VI, VII à IX	Brindisi→Suez Suez→Aden Aden→Bombay	5.10, 17h→9.10, 11h 9.10→14.10 14.10→20.10, 16h30	Paquebot le *Mongolia*
X	**Bombay**	**20.10**	
XI	Bombay→Kholby	20.10, 20 h→22.10, 8h	Train
XI à XIV	Kholby→Allahabad	22.10→24.10, 10h	Éléphant
XIV	Allahabad→Calcutta	24.10→25.10, 7h	Train
XV	**Calcutta**	**25.10**	
XVI-XVII	Calcutta→Singapour	25.10, midi→31.10, 4h 31.10, 11h→6.11, 5h	Paquebot le *Rangoon*
XVII-XVIII	Singapour→Hong Kong		
XIX-XX	**Hong Kong**	**6.11**	
XXI	Hong Kong→Shanghai	6.11→7.11	La *Tankadère*, goélette
XXII-XXIV	Shanghai→Yokohama	7.11→3.11	Le *Carnatic*
XXIV	Yokohama→San Francisco	14.11→3.12, 7h	Le *General-Grant*
XXV	**San Francisco**	**3.12**	
XXVI-XIX	San Francisco→station du fort Kearney	3.12, 18h→8.12	Train
XXX	**Fort Kearney**	**8.12→9.12**	
XXXI	Fort Kearney→Omaha	9.12 8h→midi	Traîneau
XXXI	Omaha→Chicago Chicago→New York	9.12→10.12, 16h. 10.12→11.12, 23h15	Train Train
XXXII-XXXIII	New York→Queenstown	12.12, 9h→21.12, 1h	L'*Henrietta*, navire de commerce
XXXIII	Queenstown→Liverpool	21.12, 1h30→ 21.12, 11h40	Train
XXXIV	Liverpool→Londres	21.12, 15h→ 21.12, 20h50	Train spécial
XXXV-XXXVII	**Londres**	**22.12, 8h35→21.12, 20h45 23.12, mariage→24.12, aube**	

Schéma narratif

La trame narrative est d'une grande simplicité, servant la tension du récit vers la date fatidique du 21 décembre. Le roman ne contient ainsi que trois retours en arrière véritables, l'un au chapitre VI qui double d'une poursuite policière la course de Phileas Fogg à peine démarrée, et deux autres aux chapitres XXXVI et XXXVII, avec d'un côté l'attente des Londoniens pendant trois jours, entre le 17 et le 20, et de l'autre pour Phileas Fogg la substitution du 21 au 20 décembre. Dans le fil du récit, on ne repère que deux analepses, toutes deux au chapitre XXIV, et la complication du récit est liée alors à l'entrelacement des perspectives de chacun des personnages.

La composition en chapitres permet à Jules Verne des effets de symétrie et d'alternance entre les scènes d'action proprement dites et les sommaires, qui font régulièrement le bilan de l'avancée du voyageur. Pas moins d'une quinzaine de péripéties rythment l'action et développent ces aléas sur lesquels se fondait le pari des collègues de Phileas Fogg : eux pensaient davantage aux incidents techniques et aux obstacles naturels, mais les contretemps s'avèrent essentiellement d'origine humaine ; c'est Passepartout d'abord qui provoque des retards, à Bombay (chap. X), à Hong Kong (chap. XIX), au fort Kearney (chap. XXX), et les « ennemis » de Phileas Fogg, Fix bien sûr (chap. XV, XXX et XXXIII), mais aussi le colonel Proctor (chap. IX). Le sauvetage d'Aouda aux chapitres XII et XIII est un cas un peu particulier dans la mesure où le suspense narratif n'y est pas lié au retard pris par Phileas Fogg, mais à la réussite de l'entreprise des trois hommes. Trois péripéties seulement sont d'origine technique : l'interruption des voies au chapitre XI, l'effondrement du pont au chapitre XXVIII et la panne de charbon au chapitre XXXIII… La « mécanique » reste donc secondaire, et de surcroît, elle est toujours humanisée par l'émotion qu'expriment les « astéroïdes » qui accompagnent Phileas Fogg. Les obstacles naturels, quant à eux, tempêtes, neige sur la voie, bisons…, n'entraînent jamais de retard dommageable et seules les craintes de Passepartout et Aouda les rendent inquiétants.

Les personnages

Phileas Fogg, homme d'action ?

Ni savant, ni aventurier, Phileas Fogg représente un certain équilibre entre la connaissance et l'action, posé comme une impossible gageure au début du roman : peut-on, en effet, être à la fois sage et aventurier, exact et pressé ? Surtout, une vie toute remplie de technologie moderne est-elle encore « vivante » ? Au pari fait par le personnage s'ajoute donc, dans la motivation de l'intrigue, l'énigme qu'il pose lui-même sans le savoir, et qui apparaît autant comme le corollaire que comme le contrepoids de sa prouesse technique. Comme l'écrit Jean-Yves Tadié dans *Le Roman d'aventures*, *« l'art du portrait vernien est d'envelopper l'action, d'être gros de tous les développements futurs. Il signale d'abord le camp dans lequel doit se placer le personnage, et les sentiments que les lecteurs doivent éprouver à son égard. [...] Ensuite, ce qui fera le nœud de l'action [...]. Enfin, son rapport avec les femmes [...] et son rapport avec l'histoire »*.

Cependant, le portrait initial nous laisse incertain sur le second point : faut-il admirer ou plaindre Phileas Fogg ? L'absence d'émotion est-elle sagesse ou inhumanité ? L'ambivalence est inscrite dans son nom : promis au voyage par son prénom, emprunté à un géographe grec (auteur d'un *Périple* au Vᵉ siècle avant J.-C.), il est homme de l'ombre par son nom (*fog* en anglais signifie « brouillard »). Comme enveloppé, il semble ne pas devoir être atteint par les aléas ou les interventions extérieures, par les émotions et l'agitation des « astéroïdes » qui gravitent autour de lui, dont il n'a pas même conscience. C'est cependant poussé par eux qu'il exprime sa part d'humanité, révélant sa grandeur morale en sauvant Aouda puis Passepartout, enfin son impatience et son désir d'arriver en frappant Fix.

Le contraste entre les deux groupes de personnages reflète la coexistence de deux logiques romanesques correspondant à deux visions de l'aventure : « romanesque » au sens large avec Fix, Passepartout et Aouda, l'aventure semble devoir rester immobile, voire « mathématique » avec Phileas Fogg. Comme tous les voyageurs, il tient son journal de bord, mais il ne s'agit pas, comme pour le professeur Aronnax de *Vingt Mille Lieues sous les mers*, de relever les merveilles de la nature, ni même les particularités des populations rencontrées, mais de consigner les horaires des trains et paquebots... Hommage à la machine par un homme-machine. La représentation de l'écriture à l'intérieur du récit apparaît donc comme un contrepoint ironique à l'écriture romanesque, de même que la référence à Byron au début du portrait joue le rôle d'un anti-modèle (le poète romantique est aussi une figure d'aventurier : engagé auprès des Grecs dans leur lutte pour l'indépendance, Byron est mort en Grèce en 1824). Phileas Fogg, personnage atypique d'aventurier, est une figure polémique, qui questionne le genre du roman d'aventures tout en en rejoignant, *in extremis*, les valeurs.

Passepartout, le valet picaro

Le couple du maître et du valet figure, dans le roman, une relation quasi pédagogique : Passepartout, jeune, ignorant et quelque peu maladroit, apprend du gentleman la prudence et une certaine indifférence, tandis que Phileas Fogg apprend en quelque sorte de son valet à aimer. À l'inverse de son maître, Passepartout éprouve et exprime des sentiments forts et spontanés, envers Aouda par exemple, à laquelle il voue une affection mêlée de respect, ou envers les obstacles qui se présentent, pris alors d'une rage qu'il a du mal à contenir. Curieux de tout, « *booby* » naïf et enthousiaste, il prend plaisir à toutes les découvertes et aime faire de nouvelles expériences.

Envers Fix, sa propension à suivre ses inclinations s'avère l'une des sources essentielles d'aléa : en effet, lui accordant un peu légèrement sa confiance, il perd la trace de son maître puis, une fois désabusé, il échoue à prévenir le danger. Ses aventures, que son maître écoute froidement au chapitre XXIV, l'apparentent à un picaro soudain lâché dans un univers hostile, sans autre ressource pour survivre que son adresse. Les chapitres XIX, XXII et XXIII sont presque exclusivement consacrés à ce héros bien différent du personnage principal ; son errance, sa recherche de nourriture et de vêtements confèrent à l'étape Hong Kong-Yokohama une couleur très particulière, à la fois comique et picaresque. Car Passepartout est un véritable personnage de comédie, sérieux et valeureux (le narrateur prend le soin d'écarter les références aux valets fripons de Lesage ou de Molière au chapitre II), capable de toutes les prouesses physiques, les plus héroïques – arrêter un train lancé à pleine vapeur ou se précipiter dans les flammes d'un bûcher –, comme les plus clownesques, du saut périlleux sur le quai de San Francisco à la figuration colorée et tout aussi périlleuse dans la troupe de « l'honorable Batulcar ». De là aussi tous ses accoutrements successifs, babouches, costume ailé du Moyen Âge, « *japonaiserie* »…

Quel contraste avec son maître, au sang-froid imperturbable, au costume toujours identique (il n'est en tout cas jamais mentionné), aux gestes « *mathématiques* » ! Mais tout cela ne doit pas faire oublier des points essentiels de ressemblance, une même aspiration à l'immobilité et à la paix, la confiance absolue qu'ils vouent à leurs montres et surtout leur sens de l'honneur et du sacrifice.

Fix et le roman policier

Fix : une seule syllabe pour exprimer toute la résolution du personnage lancé à la poursuite de Phileas Fogg. Lié à Passepartout par calcul, il le rejoint par un même sentiment de fascination puis d'admiration pour cet homme étrange. Si ses pressentiments redoublent ceux du valet, s'il s'interroge avec lui sur son humanité et son caractère, sa rigueur de raisonnement, ses capacités de dissimulation et de maîtrise de soi font toute la différence.

Son enquête, menée dans le secret (jusqu'au chapitre XIX pour Passepartout, et jusqu'à la fin pour Phileas Fogg), donne à l'œuvre le rythme et le ton du roman policier. Elle double l'intrigue initiale d'une aventure policière présente dès le chapitre VI, soit dès le départ de Phileas Fogg. Le voyage n'est donc pas seulement une course, il est une poursuite, un peu originale puisque menée à l'insu du soi-disant fuyard ! Mais l'erreur de Fix n'entame pas les qualités que le récit souligne à de nombreuses reprises : ténacité, courage et une certaine droiture, sauf envers Passepartout qu'il abandonne lâchement dans une tabagie. De ce point de vue, il fait fortement penser au Javert des *Misérables*, à la fois mauvais et admirable.

Il apparaît comme l'opposant principal à l'action menée par Phileas Fogg, mais en devient un adjuvant décisif dans la seconde partie du périple, sur le continent américain ; une fois en Europe, il retrouve son rôle initial d'opposant. Cette perturbation dans le « schéma actanciel » du roman, ainsi que la méprise à l'origine des obstacles inventés par Fix et l'ambivalence même de ses sentiments envers le héros, créent une part essentielle du « suspense » du roman.

Aouda, l'amour et le romanesque

Si les trois personnages masculins incarnent chacun un type d'aventures et d'aventuriers, il manquait au roman une dimension sentimentale que seule la présence d'un personnage féminin pouvait apporter. La figure d'Aouda est d'autant plus intéressante que Jules Verne se montre peu enclin à « *mettre* un mot du cœur *en passant* » dans ses romans ; c'est pourtant ce que lui aurait demandé Hetzel, à qui il répondit : « *Mais il ne me vient pas, ce mot du cœur, sans quoi il y serait depuis longtemps !* » (lettre citée par Simone Vierne).

Admirant les romans de Victor Hugo ou d'Alexandre Dumas, l'écrivain ne semble donc pas avoir négligé la veine amoureuse par choix, même s'il lui préfère une aventure tournée vers la découverte de l'univers. Seulement il associe le plus souvent l'amour au mariage et à une entrave à la liberté, exprimant à de nombreuses reprises une forte « misogamie », selon Marc Soriano, au sein du club des « Onze-sans-femmes » d'abord, puis dans ses romans, en particulier les derniers dont le plus féroce est sans doute *Clovis Dardentor* en 1896.

Rien de tout cela pourtant dans *Le Tour du monde en quatre-vingts jours* : Aouda est aussi courageuse qu'elle est belle, aussi sensible que déterminée. Mais une gêne de l'écrivain se traduit dans la pudeur du narrateur qui se cache derrière un portrait-poème feignant d'être une citation indienne (chap. XIV, l. 73-91). L'évocation poétique est rapidement écartée au profit d'une désignation sommaire, « *une charmante femme dans toute l'acception européenne du mot* » (l. 94), où le narrateur décidément affirme le refus du sentiment ; seules, quelques mentions, dans la suite du roman, prolongent le portrait : ce sont les « *lacs* » de ses yeux dans lesquels Phileas Fogg refuse de plonger, le « *charme* » de sa douceur qui n'agit pas... Ces notations ne sont pas là pour faire naître l'émotion, mais pour souligner l'indifférence incompréhensible de Phileas Fogg.

Aouda joue donc un rôle de révélateur dans la découverte du caractère de Phileas Fogg. Mais n'est-elle que cela ? Grande aventurière, capable de supporter sans sourciller l'inconfort du traîneau, de lutter contre les Indiens « *le revolver à la main* », elle fait preuve, jusque dans l'amour, d'un esprit de décision qui fait d'elle l'égale et la juste compagne de Phileas Fogg. À la fin du roman, le mariage dispute au pari gagné l'éclat du dénouement heureux, et Aouda apparaît alors comme le véritable but du voyage de Phileas Fogg. Elle incarne la lutte de l'émotion contre la mécanique, de la sensibilité contre le sang-froid, ou plutôt elle démontre à Phileas Fogg leur compatibilité. L'optimisme dégagé par cette porte « *tranquillement* » fermée par Phileas Fogg explique une grande part du charme éternel du roman.

Les personnages secondaires

Secondaires, ils le sont doublement – par leur brève présence et par leur unique fonction dramatique, qui est de souligner le caractère étonnant du héros : Sir Francis Cromarty souligne l'excentricité de son voyage dépourvu de « *transire benefaciendo* » (voir note 1, p. 102), le colonel Proctor et ses collègues du Reform-Club son impassibilité, le capitaine américain son courage et son sens de l'honneur ; observateurs, ils constituent un relais pour le lecteur dans l'appréhension de ce personnage mystérieux. Chacun apporte une caractérisation supplémentaire qui précise l'originalité de cet aventurier hors du commun, « *Englishman* » capable de devenir « *Yankee* » quand il le faut, homme « *de fer forgé* » capable d'être « *homme de cœur* » quand il a le temps. Ils n'ont que très brièvement une fonction narrative, d'adjuvant ou d'opposant, et ne remettent jamais en cause la progression dramatique.

Autre fonction tout de même : par eux, on n'oublie jamais que l'on est dans une comédie, avec sa bouffonnerie, ses passages satiriques (les juges Obadia et Cie, avec leurs perruques échangées), ses ridicules (le mormon et son fanatisme), etc. La galerie de ces personnages, à part Sir Francis Cromarty – Anglais, il est chez lui partout –, personnalise les décors « typiques » d'un voyage qui se fait à l'occasion ethnologique. Les nationalités déterminent des antagonismes auxquels Jules Verne se montre très sensible dans ses romans ; simplifiés, ils ne sont pas pour autant simplificateurs : face aux « *John Bull* » (voir note 1, p. 261), querelleurs et violents, les « *Englishmen* » ne sont pas vraiment meilleurs, eux que le sang-froid et la ténacité poussent à être de véritables mécaniques, tandis que les Français, certes sympathiques, montrent que la bonne volonté n'empêche pas la balourdise !

Hauts en couleur, les personnages présentent des types nationaux plus drôles que ridicules, et attachants ; autre signe d'optimisme de la part d'un auteur qui n'a pas toujours peint l'humanité sous des traits aussi riants.

L'aventure de la modernité

« *En quoi l'aventure est-elle donc caractéristique de notre modernité ?* » se demande Vladimir Jankélévitch dans *L'Aventure, l'Ennui, le Sérieux*, pour répondre : « *Les évasions de l'aventure nous servent à pathétiser, à dramatiser, à passionner une existence trop bien réglée pour les fatalités économiques et sociales.* » Mais la vie de Phileas Fogg n'est-elle pas la plus réglée qui soit, la plus « ennuyeuse » que l'on puisse imaginer ?

Son voyage est ambivalent, participant de la monotonie et de l'aventure tout à la fois, ses horaires réglés lui ôtant tout imprévu, tandis que son départ, si brutalement décidé, si étranger à ses habitudes, ne peut qu'être un appel au mouvement, au changement ; et celui-ci est de taille, puisque l'homme-horloge reviendra avec une femme et des amis. Son excentricité n'est plus une bizarrerie presque ridicule, mais le signe d'un caractère hors du commun ; s'il n'est pas tout à fait un héros, il a tout de même bien du panache !

Découverte de la passion, le voyage l'est pour tous les personnages, sur trois registres différents : si l'aventure du temps et de la vitesse de Phileas Fogg lui fait rencontrer l'amour, Passepartout plonge, au départ sans enthousiasme, dans les découvertes de ces « *mondes nouveaux* », et Fix s'embarque dans une aventure de plus en plus risquée au service de la loi. Tous les trois sont, au départ, très éloignés de penser à l'aventure, recherchant la paix (Passepartout), l'immobilité (Phileas Fogg) ou l'ordre (Fix). Et ce qu'ils rencontrent, c'est l'imprévu, « l'aléa » : faut-il l'éviter, comme Phileas Fogg... ou le combattre, comme Fix ? Des trois, c'est Passepartout qui est le plus sensible au caractère excitant de l'aventure ; impulsif, il rejoint les figures de marins, tels Nedd dans *Vingt Mille Lieues sous les mers* ou Pencroff dans *L'Île mystérieuse* qui n'était « *point homme à laisser languir une idée* ».

La tempête, le danger, la présence d'ennemis, thèmes obligés du roman d'aventures, sont ainsi sans cesse mis en balance avec l'impassibilité de Phileas Fogg, qui ne s'inquiète pas des « *astéroïdes* » qui gravitent autour de lui. Pourtant, ce sont eux qui vont en quelque sorte le déterminer à prouver son humanité. Fix fera l'épreuve douloureuse de l'unique mouvement de colère de Phileas Fogg, tandis que Passepartout sera le témoin au sens propre de l'adoucissement de cœur de son maître.

Si le roman de Jules Verne est éducatif, c'est parce que l'aventure est éducative, que l'idéal d'énergie qu'elle véhicule est le corollaire d'une morale qui exalte en l'individu la capacité à dépasser ses limites, à gagner des « paris » sur lui-même, à s'ouvrir aux autres. Homme du raisonnement pur, Phileas Fogg apprend de ses compagnons la curiosité, la tendresse, mais aussi l'entêtement qui caractérise Fix et qui semble pousser Phileas Fogg à employer des moyens de plus en plus extrêmes pour parvenir à ses fins.

Correspondances

- Fenimore Cooper, *Le Dernier des Mohicans,* 1826.
- Alexandre Dumas, *Les Trois Mousquetaires,* 1844 ; *Le Comte de Monte-Cristo*, 1844 (pour un portrait chevaleresque de l'aventurier).
- Robert Louis Stevenson, *L'Île au trésor,* 1883.

—1—

Classique des romans d'aventures, *Le Dernier des Mohicans,* de Fenimore Cooper, raconte la lutte des Anglais contre les Français, dans le Nord de l'Amérique, à la fin du XVIIIᵉ siècle ; les Hurons prennent le parti du commandant français Montcalm, les Mohicans celui des Anglais Monro et Heyward Duncan. Actes de bravoure et paysages sauvages font de ce roman le premier « western ». Voici un extrait du chapitre V, consacré à l'embuscade tendue par les Hurons.

« Pendant ce temps, Heyward avait à soutenir une lutte encore plus dangereuse. Dès sa première attaque, son épée avait été brisée par un coup du redoutable couteau de son ennemi ; comme il n'avait aucune autre arme défensive, il ne pouvait plus compter que sur sa vigueur et sur la résolution du désespoir. Mais il avait affaire à un antagoniste qui ne manquait ni de force ni de courage. Heureusement, il réussit à le désarmer, son couteau tomba sur le rocher, et de ce moment, il ne fut plus question que de savoir lequel des deux parviendrait à en précipiter l'autre. Chaque effort qu'ils faisaient les approchait du bord de l'abîme ; Duncan vit que l'instant était arrivé où il fallait déployer toutes ses forces pour sortir vainqueur de ce combat. mais le sauvage était également redoutable ; tous deux n'étaient plus qu'à deux pas du précipice au bas duquel les eaux de la rivière s'engloutissaient. Heyward avait la gorge serrée par la main de son adversaire ; il voyait sur ses lèvres un sourire féroce qui semblait annoncer qu'il consentait à périr s'il pouvait entraîner son ennemi dans sa ruine ; il sentait que son corps cédait peu à peu à une force supérieure de muscles et il éprouvait l'angoisse d'un pareil moment dans toute son horreur. En cet instant d'extrême danger, il vit paraître entre le sauvage et lui un bras rouge et la lame brillante d'un couteau ; l'Indien lâcha prise tout à coup : des flots de sang jaillissaient de sa main qui venait d'être coupée, et tandis que le bras sauveur d'Uncas [le dernier des Mohicans] tirait Heyward en arrière, son pied précipita dans l'abîme le farouche ennemi, dont les regards étaient encore menaçants. »

" En retraite ! en retraite ! cria le chasseur [le chasseur blanc Œil-de-Faucon], qui venait alors de triompher de son adversaire ; en retraite ! Votre vie en dépend. Il ne faut pas croire que ce soit une affaire terminée. " Le jeune Mohican poussa un grand cri de triomphe, suivant l'usage de sa nation, et les trois vainqueurs, descendant du rocher, retournèrent au poste qu'ils occupaient avant le combat. »

Fenimore Cooper, *Le Dernier des Mohicans*, 1826,
traduction d'Yves Rivière, Robert Laffont, 1960.

2

Une passion de l'aventure beaucoup plus intense, exacerbée par l'argent : le roman de Stevenson ne cherche pas à donner une vision morale. L'extrait suivant permet de prendre la mesure des sentiments exaltés des personnages à la vue de la carte du fameux trésor ; la scène est rapportée par le jeune narrateur Hawkins, personnage principal de *L'Île au trésor* :

« On avait scellé la feuille de papier en plusieurs endroits avec un dé à coudre en guise de cachet (peut-être celui-là même que j'avais trouvé dans la poche du capitaine). Le docteur brisa la cire avec la plus grande précaution, et nous eûmes sous les yeux la carte d'une île, avec la latitude, la longitude, les sondages, le nom des collines, des baies, des passes, et tous les détails nécessaires pour permettre à un bateau de trouver un mouillage sûr. Elle mesurait environ neuf milles de long sur cinq de large, affectait la forme d'un gros dragon debout, et présentait deux superbes criques fort bien abritées. Au centre s'élevait une colline appelée " la Longue-Vue ". On avait ajouté plusieurs annotations récentes, plus particulièrement trois croix à l'encre rouge : deux au nord, une au sud-ouest ; à côté de cette dernière, toujours à l'encre rouge, étaient tracés les mots suivants, d'une petite écriture nette, très différente des lettres tremblées du capitaine : " Le gros du trésor ici. "
Au verso, la même main avait ajouté :
" Grand arbre, contrefort de la Longue-Vue, situé à un quart N. du N.-N.-E.
" Îlot du Squelette E.-S.-E. quart E.
" Dix pieds.
" Les lingots d'argent sont dans la cache nord : on peut les trouver dans la direction du tertre est, à dix brasses au sud du rocher noir situé en face.
" Les armes sont faciles à trouver, dans la dune, à la pointe N. du cap de la passe nord, direction E. quart N. "

" J. F. "

C'était tout ; mais à la lecture de ce bref document, incompréhensible pour moi, les deux hommes furent au comble du plaisir.

– Livesey, déclara le châtelain, vous allez abandonner sur-le-champ votre satanée clientèle. Dès demain, je pars pour Bristol. D'ici trois semaines… que dis-je ? deux semaines !… dix jours !… nous aurons le meilleur bateau et la crème des équipages de toute l'Angleterre. Hawkins nous accompagnera comme mousse. Vous ferez un mousse de premier ordre, Hawkins. Vous, Livesey, vous êtes le médecin du bord ; moi, je suis amiral. Nous prendrons Redruth, Joyce et Hunter. Nous aurons des vents favorables et une traversée rapide. Nous trouverons la cachette sans la moindre difficulté, et, après cela… des monceaux d'argent, de l'argent à la pelle, de l'argent à jeter par les fenêtres, jusqu'à la fin de nos jours !   »

R. L. Stevenson, *L'Île au trésor*, I, 6, 1883,
traduction de Jacques Papy, Gallimard, 1974.

Les moyens de transport et le rêve

L'aventure moderne, c'est l'invention de la machine, d'une machine qui n'est plus seulement à l'image de l'homme ou de l'animal, mais qui a son autonomie, qui utilise une énergie qui n'est plus pensée sur le modèle des forces naturelles. De sorte que l'imaginaire de la machine à la fois s'émerveille des potentialités énormes qu'elle apporte aux désirs des hommes et s'inquiète de sa puissance : force de progrès ou de destruction ? Si les romans éducatifs à la manière de P.-J. Stahl (nom de plume de l'éditeur Hetzel) n'exaltent que ce premier aspect des choses, nombreux sont les romans de Jules Verne qui mettent en cause le déchaînement du mal permis par les machines (comme dans la « farce » *Sans dessus dessous*). Ici (détente après le glacial *Pays des fourrures*, après la guerre et les ennuis d'argent…), l'heure est plutôt à l'optimisme : la machine est un fabuleux moyen de transport, qui ignore les accidents de terrain, aplanit les difficultés, échappe au mauvais temps, raccourcit les distances…

Sur l'ensemble du voyage de Phileas Fogg, il y aura seize moyens de transport successifs, dont quatorze utilisant la vapeur, sans compter les moyens de transport citadins : cabs, fiacres, etc. Les machines permettent de cartographier le monde, de le délimiter ; de dompter l'espace aussi. Dès lors, le parcours se substitue à la découverte : il s'agit de se rendre maître de la terre en l'enserrant dans un itinéraire. Que le trajet soit court ne prouve pas seulement la capacité de l'homme moderne à aller vite, mais sa mainmise sur le monde ; on peut en faire le tour et revenir chez soi comme si de rien n'était, on peut même laisser le gaz allumé en partant... Aux vastes horizons qu'ouvre l'aventure à l'explorateur, s'oppose l'exact retour au même point de Phileas Fogg, homme du réalisable et non plus de l'impossible.

Cependant la vapeur offre de fabuleuses possibilités à l'imagination romanesque, apportant au voyage une dimension nouvelle, et comme un nouveau personnage : dans le face-à-face du héros et de la nature, qu'il faut vaincre et domestiquer, la vapeur est un atout prodigieux, mais l'homme le maîtrise-t-il entièrement ? Les aléas du voyage de Phileas Fogg prouvent amplement le contraire : aurait-il gagné sans le jeu du décalage horaire ?

De sorte que le moyen de transport est à la fois un personnage – dont les apparitions peuvent revêtir un caractère fantastique ou tragique loin du roman d'aventures, comme dans *Germinal* –, et un instrument d'ouverture au monde ; avec la vapeur précisément, les limites du monde, terrestre en tout cas, semblent ne plus devoir résister à un voyageur en costume de ville. L'énergie aventureuse que *Le Tour du monde en quatre-vingts jours* perd sur le plan du personnage principal se retrouve sur celui des moyens de transport : volonté des locomotives d'arriver – ne sont-elles pas capables de voler ? –, fureur des bateaux insensibles aux tempêtes...

Correspondances

- Chrétien de Troyes, *Le Chevalier à la charrette*, 1177-1180.
- Herman Melville, *Moby Dick*, 1851.
- Jules Verne, *Vingt Mille Lieues sous les mers*, 1869.
- Jules Verne, *La Maison à vapeur*, 1879-1880.

• Arthur Honegger, *Pacific « 231 »*, 1923. Le premier des *Mouvements symphoniques* d'Arthur Honegger prend pour sujet la locomotive type 231, pour trains lourds à grande vitesse ; le compositeur dit de son œuvre que « *ce n'est pas l'imitation des bruits de la locomotive, mais la traduction d'une impression visuelle et d'une jouissance physique par une construction musicale* ». De fait, la richesse orchestrale de cette pièce en fait un véritable « hymne » à la technique.

—1——————————————————

Dans *Le Chevalier à la charrette,* l'épisode du pont de l'épée permet de mesurer la proximité de l'invention du chapitre XXVIII du *Tour du monde en quatre-vingts jours* avec l'imaginaire merveilleux des récits médiévaux – sauf que là les moyens de transport n'ont rien à voir avec une technologie humaine...

« Au seuil du pont qui est très dangereux, ils descendirent de leurs chevaux, et aperçoivent l'eau traîtresse, rapide, bruyante, noire et épaisse, si affreuse et si épouvantable qu'on eût dit le fleuve du diable, et si périlleuse et profonde, qu'aucune chose au monde, si elle y tombe, ne pourrait avoir un autre sort que si elle tombait dans la mer salée. Et le pont qui la traversait était différent de tous les autres. Il n'y en eut jamais et il n'y en aura jamais de semblable. Il n'y eut jamais, si on me demande la vérité, pont et plancher aussi dangereux. Une épée aiguisée et blanche formait le pont sur l'eau froide ; et l'épée était solide et rigide et avait deux lances de long. De chaque côté, il y avait un tronc d'arbre où l'épée était fichée. Que personne ne craigne qu'il [Lancelot] ne tombe du fait que l'épée pût rompre ou plier. Car elle avait tant de résistance qu'elle pouvait supporter un aussi lourd fardeau. Mais ce qui surtout abattait le courage des deux cavaliers qui étaient avec le troisième, c'est qu'ils croyaient que deux lions ou deux léopards, à la tête du pont, de l'autre côté, étaient attachés à une grosse pierre. L'eau, le pont, les fauves les jettent dans une telle frayeur, qu'ils tremblent tous les deux de peur. [...] Mais lui entreprend de franchir le pont ; aussi bien qu'il le peut, il s'équipe et, agissant de façon surprenante, il désarme ses jambes et ses bras. Certes il ne sera pas intact et sauf quand il atteindra l'autre bord ! Mais il se tiendra mieux sur l'épée qui était plus tranchante qu'une faux avec les mains nues et les jambes libres. Il aimait mieux se martyriser plutôt que de tomber du pont et s'enfoncer dans l'eau d'où jamais l'on ne se serait tiré. À grand-peine, comme c'était le cas, il avance et à grande souffrance. Mains et genoux et pieds se blessent. Mais ce qui le réconforte, c'est Amour qui le conduit et le guide. Tout lui est doux à souffrir des pieds, des mains et des genoux. Il fait si bien qu'il arrive à l'autre bord. Alors il se rappelle et il se souvient des deux lions qu'il y pensait avoir vus lorsqu'il se trouvait de l'autre bord et il regarde. Mais il ne voit même pas un lézard, ni autre chose qui puisse lui faire du mal. Il met sa main devant son visage, regarde son anneau et a la preuve, puisqu'il ne trouve aucun des deux lions qu'il pensait avoir aperçus, qu'il a été enchanté et dupé ; car il n'y avait rien de vivant. »

Chrétien de Troyes, *Le Chevalier à la charrette*, 1177-1180, vers 3019-3149, traduction de Chevalier et Audiat, Hachette.

2

Dans cet extrait de *La Maison à vapeur,* de Jules Verne, l'ingénieur Banks raconte à ses amis comment il réalisa le rêve du rajah de Bouthan.

« ... la fantaisie du rajah était réalisable. Vous savez tout ce que l'on fait, ce que l'on peut faire, ce que l'on fera en mécanique. Je me mis donc à l'œuvre, et, dans cette enveloppe de tôle d'acier qui figure un éléphant, je parvins à enfermer la chaudière, le mécanisme et le tender d'une locomotive routière avec tous ses accessoires. La trompe articulée, qui peut au besoin se lever et s'abattre, me servit de cheminée ; un excentrique me permit d'atteler les jambes de mon animal aux roues de l'appareil ; je disposai ses yeux comme les lentilles d'un phare, de manière à projeter deux jets de lumière électrique, et l'éléphant artificiel fut achevé. Mais la création n'avait pas été spontanée. J'avais trouvé plus d'une difficulté à vaincre, qui ne s'était pas résolue du premier coup. [...]

Entre les quatre roues s'allonge l'ensemble du mécanisme, cylindres, bielles, tiroirs, pompe d'alimentation, excentriques, que recouvre le corps de la chaudière. Cette chaudière tubulaire, sans retour de flammes, offre soixante mètres carrés de surface de chauffe. Elle est entièrement contenue dans la partie antérieure du corps de l'éléphant de tôle, dont la partie postérieure recouvre le tender, destiné à porter l'eau et le combustible. La chaudière et le tender, tous deux montés sur le même truk, sont séparés par un intervalle, laissé libre pour le service du chauffeur. Le mécanicien, lui, se tient dans la tourelle, construite à l'épreuve de la balle, qui surmonte le corps de l'animal, et dans laquelle, en cas de sérieuse attaque, tout notre monde pourra chercher refuge. Sous les yeux du mécanicien se trouvent les soupapes de sûreté et le manomètre indiquant la tension du fluide ; sous sa main, le régulateur et le levier qui lui servent, l'un à régler l'introduction de la vapeur, l'autre à manœuvrer les tiroirs, et par conséquent à provoquer la marche avant ou arrière de l'appareil. De cette tourelle, à travers d'épais verres lenticulaires, disposés *ad hoc* dans d'étroites embrasures, il peut observer la route qui se développe devant ses yeux, et une pédale lui permet, en modifiant l'angle des roues antérieures, d'en suivre les courbes, quelles qu'elles soient.

[...]

Et ce qu'il faut ajouter, car cela complète bien ce prodigieux appareil de locomotion, c'est qu'il peut flotter. En effet, la partie inférieure du corps de l'éléphant, qui contient chaudière et machine, forme bateaux de tôle légère, dont une heureuse disposition de boîtes à air assure la flottabilité. Un cours d'eau se présente-t-il, l'éléphant s'y lance, le train suit, et les pattes de l'animal, mues par les bielles, entraînent tout Steam-House. Avantage inappréciable dans cette vaste contrée de l'Inde, où abondent des fleuves dont les ponts sont encore à construire.

Tel était donc ce train, unique en son genre, et tel l'avait voulu le capricieux rajah de Bouthan. »

Jules Verne, *La Maison à vapeur*, 1879-1880, Ire partie, chap. V.

Le document dans le roman d'aventures au XIXᵉ siècle

Le romancier du XIXᵉ siècle prend des notes, mène des enquêtes topographiques, sociologiques, scientifiques... Par goût ou par nécessité, il s'appuie sur des documents. La spécificité de Jules Verne est de faire du document une matière romanesque à part entière, et non un simple appui réaliste. La documentation n'est pas seulement un travail préparatoire, mais une exploration : « *J'étudie plus encore que je ne travaille ; car j'aperçois des systèmes nouveaux* », écrit-il à son père en 1854. C'est au récit dès lors à se vouer à l'éclairage de son objet, et non l'inverse. Inventant une « *fable nouvelle* » pour chaque pays nouveau, Jules Verne dédie chacun de ses récits à une découverte nouvelle, qu'elle soit géographique ou scientifique, ou les deux, comme dans *Le Tour du monde en quatre-vingts jours*.

L'invention littéraire de Jules Verne porte ainsi sur le style propre à rendre la poésie des espaces et des techniques : « *Je m'emploie à enrichir mon vocabulaire et à n'user que des mots techniques, afin d'éviter les périphrases encombrantes* », écrit-il encore à son père en 1855. Si le caractère mystérieux des « *systèmes nouveaux* » déclenche le récit, tout son objet est ensuite de les clarifier, de les rendre crédibles et vraisemblables. Pour intégrer les connaissances au récit, les moyens utilisés sont divers, mais jamais il ne s'agit d'ajouts, ou de digressions explicatives : le document, « digéré » par le récit, est tour à tour cité, exploité par des montages de références, voire imité. Tout particulièrement dans *Le Tour du monde en quatre-vingts jours*, il semble difficile de « passer » les descriptions ou les explications, car elles font avancer l'intrigue, qui ne serait sans elles qu'une « fantaisie » sans grande nouveauté.

De là une grande justesse : le document n'est pas déformé pour s'adapter aux contraintes romanesques et poétiques ; l'auteur ne fait que mettre en relief la poésie inhérente à la découverte, n'ajoutant pas d'élément pathétique par exemple à l'explication ethnologique des *sutties* qu'il a pu trouver dans le *Dictionnaire universel d'histoire et de géographie* de Bouillet. L'émotion vient naturellement des personnages eux-mêmes et de la « mise en roman » du fait évoqué. La tension romanesque naît du fait et non de l'intrigue.

Correspondances

Les romanciers d'aventures sont souvent très documentés. Fenimore Cooper par exemple a écrit une monumentale *Histoire de la marine américaine*, comparable à l'*Histoire des grands voyages et des grands voyageurs* de Jules Verne ; d'autres se nourrissent surtout de leurs propres aventures, tel Herman Melville, qui fut un grand voyageur et un marin.

Quant à la vulgarisation scientifique, il faut noter que les romans de Jules Verne s'insèrent dans un mouvement dominé par la figure de son éditeur Hetzel qui, sous le nom de plume de P.-J. Stahl, écrivit une abondante œuvre pour la jeunesse : *Histoire d'un âne et de deux jeunes filles* (1874), *Maroussia* (1876) ou *Les Quatre Filles du docteur Marsch* (d'après Alcott, 1880).

• Joseph Conrad, *Au cœur des ténèbres,* 1899.

Comme beaucoup d'auteurs de romans d'aventures, Joseph Conrad était passionné de géographie. Mais la terre sollicite ici la rêverie et l'imaginaire par ses résonances symboliques et le narrateur ne cherche pas à rationaliser le document ou à en donner une version scientifique. Au début d'*Au cœur des ténèbres*, l'extrait suivant décrit l'estuaire de la Tamise :

« Un changement s'opéra à l'instant au-dessus des eaux, et la sérénité se fit moins éclatante mais plus profonde. Dans sa large étendue rectiligne, le vieux fleuve reposait sans une ride au déclin du jour, après des siècles de bons services rendus à la race qui peuple ses rives, étalé dans la dignité tranquille d'une voie d'eau qui mène aux plus extrêmes confins de la terre. Nous regardions son cours vénérable, non point dans la vive lueur d'une brève journée qui vient et s'évanouit à jamais, mais à la lumière auguste des souvenirs qui demeurent. Et rien n'est plus aisé en effet, pour qui a répondu, comme l'on dit, à " l'appel de la mer " avec respect et affection, que d'évoquer la grande âme du passé sur l'estuaire de la Tamise. Le courant de la marée y monte et y descend sans cesse, en auxiliaire infatigable, peuplé du souvenir innombrable des hommes et des navires qu'il a menés au repos de leur demeure ou aux batailles du large. Il avait connu et servi tous les hommes dont la nation est fière, du chevalier Francis Drake au chevalier John Franklin – tous des chevaliers, qu'ils en eussent ou non le titre, les grands chevaliers errants de la mer. Il avait porté tous les navires dont les noms étincellent comme des joyaux dans la nuit des temps, de la *Golden Hind* s'en revenant, les flancs rebondis chargés de trésors, pour recevoir la visite de Son Altesse la reine et sortir ainsi de la légende titanesque, jusqu'à l'*Erebus* et à la *Terror*, partis pour de tout autres conquêtes – et qui ne revinrent jamais. Il avait connu les navires et les hommes. Ils étaient partis de Deptford, de Greenwich, d'Erith – aventuriers et colons, vaisseaux des rois et vaisseaux des gens de Bourse ; capitaines, amiraux, obscurs " interlopes " du négoce de l'Orient et " généraux " à brevet des flottes de la Compagnie des Indes. Chercheurs d'or ou chasseurs de gloire, tous étaient partis sur ce fleuve, l'épée à la main, et souvent la torche, messagers de la puissance concentrée derrière ces rivages, porteurs d'une étincelle du feu sacré. Quelle grandeur n'avait pris, sur le jusant de cet estuaire, l'élan qui ferait pénétrer le mystère d'une terre inconnue ! Rêves des hommes, graines d'États, germes d'empires. »

Joseph Conrad, *Au cœur des ténèbres*, chap. I,
traduction de Jean Deubergue, Gallimard, 1985.

Le pari : thème ou ressort romanesque ?

Le titre du roman pose un défi. Le tour du monde a-t-il ou non été accompli, nul ne le sait alors : le pari est amorcé. Mais quel pari ? Le dénouement nous apprend qu'il ne s'agissait pas d'un jeu d'argent ; « *parier est dans le tempérament anglais* », dit le narrateur, mais cela n'explique pas tout... Phileas Fogg ne nous apporte aucun éclaircissement : Passepartout, Fix, Sir Francis Cromarty et avec eux le lecteur se demanderont en vain ce qui fait « avancer » le gentleman. Le sait-il lui-même ? On peut en douter, à moins que son pari ne consiste justement à trouver un sens à ce voyage, à donner un « rythme » à la mécanique si bien rodée de son emploi du temps...

Le pari est un jeu, jeu de hasard et de compétition, comme le whist ; tout au long du roman, Phileas Fogg démontre en jouant ses capacités personnelles de sang-froid et de jugement ; il joue quoi qu'il arrive, quelle que soit la beauté des paysages qui défilent devant les vitres des trains, quelle que soit la beauté d'Aouda. Il joue pour jouer, comme il a parié pour parier ; aucune motivation ne donne sens au voyage : ni conquête, ni exploration, ni quête, l'itinéraire n'est plus qu'une trajectoire, le « périple » n'est plus qu'un tour.

Jeu et pari sont aussi une métaphore de l'invention romanesque : du premier empruntant la gratuité, son audace au second, le récit bouscule le genre même du roman d'aventures. Cette perspective humoristique et parodique est prégnante dans l'œuvre de Jules Verne, surtout à partir du *Tour du monde en quatre-vingts jours* ; dans *Le Temps* en effet, rien n'obligeait l'auteur à se conformer aux principes éducatifs d'Hetzel qui n'appréciait guère l'absence de « *transire benefaciendo* » (voir note 3, p. 102) du voyage de Phileas Fogg. *Robur le Conquérant* non plus ne paraît pas dans le magazine d'Hetzel et les autres de ces romans sont écrits après la mort de l'éditeur. Traduisant une sorte de libre concurrence entre un individu et d'autres hommes, entre les hommes et la nature, le jeu ne convenait pas à l'image de l'homme maître de lui-même et des choses.

Correspondances

• Jules Verne, *Le Chancellor,* 1875. Déjà proche du *Tour du monde en quatre-vingts jours* par le thème des méridiens, ce roman l'est aussi par le motif du hasard.
• Jules Verne, *Claudius Bombarnac,* 1891. Le baron Weissschnitzerdörfer veut battre le record de Phileas Fogg.

Sur le thème du jeu dans le roman :

• Edgar Poe, *Double Assassinat dans la rue Morgue*, 1841.
• Barbey d'Aurevilly, « Le dessous de cartes d'une partie de whist », *Les Diaboliques*, 1874.

—1—

Un des liens du jeu et de l'aventure consiste dans la prise de risque que comporte le jeu, et plus encore le pari, et qui nécessite donc la plus extrême et la plus aiguë rationalité. Auguste Dupin, le détective d'Edgar Poe, prend exemple sur le whist pour mener ses enquêtes. Au début de *Double Assassinat dans la rue Morgue*, le narrateur explique pourquoi ce jeu est préférable à tous les autres.

« On a longtemps cité le whist pour son action sur la faculté du calcul ; et on a connu des hommes d'une haute intelligence qui semblaient y prendre un plaisir incompréhensible et dédaigner les échecs comme un jeu frivole. En effet, il n'y a aucun jeu analogue qui fasse plus travailler la faculté de l'analyse. Le meilleur joueur d'échecs de la chrétienté ne peut guère être autre chose que le meilleur joueur d'échecs ; mais la force au whist implique la puissance de réussir dans toutes les spéculations bien autrement importantes où l'esprit lutte avec l'esprit. Quand je dis la force, j'entends cette perfection dans le jeu qui comprend l'intelligence de tous les cas dont on peut légitimement faire son profit. Ils sont non seulement divers, mais complexes, et se dérobent souvent dans des profondeurs de la pensée absolument inaccessibles à une intelligence ordinaire. »

Edgar Poe, *Double Assassinat dans la rue Morgue*, 1841, traduction de Charles Baudelaire.

2

Un autre lien entre le jeu et l'aventure vient de la passion qu'il fait naître, ou tout au moins de l'ennui qu'il dissipe. À côté des portraits de joueurs envahis par une passion dévorante (décrite par Dostoïevski dans *Le Joueur*), il y a les élégants messieurs désœuvrés d'une société aristocratique dépossédés de l'aventure chevaleresque. Barbey d'Aurevilly dresse ainsi le tableau des salons dans lesquels le jeu, et tout particulièrement le whist, fait oublier un instant la vacuité des heures. Voici un extrait de la nouvelle intitulée « Le dessous de cartes d'une partie de whist », où un invité de la baronne de Mascranny fait un récit à la compagnie.

« La seule chose [...] qui eût, je ne dirai pas la physionomie d'une passion, mais enfin qui ressemblât à du mouvement, à du désir, à de l'intensité de sensation, dans cette société singulière où les jeunes filles avaient quatre-vingts ans d'ennui dans leurs âmes limpides et introublées, c'était le jeu, la dernière passion des âmes rusées.

Le jeu, c'était la grande affaire de ces anciens nobles, taillés dans le patron des grands seigneurs, et désœuvrés comme de vieilles femmes aveugles. Ils jouaient comme des Normands, des aïeux d'Anglais, la nation la plus joueuse du monde. Leur parenté de race avec les Anglais, l'émigration en Angleterre, la dignité de ce jeu, silencieux et contenu comme la diplomatie, leur avaient fait adopter le whist. C'était le whist qu'ils avaient jeté, pour le combler, dans l'abîme sans fond de leurs jours vides. Ils le jouaient après le dîner, tous les soirs, jusqu'à minuit ou une heure du matin, ce qui est une vraie saturnale pour la province. [...]

Un soir, chez Mme de Beaumont, les tables vertes étaient dressées : on attendait un Anglais, un M. Hartford, pour la partie du grand marquis. [...] C'était un joueur de la grande espèce, un homme dont la vie (véritable fantasmagorie d'ailleurs) n'avait de signification et de réalité que quand il tenait des cartes, un homme enfin qui répétait sans cesse que le premier bonheur était de gagner au jeu, et que le second était d'y perdre : magnifique axiome qu'il avait pris à Sheridan, mais qu'il appliquait de manière à se faire absoudre de l'avoir pris. Du reste, à ce vice du jeu près (en considération duquel le marquis de Saint-Albans lui eût pardonné les plus éminentes vertus), M. Hartford passait pour avoir toutes les qualités pharisaïques et protestantes que les Anglais sous-entendent dans le confortable mot d'*honorability*. On le considérait comme un parfait gentleman. Le marquis l'amenait passer des huitaines à son château de la Vanillière, mais à la ville il le voyait tous les soirs. Ce soir-là donc, on s'étonnait, et le marquis lui-même, que l'exact et scrupuleux étranger fût en retard... »

Barbey d'Aurevilly, « Le dessous de cartes d'une partie de whist »,
Les Diaboliques, 1874.

Réception de l'œuvre au XIXᵉ siècle

Si Théophile Gautier loue Jules Verne, dans *Le Moniteur universel* du 16 juillet 1876, pour la grande vraisemblance de ses voyages extraordinaires avec cette formule : « *la chimère est ici chevauchée et dirigée par un esprit mathématique* », si Pierre Larousse salue en lui le créateur du « *roman scientifique et géographique* » dans son *Grand Dictionnaire universel du XIXᵉ siècle*, on a vite réduit Jules Verne à la vulgarisation pour enfants des progrès scientifiques et géographiques de son temps.

Émile Zola résume ainsi la même année le travail de Jules Verne : « *Il prend les théories et en tire des faits vraisemblables* » (*L'Événement*, 12 mai 1866). L'œuvre apparaît comme puissamment moralisatrice, d'abord parce qu'elle est publiée dans les colonnes du *Magasin d'éducation et de récréation*, ensuite parce qu'elle met en scène des personnages énergiques capables de galvaniser la jeunesse.

Dans *Le Moniteur* du 27 décembre 1873, le critique Paul de Saint-Victor invite les « *jeunes lecteurs* » à « *s'embarquer sous le pavillon du capitaine Jules Vernes* (sic), *pour* Le Pays des fourrures *et* Le Tour du monde en quatre-vingts jours ». « *On sait*, écrit-il, *l'intérêt de ces voyages extraordinaires qui dépassent en merveilles ceux du Sindbad oriental, et qui égalent en notions précises les relations des naturalistes et des géographes.* »

Aspect éducatif que souligne encore Léon Blum dans l'éloge qu'il lui dédie dans *L'Humanité* au lendemain de ses obsèques : son œuvre « *a été tout à la fois un instrument d'éducation positive et de développement moral* ».

Cette vision réductrice l'exposait au rejet de la société lettrée, et alors que l'œuvre connaissait un succès immense, peu d'écrivains lui rendirent justice ; pourtant élogieux au début, Zola devient féroce lorsqu'il stigmatise dans un article « *le goût du public [pour] ces vulgarisations amusantes de la science. Je ne discute pas le genre, qui me paraît devoir fausser toutes les connaissances des enfants* » (« Le Roman contemporain », *Figaro littéraire*, 22 décembre 1878). Mais cette violence doit peut-être plus au ressentiment de Zola envers Hetzel, qui s'obstinait alors à ne pas publier de roman naturaliste, qu'à un avis réellement négatif. Toujours est-il que Zola peut se permettre ces attaques dans un climat où l'œuvre de Jules Verne est de plus en plus réduite à la portée éducative et populaire que lui imprimait Hetzel.

Peu sont conscients de l'importance de cette écriture de l'aventure, qui devait inspirer les poètes ; Jules Claretie est de ceux-là, quand il écrit dans ses *Célébrités contemporaines* (1883) que « *les aventures de Phileas Fogg, visitant la terre en 80 jours, ont diverti les Parisiens durant des mois entiers, et dans son fauteuil on a paisiblement fait le tour du monde. [...]* Go ahead ! *Place à Phileas Fogg et à son siècle. Don Quichotte est un ganache, et ce n'est pas à des moulins à vent que s'en prennent nos héros de roman, ce sont à des bateaux à vapeur, comme ce Phileas Fogg* ». Jules Verne renouvelle aussi les ingrédients du roman d'aventures, comme le souligne le critique P. Challemel-Lacour, qui le loue d'avoir su « *bannir du roman les sottes aventures et les remplacer, savez-vous par quoi ? par la géographie, la paléontologie, la géologie, sans que le récit y perde le moins du monde de son intérêt dramatique* » (*Le Temps*, 16 décembre 1864).

En revanche, l'œuvre est forte d'un succès populaire immense, que confirme et amplifie la carrière théâtrale du *Tour du monde en quatre-vingts jours*, qui commence deux ans après celle du roman ; la pièce créée par Jules Verne et Dennery connaît sa millième représentation en 1887.

La postérité : une littérature pour enfants ?

Sa capacité à faire rêver motiva la réhabilitation progressive de l'œuvre de Jules Verne, par des écrivains d'abord qui reconnaissent la marque profonde laissée au-delà de l'enfance par l'imagination vernienne ; Léon Tolstoï parle d'un « *maître surprenant* », Julien Gracq d'un « *vieux magicien* », J.-M. G. Le Clézio le rapproche de Joseph Conrad… « *Il en est des livres de Jules Verne,* explique Claude Pichois, *comme de certains jouets miniatures qu'à Noël les parents prétendent offrir aux enfants, mais s'offrent en fait à eux-mêmes : ce sont des distractions passionnantes de grandes personnes, aliments généreux d'imaginations qui ne se satisfont pas de guenons envoyées dans l'espace.* » (Préface aux *Aventures d'Arthur Gordon Pym,* suivies du *Sphynx des Glaces,* 1960.)

Ce rêve d'enfant, Jean Cocteau le concrétisa : parti le 28 mars 1936 en compagnie de Marcel Khill, alias Passepartout, le poète confie le journal de bord de son *Premier Voyage* au quotidien *France-Soir* ; l'aventure enfantine, pleine de rêve et d'imprévu, s'enchante de la poésie du monde. Cocteau explique ainsi au début : « *" – 30 000 bank-notes pour vous, capitaine, si nous arrivons avant une heure à Liverpool. "* [L'invention de Cocteau commence avec cette citation, qui ne se trouve pas dans le chapitre XXXIII du roman.] *Ce cri de Phileas Fogg reste pour moi l'appel de la mer, et jamais aucun océan véritable n'aura le prestige à mes yeux d'une toile verte que les machinistes agitaient avec le dos, pendant que Phileas Fogg et Passepartout, accrochés à une épave, regardaient s'allumer au loin les lumières de Liverpool.* » L'expérience de Cocteau rend son analyse de l'œuvre d'autant plus intéressante : « *Ce voyage n'est pas dédié au décor, mais au temps. À des héros d'une entreprise abstraite qui met en œuvre l'heure, la distance, la longitude, les méridiens, la* géographie, la géométrie, etc. [...] On touche du doigt la notion conventionnelle du temps humain. » Jules Verne se doutait-il qu'il inspirerait ainsi les poètes ? Prémonitoire était peut-être le clin d'œil à Byron au début du roman : Arthur Rimbaud, Raymond Roussel, Blaise Cendrars ont tous à leur manière suivi les traces de Phileas Fogg.

Du côté de l'institution, la reconnaissance est plus tardive et plus mesurée. Comme l'écrit Daniel Compère, « si l'enseignement retint ses ouvrages pour les distribuer comme prix aux bons élèves, il fut longtemps réticent pour parler de Verne dans les manuels scolaires et les travaux critiques sur le roman au XIXᵉ ». Absente encore aujourd'hui de certaines anthologies, l'œuvre de Jules Verne a dû attendre 1966 pour être rééditée en version intégrale : les coupures opérées par la librairie Hachette à partir de 1914 avaient effectivement limité le lectorat de Jules Verne à celui de la « Bibliothèque verte »...

En 1977, le programme de l'agrégation ouvre ses portes à Jules Verne, et des travaux universitaires commencent à paraître. Pierre Macherey met ainsi en valeur la profondeur de l'œuvre : une « longue méditation, ou rêverie, sur la ligne droite – qui représente l'articulation de la nature sur l'industrie, et de l'industrie sur la nature, ce qui se raconte comme un récit d'exploration » (« Jules Verne ou le récit en défaut », dans Pour une théorie de la production littéraire, 1966 ; rappelons qu'au chapitre XXIV, la route de Phileas Fogg devint « droite »...). François Raymond souligne quant à lui l'ambivalence de l'attitude de Jules Verne envers l'industrie : « cette mécanique, écrit-il à propos de Phileas Fogg, il rêve qu'elle s'humanise : ce " glaçon ", qu'il se dégèle » (« L'homme et l'horloge », Cahiers de l'Herne). Mais la critique vernienne se heurte à un obstacle de taille : comment gloser l'aventure géographique de Jules Verne sans la répéter ou la réduire ? De là, peut-être, l'abondance des travaux qui s'intéressent plus à l'homme, ses relations avec Hetzel, ses sources, qu'aux récits... Car, pour ce qui est de l'aventure, il suffit de lire, et d'imaginer.

L'itinéraire de Phileas Fogg

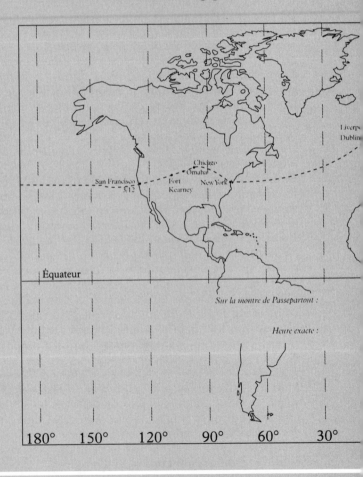

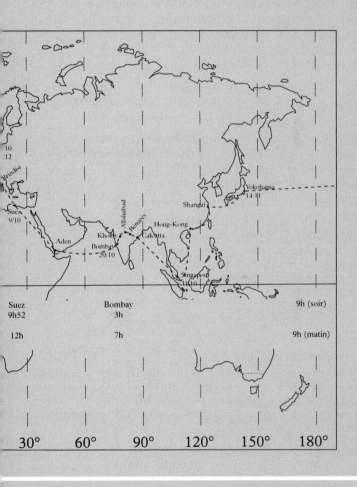

Petit lexique de la navigation

Les chapitres XX, XXI, et XXXI du *Tour du monde en quatre-vingts jours* sont particulièrement riches de ce point de vue.

Amener
Abaisser les voiles en cas de grain.

Brigantine
Voile quadrangulaire enverguée sur la corne d'artimon, mât situé à l'arrière.

Corne
Vergue placée obliquement et portant une voile aurique ou un pavillon.

Cotre
Voilier à un seul mât, pourvu d'une grand-voile, d'un foc et d'une trinquette.

Drisse
Cordage pour hisser les voiles.

Écoute
Cordage attaché aux coins inférieurs d'une voile pour l'orienter.

Étai
Câble métallique destiné à maintenir le mât en place.

Étarquer
Raidir, tendre une voile au maximum.

Flèche
Voile établie au-dessus du grand-mât à corne.

Foc
Voile triangulaire placée à l'avant.

Fréter
Prendre ou donner un bateau en location.

Godille
Aviron placé à l'arrière de l'embarcation.

Goélette
Voilier à deux mâts, dont le grand est à l'arrière.

Guidon
Pavillon servant d'insigne de commandement.

Guinder
Hisser (une voile).

Misaine
Le mât de misaine est situé à l'avant du navire, entre le grand mât et le beaupré.

Œuvres mortes
Parties émergées du navire.

Pavois
Partie de la coque d'un navire, au-dessus du pont, destinée à le protéger.

Prendre un ris
Diminuer la surface d'une voile en serrant les garcettes, ou ris.

Saisine
Cordage servant à amarrer les objets sur le navire.

Sloop
Navire à un mât avec un seul foc à l'avant.

Steamer
Mot anglais désignant un navire à vapeur ; tous les bateaux utilisés par Phileas Fogg sont des steamers, sauf la *Tankadère*. Il existe des steamers à hélice, comme le *Mongolia* et le *Rangoon*, ou à roues, comme le *General-Grant*.

Ce peut être de grands paquebots, destinés au transport de passagers, ou de simples navires de commerce comme l'*Henrietta*.

Tourmentin
Petit foc en toile très résistante, spécialement conçue pour le mauvais temps.

Trinquette
Foc situé le plus près du grand mât ou du mât de misaine.

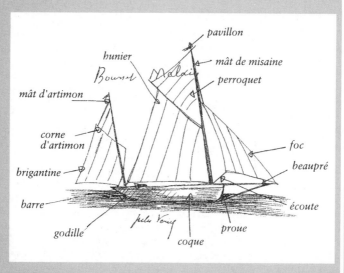

Dessin de Jules Verne.

Compléments notionnels

Analepse
Retour en arrière.

Aventurier
Du sens classique : celui qui cherche à s'établir par les armes, le mot est devenu nettement péjoratif, pour désigner celui qui « *n'a aucune fortune et qui cherche à s'établir par des aventures* » (*Dictionnaire de l'Académie*, 1694), qui est sans scrupules et sans loi. Cependant le terme retrouve aujourd'hui le sens mélioratif d'« aventureux » : celui qui aime le risque, qui sollicite l'inconnu.

Caricature
Image déformée et exagérée d'une personne ou d'une idée.

Effet de réel
Caution de réalité conférée au récit grâce à une description, ou seulement un détail, qui ne semble avoir aucune fonction narrative, et qui crée « *l'illusion référentielle* ».

Focalisation
La focalisation interne raconte l'histoire selon le point de vue et les connaissances d'un personnage, par opposition à la focalisation « zéro » ou narration omnisciente, et à la focalisation externe.

Narrateur
Celui qui raconte l'histoire ; il peut être absent de l'histoire qu'il raconte, comme dans *Le Tour du monde en quatre-vingts jours*, ou présent comme personnage (principal ou témoin).

Narration omnisciente
Dans ce type de récit, le narrateur en sait plus que les personnages, et il n'y a pas de limites aux précisions qu'il peut apporter sur les événements qu'il raconte.

Pause
Passage du récit où le temps de la fiction est suspendu au profit d'une description, d'un commentaire du narrateur, etc.

Péripétie
Événement qui provoque un rebondissement de l'action.

Pittoresque
Le terme, d'origine italienne, désigne une catégorie esthétique à rattacher à l'art des jardins ; il promeut une relation nouvelle à la nature en privilégiant l'effet visuel et émotionnel. Au XIXe siècle, il s'agit aussi d'un terme de librairie désignant un type de publications illustrées, d'où le titre de la revue du *Magasin pittoresque*.

Portrait
La description d'un personnage dans le récit, qui peut concerner son aspect physique et/ou ses caractéristiques psychologiques.

Progression dramatique

Développement du récit en fonction des péripéties qui modifient le cours de l'action, jusqu'à sa résolution.

Réalisme

Mouvement littéraire qui parvient à son apogée au XIXe siècle et qui vise à une représentation complète et la plus objective possible de la réalité.

Roman d'aventures

Robinson Crusoe, écrit par Daniel Defoe en 1719, peut être considéré comme le premier roman d'aventures proprement dit. Le genre doit être distingué du thème, car on trouve des aventures dans la littérature de tous les temps et presque dans tous les genres (de l'épopée à la tragédie, de l'autobiographie à la poésie...).

Roman scientifique

Jules Verne est ressenti comme le créateur de cette forme originale qui prend la science (en particulier, pour lui, la géographie) comme thème principal et comme ressort des aventures.

Scène (dans la narration)

Passage où le temps de la fiction semble suivre le temps des événements racontés.

Schéma actanciel

Représentation schématique des rôles tenus par les personnages : le *sujet* poussé par le *destinateur* recherche un *objet* ; il est secondé par des *adjuvants*, mais se heurte à des *opposants*. Son action profite à un *destinataire* ; tous ces rôles peuvent être tenus par des idées ou des choses.

Science-fiction

Ce genre déclare parfois Jules Verne comme l'un de ses précurseurs ; il l'est du fait de l'exploration de l'univers et de l'imagination de ce qui est « scientifiquement possible », mais il en diffère par un imaginaire toujours fermement lié à son époque ; il y a peu d'anticipation proprement dite dans son œuvre.

Bibliographie

Études sur Jules Verne et *Le Tour du monde en quatre-vingts jours*

- Patrick Avrane, *Un divan pour Phileas Fogg*, Aubier, 1988 ; *Jules Verne*, Stock, 1997.

- Jean Cocteau, *Le Tour du monde en quatre-vingts jours (mon premier voyage)*, Gallimard, 1936.

- Daniel Compère, *Jules Verne, parcours d'une œuvre*, Encrage, 1966 ; *Jules Verne écrivain*, Droz, 1991.

- Jean-Paul Dekiss, *Jules Verne, le rêve du progrès*, « Découvertes », Gallimard, 1991.

- Jean-Paul Dekiss, *Jules Verne l'enchanteur*, Kiron/Éditions du Félin, 1999.

- Marie-Hélène Huet, *L'Histoire des « Voyages extraordinaires »*, Minard, 1973.

- Pierre Macherey, *Quelques Œuvres. I. Jules Verne ou le récit en défaut*, in *Pour une théorie de la production littéraire*, Maspéro, 1966.

- Charles-Noël Martin, *La Vie et l'Œuvre de Jules Verne*, Michel de l'Ormeraie, 1978.

- François Raymond, « L'homme et l'horloge », *Cahiers de l'Herne*, 1974 ; *Jules Verne*, « Le Livre d'or de la science-fiction », Presses Pocket, 1986.

- Simone Vierne, *Jules Verne*, Balland, 1986 ; *Jules Verne, mythe et modernité*, PUF « Écrivains », 1989.

- *L'Arc*, numéro spécial 29, septembre 1966.

- *Cahiers de l'Herne*, n° 25, 1974.

- *Colloque d'Amiens*, Minard, 1978.

- *Europe*, novembre-décembre 1978.

• *Revue des lettres modernes,* série « Jules Verne », en particulier le n° 1 : « Le Tour du monde », 1976, et le n° 3 : « Machines et imaginaires », 1980.

Sur le roman d'aventures

• Jean-Yves Tadié, *Le Roman d'aventures,* 1982 ; rééd. PUF « Quadrige », 1996.

• Vladimir Jankélévitch, *L'Aventure, l'Ennui, le Sérieux,* Aubier-Montaigne, 1963.

• *L'Aventure dans la littérature populaire au XIXe siècle,* dirigé par R. Bellet, Presses Universitaires de Lyon, 1985.

• « Le roman d'aventures », *Magazine littéraire,* juillet-août 1976.

Filmographie

• 1956, *Le Tour du monde en quatre-vingts jours,* film de Michael Anderson, avec Daniel Niven.

• 1975, *Le Tour du monde en quatre-vingts jours,* téléfilm de Pierre Nivollet, en deux parties, avec Jean Le Poulain.

• 1989, *Le Tour du monde en quatre-vingts jours,* téléfilm de Buzz Kulik en deux parties, avec Pierce Brosnan.

CRÉDITS PHOTO : p. 7 Coll. Archives Larbor • p. 19 Coll. Archives Larbor • p. 32 Ph. © J. Dubout/Tallandier • p. 34 et reprise page 8 : Coll. Archives Larbor • p. 39 Ph. © J.L. Charmet • p. 56 *Ph. © Roger Viollet/Coll. Viollet • p. 109 Ph. © J.L. Charmet • p. 129 Ph. © J.L. Charmet • p. 170 Ph. © J.L. Charmet • p. 193 Ph. © J.L. Charmet • p. 214 Ph. © J.L. Charmet • p. 267 Ph. © J.L. Charmet • p. 277 Ph. © J.L. Charmet • p. 280 Ph. © J.L. Charmet • p. 321 Ph. © J.L. Charmet • p. 363 Ph. © Centre de Documentation Jules Verne, Amiens.

Direction de la collection : Carine GIRAC-MARINIER
Direction éditoriale : Jacques FLORENT
Direction artistique : Emmanuelle BRAINE-BONNAIRE
Responsable de la fabrication : Marlène DELBEKEN
Édition et révision des textes : Patricia GUEDOT

Compogravure : P.P.C. – Impression : Rotolito Lombarda (Italie)
Dépôt légal : Octobre 2009 – 303702 – N° de projet : 11022105/05 – Février 2013